새 교육과정 중등 영역별 STEAM 과학

안쌤의

최상위 줄기과학

중등

지구과학

최상위권 브랜드 **M** 마테시스

구성과 특징

개념

교과서 핵심 내용을 간결하면서도 이해하기 쉽게 설명했습니다. 또한, 풍부한 시각 자료가 있어 개념이
확실히 잡히도록 구성하였습니다.

플러스 노트

교과서 개념을 이해하는 데 도움이 되는 설명들로
구성하였습니다.

더 알아보기

학교 시험에 나올 수 있는 문제를 대비하여 교과서 개념을
응용하거나 적용된 실생활 내용으로 구성하였습니다.

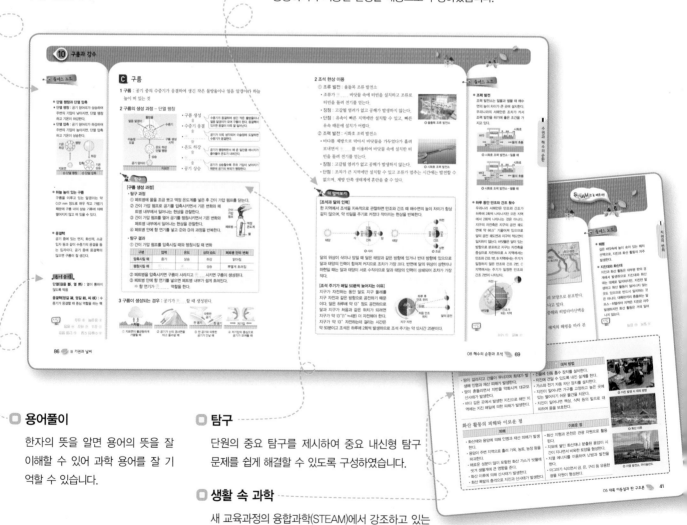

용어풀이

한자의 뜻을 알면 용어의 뜻을 잘
이해할 수 있어 과학 용어를 잘 기
억할 수 있습니다.

탐구

단원의 중요 탐구를 제시하여 중요 내신형 탐구
문제를 쉽게 해결할 수 있도록 구성하였습니다.

생활 속 과학

새 교육과정의 융합과학(STEAM)에서 강조하고 있는
생활 속 과학을 교과서 개념이 적용된 내용으로 구성하였습니다.

문제 구성

교과서 핵심 내용을 확실히 파악했는지 확인하기 위한 객관식 문제 유형과 서술형 문제 유형을 구성하였습니다. 또한 새 교육과정에서 강조하는 융합인재교육(STEAM)을 위한 창의사고력 문제 유형과 STEAM 실험실로 탐구력 향상 문제 유형을 구성하였습니다.

개념 속 빈칸 ⓑ

눈으로만 보는 개념보다 빈칸을 채워가며 완성하는 개념이 학습에 도움이 됩니다. 이를 위해 핵심 개념에 빈칸을 넣어 구성했습니다.

개념 속 빈칸 정답

빈칸을 채워가며 개념을 완성하는데 정답 확인이 번거롭지 않도록 개념 페이지 하단에 정답을 넣었습니다. 바로바로 확인하면서 개념 페이지를 완성할 수 있습니다.

개념기르기

개념을 확실히 파악했는지 확인하고, 학교 시험에 잘 나올만한 문제를 통해 기초를 튼튼히 다질 수 있도록 구성하였습니다.

중요

출제 빈도가 높은 문제에는 중요 아이콘으로 표시했습니다. 이 문제는 확실히 이해하고 넘어가면 좋습니다.

서술형으로 다지기

학교 시험에서 마지막에 등장하는 서술형 문제를 집중적으로 연습할 수 있도록 구성하였습니다.

융합사고력 키우기

창의 서술형 평가로 새롭게 등장한 융합형(STEAM) 문제를 대비할 수 있도록, NIE(신문기사), 실생활 속 제품, 과학사 등의 지문을 이용하여 서술형 문제와 논술형 문제로 구성하였습니다.

논술형

최근 창의 서술형 평가로 새롭게 등장한 논술형 문제를 대비할 수 있도록 구성하였습니다.

탐구력 키우기

새 교육과정으로 등장한 단원별 마무리 STEAM 활동처럼 단원을 STEAM 탐구로 마무리할 수 있도록 구성하였습니다.

차례

융합인재교육 STEAM 이란?

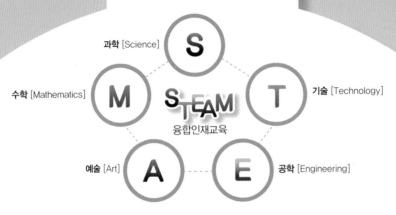

과학 [Science]
수학 [Mathematics]
기술 [Technology]
예술 [Art]
공학 [Engineering]
융합인재교육

⊙ 수학, 과학, 기술, 공학 간 상호 연계성 고려, 학문 간 공통 핵심 요소 중심으로 교육
⊙ 예술적 소양을 함양하고 타 학문에 대한 이해가 깊은 미래형 인재 양성으로 교육

[자료 출처 : 한국과학창의재단]

융합인재교육은 과학기술공학과 관련된 다양한 분야의 융합적 지식, 과정, 본성에 대한 흥미와 이해를 높여 창의적이고 종합적으로 문제를 해결할 수 있는 융합적 소양(STEAM Literacy)을 갖춘 인재를 양성하는 교육이라고 정의하고 있다. 학습자가 실제 문제 상황을 다양하게 설계하고 해결하는 과정을 통해 새로운 개념을 생성하고, 창의적으로 설계하며, 더불어 사는 인성, 즉 사회적 감성을 발달하도록 하는 것이다.

이러한 **융합인재교육(STEAM)**의 목적은 다음과 같이 정리할 수 있다.

⊙ 빠르게 변화하는 사회 변화의 적응력을 높이는 것이다.
⊙ 개인의 창의인성, 지성과 감성의 균형 있는 발달을 돕는 것이다.
⊙ 타인을 배려하고 협력하며, 소통하는 능력을 함양하는 것이다.
⊙ 과학 효능감과 자신감, 과학에 대한 흥미 등을 증진시킴으로써 과학 학습에 대한 동기 유발을 높이는 것이다.
⊙ 융합적 지식 및 과정의 중요성을 인식시키는 것이다.
⊙ 학습자 중심의 수평적 융합적 교육으로 전환하는 것이다.
⊙ 합리적이고 다양성을 인정하는 문화 형성에 기여하는 것이다.
⊙ 대중의 과학화를 기반으로 한 합리적인 사회를 구성하는 데 기여하는 것이다.
⊙ 창조적 협력 인재를 양성하는 것이다.

Ⅰ 지권의 변화

● **2015 개정 교육과정 교과서**

중학교 1~3학년 군 : 1학년 1단원 지권의 변화

● **다른 학년과의 연계**

3~4학년 군 : 지표의 변화, 지층과 화석, 화산과 지진, 지구의 모습

통합 과학 : 지구 시스템

지구과학 Ⅰ : 지권의 변동

지구과학 Ⅱ : 지구 구성 물질과 자원, 한반도의 지질

물, 공기, 토양, 생물 등이 상호 작용하는

01 지구계

A 지구계

1 계

① 계 : 커다란 전체 안에서 작은 규모의 영역이 ⓐ_____을 하면서 전체를 유지하는 조직이나 체계

② 우리 주변의 다양한 계

구분	특징
ⓑ	• 지구의 육지, 바다, 대기, 생물과 이를 둘러싼 우주 공간이 상호 작용하는 계
ⓒ	• 생물적 요소와 비생물적 요소가 상호 작용하는 계 • 생산자, 소비자, 분해자는 먹이 사슬 관계를 형성하여 생태계를 이룬다.
태양계	• 태양, 행성, 왜소 행성, 위성, 소행성 등으로 이루어진 계 • 중심에 태양이 있고, 행성은 태양 주위를 공전하고, 위성은 행성 주위를 공전한다.
소화계	• 입, 식도, 위, 소장, 대장 등 음식물의 소화를 돕는 기관으로 구성된 계 • 입은 음식물을 씹고 잘게 부수고, 위와 소장은 음식물을 소화시키고, 소장은 영양소를 흡수한다. 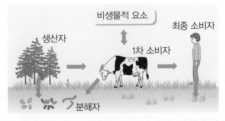

더 알아보기

[생태계]

① **생태계** : 생태계는 다양한 식물과 동물, 그리고 생물이 살아가는 환경으로 구성되어 있으며, 이들은 서로 영향을 주고받는다.

② **생물적 요소**
  • **생산자** : 대부분 식물로 이루어져 있으며, 광합성으로 양분을 생산한다.
  • **소비자** : 생산자가 만든 양분을 소비하면서 살아간다.
  • **분해자** : 생산자나 소비자 또는 다른 분해자의 죽은 몸이나 배설물을 분해하면서 살아간다.

③ **비생물적 요소** : 공기, 토양, 햇빛, 온도, 물 등

④ 생태계의 구성 요소 중에서 어느 하나라도 없어지면 생태계의 균형은 깨지며, 서로 조화롭게 공존할 때 생태계는 건강하게 유지된다.

플러스 노트

● **크라카타우 섬과 생태계**

1883년 화산 분출로 섬의 70 %가 날아가고 섬은 무거운 화산재로 덮였으며 숯덩이로 변한 나무만이 남아 있는 죽음의 땅이 되었다. 그러나 화산 분출 3년 후 식물이 자라기 시작했고, 식물이 자라면서 동물들도 살게 되었다. 화산 분출로 섬에 생명이 사라진 지 100여 년 만에 섬은 다시 새로운 생명의 땅으로 변했다. 크라카타우 섬은 생태계의 순환을 잘 보여준다.

용어풀이

계(이을 係, system) : 상호 작용하는 구성 요소들의 집합

상호 작용(서로 相, 서로 互, 만들 作, 쓸 用) : 서로 영향을 주고받음

정답

ⓒ 생태계
ⓐ 상호 작용 ⓑ 지구계

2 지구계

① 지구계 : 지구를 이루는 여러 요소가 서로 영향을 주고받으면서 하나의 계를 이루고 있다.

② 지구계의 구성 요소

구분	특징
ⓐ 권	• 지구의 단단한 겉 부분인 지각과 지구 내부 영역이다. • 생물에게 서식처와 여러 가지 물질을 제공한다. • 생명 활동에 필요한 무기 염류를 공급한다. • 지진과 화산 활동을 일으키고, 대륙을 이동시킨다. • 다른 구성 요소에 비해 비교적 느리게 변한다. 예 암석, 토양, 산, 평야 등
ⓑ 권	• 지구를 둘러싸고 있는 대기가 분포하는 영역이다. • 지표면에서 약 1,000 km 높이까지 해당한다. • 질소와 산소가 약 99 %를 차지한다. • 우주에서 오는 자외선과 유성의 충돌을 막아준다. • 생물의 호흡과 식물의 광합성에 필요한 기체를 공급한다. • 수증기에 의해 날씨 변화를 일으킨다. • 지표면을 변화시킨다. • 지구에 열을 고르게 전달하여 지구의 평균 온도를 15 ℃로 유지한다. 예 질소, 산소, 이산화 탄소, 수증기 등
ⓒ 권	• 지구상에서 물이 분포하는 영역이다. • 바닷물(해수) 97.2 %, 육지의 물(담수) 2.8 %로 구성된다. • 생물의 몸을 구성하고 있다. • 빗물에 의해 육지의 물질이 바다로 이동한다. • 태양 에너지를 저장하고 열을 이동시켜 지구를 생물이 살아가기에 적당한 환경으로 만든다. • 생물에게 서식처를 제공한다. 예 바다, 호수, 하천, 지하수, 빙하, 구름 등
ⓓ 권	• 사람을 포함하여 지구에 살고 있는 모든 생물체와 아직 분해되지 않은 유기물이 분포하는 영역이다. • 태양계 행성 중에서 지구에만 형성되어 있는 권역이다. • 지권, 수권, 기권에 넓게 분포한다. • 다른 권역의 변화에 민감하게 반응한다. 예 동물, 식물, 미생물 등
ⓔ 권	• 기권 바깥 영역의 우주 공간이다. • 지구와 외권 사이에는 끊임없이 에너지가 출입한다. ➡ 지구는 태양 복사 에너지를 흡수하고 지구 복사 에너지를 방출한다. • 지구 자기장이 유해한 우주 방사능으로부터 보호한다. 예 태양, 행성, 소행성 등

플러스 노트

B 지구계의 상호 작용

1 지구계를 이루는 각 권의 상호 작용

① 지구계를 이루는 각 권역 사이에는 끊임없이 물질과 에너지의 이동이 일어난다.

➡ 상호 작용에 의해 여러 자연 현상과 변화가 일어난다.

② 지구계의 각 권역은 상호 작용을 통해 균형을 유지하고 있으며, 어느 한 권역에서 변화가 일어나면 다른 권역에도 영향을 미친다.

③ 각 권역 사이의 상호 작용으로 나타나는 현상

구분	특징
수권과 ⓐ 권	• 바다나 강에서 물이 증발하여 구름이 만들어진다. • 따뜻한 바닷물이 증발하였다가 응결하여 태풍이 만들어진다. • 지구 온난화의 영향으로 해수면이 상승한다.
수권과 생물권	• 바다에 다양한 해양 생물이 살고 있다.
ⓑ 권과 지권	• 바다에 퇴적물이 쌓여 암석이 된다. • 파도가 해안 절벽을 깎아 동굴이 만들어진다. • 바다에서 지진이 일어나 지진 해일이 발생한다. • 흐르는 물이 지표를 깎아 골짜기가 만들어진다.
생물권과 ⓒ 권	• 식물이 이산화 탄소를 흡수하여 광합성을 한다. • 생물이 산소를 흡수한 후 이산화 탄소를 방출하는 호흡을 한다. • 새가 기류를 이용하여 이동한다.
ⓓ 권과 지권	• 생물체가 죽어 분해되면 토양이 된다. • 토양은 생물체에게 서식지를 제공한다.
지권과 ⓔ 권	• 석유나 석탄을 태우면 이산화 탄소가 대기로 이동한다. • 화산 폭발로 화산재가 분출되어 햇빛을 차단하면 기온이 낮아진다. • 공장 굴뚝에서 나오는 연기는 대기를 오염시킨다. • 바람에 의해 풍화·침식 작용이 일어난다. • 대기권의 영향으로 모래바람이 발생하는 황사 현상이 나타난다.
외권과 ⓕ 권	• 태양의 영향으로 극 지방에 오로라가 나타난다. • 우주에 있던 물질이 지구 대기와 마찰하여 타면서 빛을 내는 유성이 나타난다.
외권과 수권	• 태양 복사 에너지가 바닷물 온도를 높인다.
외권과 생물권	• 태양 복사 에너지가 생물에게 에너지를 공급한다.
외권과 지권	• 대기에서 다 타지 않은 유성에 의해 운석이 만들어진다.

● **지구계의 상호 작용**

상호 작용은 반드시 두 권역 사이에서만 일어나는 것으로 제한되지 않고, 세 권역 이상에서도 일어날 수 있다.

예 식물의 생장 : 식물(생물권)은 땅속의 무기 염류(지권)와 물(수권)을 흡수하고, 대기 중의 이산화 탄소(기권)로 광합성 하여 자란다.

정답

ⓐ 기 ⓑ 지 ⓒ 수 ⓓ 생물

ⓔ 기 ⓕ 기

더 알아보기

[지구계에 영향을 주는 에너지원]
① ⓐ＿＿＿ 에너지 : 가장 큰 영향을 주는 에너지원으로, 식물의 광합성 작용에 사용
되며 물과 대기의 순환을 일으키고, 풍화·침식 작용을 일으켜 지표를 변화시킨다.
② 지구 내부 에너지 : 주로 암석 속에 포함된 방사성 원소의 붕괴에 의한 열로, 화산
활동과 지진 및 조산 운동을 일으킨다.
③ 조석 에너지 : 달과 태양의 인력 때문에 나타나며, 해수면의 높이를 주기적으로
변화시키고, 조류를 일으켜 해안 근처의 생태계와 지형 변화에 영향을 준다.

[지구계 내 물질과 에너지 순환]
지구계의 구성 요소 사이에서는 끊임없이 물이나 탄소 같은 물질과 에너지가 순환한다.
➡ 물질이 각 권역을 순환할 때 에너지를 흡수하거나 방출하므로 ⓑ＿＿＿ 도 같이
순환한다.
① 물의 순환과 에너지의 이동
• 물은 고체, 액체, 기체 상태로 변화하면서 기권, 지권, 수권, 생물권 사이를 끊임
없이 순환하고, 이때 에너지도 함께 순환한다.

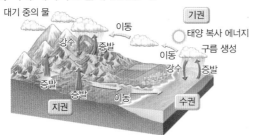

• 물 순환의 근원 에너지 : ⓒ＿＿＿ 에너지
• 수증기 증발 : 에너지 ⓓ＿＿ ➡ 수권 → 기권
• 물방울 응결(구름 생성) : 에너지 ⓔ＿＿ ➡ 기권 → 수권
• 흐르는 물 : 지표의 변화 ➡ 수권 → 지권
② 탄소의 순환과 에너지의 이동
• 탄소는 기권에서 이산화 탄소로 존재하며, 지구의 기온 변화에 중요한 역할을 한다.
• 탄소가 수권, 지권, 기권, 생물권을 순환할 때 에너지도 함께 순환한다.

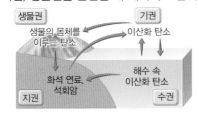

• 광합성을 통한 이산화 탄소 흡수 ➡ 기권 → 생물권
• 호흡을 통한 이산화 탄소 방출 ➡ 생물권 → 기권
• 해수 속에서 석회암(탄산 칼슘) 생성 ➡ 수권 → 지권
• 화산 활동, 화석 연료 연소 ➡ 지권 → 기권
• 생물의 유해가 묻혀 만들어지는 석탄, 석유, 천연가스 ➡ 생물권 → 지권

플러스 노트

● **지구계 내의 물의 분포**
물은 지구계의 각 권에 상태를 달리
하여 분포하고 있으며, 기상 변화나
생물의 분포 등에 따라 변한다. 그
러나 지구 전체적으로는 일정하게
유지되고 있다.

● **각 권역에서 탄소의 존재 형태**
＊ 지권 : 흑연, 금강석, 석탄, 석유, 천연
가스, 석회암 ➡ 전체의 99 % 이상
분포, 주로 석회암에 저장되어 있다.
＊ 수권 : 탄산 이온
＊ 기권 : 이산화 탄소
＊ 생물권 : 생물의 몸을 이루는 유기물
＊ 탄소의 분포량
: 지권>수권>생물권>기권

● **기후 변화와 이산화 탄소**
기온이 상승하면 해수 속의 이산화
탄소가 공기 중으로 빠져나와 온실
효과가 더 일어나 지구의 기온이 더욱
상승한다.

용어풀이

조산(만들 造, 산 山) 운동 : 산맥을
형성하는 지각 변동

유해(남길 遺, 뼈 骸) : 생물의 죽은
뼈가 남아 있는 것

정답
ⓒ 태양 복사 ⓓ 흡수 ⓔ 방출
ⓐ 태양 ⓑ 에너지

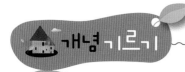
01 다음 〈보기〉 중 계에 대한 설명으로 옳은 것을 모두 고른 것은?

보기

㉠ 생물권은 지권에만 분포한다.
㉡ 과학에서 다루는 계는 지구계만 있다.
㉢ 외권은 지구계의 구성 요소 중 하나이다.
㉣ 계는 상호 작용하는 구성 요소들의 모임이다.

① ㉠, ㉡
② ㉠, ㉢
③ ㉡, ㉣
④ ㉢, ㉣
⑤ ㉠, ㉡, ㉢

02 다음 중 지구계의 구성 요소와 그에 대한 설명으로 옳은 것은?

① 수권 : 지구에 살고 있는 모든 생물이다.
② 기권 : 지구를 둘러싸고 있는 대기로, 여러 가지 기체로 이루어져 있다.
③ 생물권 : 지구의 겉부분인 지각과 지구 내부로 이루어져 있다.
④ 외권 : 기권의 수증기를 제외한 지구에 있는 물이다.
⑤ 지권 : 기권의 바깥 영역인 우주 공간이다.

03 다음 중 기권의 역할에 대한 설명으로 옳지 않은 것은?

① 우주에서 오는 자외선과 유성의 충돌을 막아준다.
② 생물의 호흡과 식물의 광합성에 필요한 기체를 공급한다.
③ 날씨 변화를 일으키고 지표면을 변화시킨다.
④ 유해한 우주 방사능으로부터 지구를 보호한다.
⑤ 지구에 열을 고르게 전달하여 지구의 평균 온도를 일정하게 유지시킨다.

04 다음은 지구계를 이루는 구성 요소를 나타낸 것이다. (가)~(라)의 특징에 대한 설명으로 옳지 않은 것은?

(가)

(나)

(다)

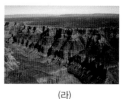
(라)

① (가)는 (나), (다), (라) 영역에 걸쳐 넓게 분포한다.
② (나)는 액체로만 이루어진 물이 존재하는 영역이다.
③ (다)는 지구를 둘러싸고 있는 공기층이다.
④ (라)는 지구의 표면과 지구 내부이다.
⑤ (가)~(라) 영역 외에 우주 공간인 외권이 있다.

05 지구계를 구성하는 요소 중 다음과 같은 특징을 나타내는 것은?

- 지구 표면의 약 71 %를 덮고 있으며, 대부분 바다에 존재한다.
- 풍화·침식 작용을 일으켜 지표를 변화시킨다.
- 생명을 유지하는 데 없어서는 안 되는 필수적인 요소이다.

① 지권
② 외권
③ 기권
④ 수권
⑤ 생물권

06 지구계의 구성 요소 중 사람이 속하는 것은?

① 지권
② 기권
③ 생물권
④ 외권
⑤ 수권

07 다음 중 기온이 상승하여 빙하가 녹는 현상에 해당되는 것은?

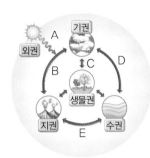

① A
② B
③ C
④ D
⑤ E

08 다음 중 지구계에 가장 큰 영향을 주는 에너지는?

① 태양 에너지
② 조석 에너지
③ 수력 에너지
④ 풍력 에너지
⑤ 지구 내부 에너지

09 다음은 물의 순환 과정을 간단하게 나타낸 것이다. ㉠~㉢에 들어갈 지구계의 구성 요소로 옳게 짝지어진 것은?

- 바다의 물이 증발하여 대기로 이동한다.
  수권 → (㉠)
- 대기 중의 물은 비가 되어 지표로 이동한다.
  기권 → (㉡)
- 대기 중의 물은 비가 되어 바다에 내린다.
  기권 → (㉢)

	㉠	㉡	㉢
①	기권	수권	지권
②	지권	수권	생물권
③	기권	지권	수권
④	생물권	지권	수권
⑤	기권	외권	지권

10 다음 그림은 지구계의 각 권 사이에서 일어나는 상호 작용을 나타낸 것이다. A~C에 해당하는 예로 옳지 않은 것은?

① A : 바람에 의해 풍화 · 침식 작용이 나타난다.
② A : 석탄과 석유를 태우면 이산화 탄소가 대기로 방출된다.
③ B : 바다에서 물이 증발하여 구름이 만들어진다.
④ C : 육지의 생물에게 물을 제공한다.
⑤ C : 산성을 띤 빗물에 의해 석회 동굴이 형성된다.

11 다음은 일본에서 일어난 화산 폭발에 대한 설명이다. 이 현상에서 상호 작용한 지구계의 구성 요소를 바르게 짝지은 것은?

2018년 8월 일본 규슈의 신모에다케 화산이 큰 규모로 분출해 화산재가 최고 2,300 m 상공까지 올라갔다.

① 지권과 기권
② 기권과 수권
③ 지권과 외권
④ 수권과 생물권
⑤ 지권과 수권

01 지구계가 무엇인지, 지구계를 이루는 구성 요소를 포함하여 서술하시오.

03 만약 지구의 대기가 매우 얇아진다면 지구계에 어떤 변화가 나타날지 기권, 지권, 수권, 외권 각 권역별로 한 가지씩 서술하시오.

02 다음 그림은 지구계를 이루는 구성 요소의 일부이다. (가)와 (나)는 지구계의 구성 요소 중 어디에 속하는지 적고, (가)와 (나)가 생물권과 상호 작용하는 예를 한 가지씩 서술하시오.

(가)   (나)

04 다음 그림은 자연 현상을 나타낸 사진이다. 각 그림의 현상을 지구계 구성 요소 사이의 상호 작용으로 서술하시오.

(가) 식물의 광합성   (나) 유성

융합사고력 키우기

STEAM 공룡 방귀가 고대 온난화 주범

약 1억 5천만 년 전에 일어난 지구 온난화 현상은 거대한 초식공룡들이 배출한 엄청난 양의 방귀와 트림이 주요 인일 가능성이 있다.

영국 과학자들은 소의 소화관에서 배출되는 가스의 양을 근거로 브론토사우루스를 포함한 용각류(초식공룡의 총칭)들이 배출했을 가스의 양을 계산한 결과, 연간 5억 2천만 톤이었으며, 이는 온난화의 주요인이 됐을 만한 양이라고 발표했다. 지금보다 기온이 최고 10 ℃ 정도 높고 습도도 높았던 중생대(약 2억 4천만 ~6천 500만 년 전)의 온난화 현상을 설명하는 데 공룡의 역할을 빼놓을 수 없다.

약 1억 5천만 년 전에 지구를 지배했던 공룡, 그중에서 어마어마한 몸집과 유난히 긴 목을 갖고 있던 용각류는 초식성으로, 장내 미생물의 도움을 받아야 먹이를 소화할 수 있었다. 중간 정도의 몸집을 가진 용각류의 몸무게는 약 20톤으로 추정되며, 이들은 1 km² 당 어른 서너 마리에서 수십 마리까지 살았을 것으로 추정된다.

그러나 대부분 과학자는 공룡이 이처럼 엄청난 양의 메테인 가스를 방출했음에도 불구하고 이들의 방귀와 트림이 당시 온난화의 유일한 원인은 아니었을 것으로 생각한다. 중생대에는 그밖에도 다른 메테인 배출원들이 있었으므로 전체적인 메테인 농도는 오늘날보다 훨씬 높았을 것으로 추측한다.

공룡 멸종

❂ 브론토사우루스 상상도

01 미생물과 메테인이 중생대 지구 기후에 미친 영향을 서술하시오.

✎

논술형

02 오늘날 지구상의 초식동물들이 배출하는 메테인은 연간 5천만~1억 톤이다. 메테인은 초식동물의 방귀와 트림, 분뇨가 발효되는 과정에서 발생한다. 메테인이 온난화 현상을 일으키지 않게 할 수 있는 아이디어를 고안하시오.

✎

지각, 맨틀, 외핵, 내핵, 4개의 층으로 구분되는

지권의 층상 구조

A 지구 내부 조사

1 직접적인 방법 : 지구의 겉 부분(지각, 맨틀)만 알 수 있다.

① <u> ⓐ </u> : 땅을 직접 파고 들어가 지구 내부를 조사하는 방법

➡ 가장 확실하지만 지구 내부의 높은 열과 압력 때문에 뚫는 깊이에 한계가 있다. 현재까지 지구 내부를 직접 뚫고 내려간 길이는 약 12 km 정도이다.

② **화산 분출물 조사 :** 화산이 분출할 때 나오는 지구 내부의 물질(용암, 화산 가스 등)을 조사하는 방법

2 간접적인 방법

① **지진파 분석 :** 지진파를 연구하여 지구 내부를 조사하는 방법

➡ 저렴한 비용으로 비교적 간단하게 조사할 수 있다.

② **운석 연구 :** 지구 내부 물질과 비슷한 물질로 구성된 운석을 연구하는 방법

③ **고온 · 고압 실험 :** 고온·고압 장비를 사용하여 지구 내부와 비슷한 조건을 만들어 지구 내부 물질의 변화를 연구하여 지구 내부 상태를 이해하는 방법

❍ 시추법   ❍ 화산 분출물 조사   ❍ 지진파 분석   ❍ 운석 연구

3 가장 효과적인 방법 ➡ <u> ⓑ </u> 분석

① **지진파 분석이 가장 효과적인 이유 :** 지진파는 통과하는 물질에 따라 속도가 달라지며, 성질이 다른 물질의 경계면에서 반사되거나 굴절되기 때문이다.

② **지진파 분석으로 알 수 있는 사실 :** 지구 내부 구조, 지구 내부 물질의 상태와 밀도 등

4 지진과 지진파

① **지진 :** 지구 내부의 급격한 변동에 의해 지표면이 흔들리는 현상

• **발생 원인 :** 화산 활동, 단층 작용, 마그마의 이동, 지하 동굴의 붕괴 등

• <u> ⓒ </u> : 지진이 발생한 지점

• **진앙 :** 진원 바로 위 지표면의 지점

② <u> ⓓ </u> : 지진이 발생할 때 생긴 에너지가 파동의 형태로 지표로 전달되는 것

• 통과하는 물질의 종류와 상태에 따라 속도가 변한다.

• 성질이 다른 물질의 경계면에서 반사하거나 굴절한다.

● **물체의 내부를 알아보는 방법**

* **직접적인 방법 :** 물체의 내부를 직접 본다. 예 과일의 단면

* **간접적인 방법 :** 물체의 내부를 다른 방법을 통해 알아낸다. 예 X선 검사, 초음파 검사, MRI(자기 공명 장치)

● **시추**

러시아의 콜라 반도에서 직접 지구 내부에 구멍을 뚫으려는 시도가 있었으나 기술적인 어려움과 높은 지열로 인해 약 12 km까지 밖에 시추하지 못했다.

시추(조사할 試, 송곳 錐) : 땅에 직접 구멍을 뚫어 조사하는 것

단층(끊을 斷, 층 層) : 지층의 양쪽에서 밀거나 당기는 힘에 의해 지층이 끊어지는 현상

정답

ⓓ 지진파

ⓐ 시추 ⓑ 지진파 ⓒ 진원

더 알아보기

[지진파의 종류]

구분	P파	S파
진행 방향	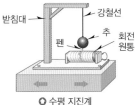	
매질의 진동 방향	파동의 진행 방향과 ⓐ___ 하다. ➡ 종파	파동의 진행 방향과 ⓑ___ 이다. ➡ 횡파
전파 속도	빠름(약 7~8km/s) ➡ 관측소에 ⓒ___ 도착한다.	느림(약 3~4km/s) ➡ P파 다음에 도착한다.
통과 물질	고체, 액체, 기체	고체
진폭	작다. ➡ 피해가 작다.	크다. ➡ 피해가 크다.

[지진파의 기록]

① **지진계** : 지진파의 도착 시각과 세기를 기록하는 장치
② **지진계의 원리** : 지진이 발생하여 땅이 흔들려도 지진계의 무거운 추는 ⓓ___ 에 의해 흔들리지 않으므로 지표의 흔들림을 기록할 수 있다.
③ **지진계의 종류** : 수평 지진계, 수직 지진계

○ 수평 지진계
○ 수직 지진계
지진계의 원리

[지진파의 분석]

① ⓔ___ 파가 먼저 도착하고 ⓕ___ 파가 나중에 도착한다. ➡ P파 속력>S파 속력
② S파에 의한 지진 피해가 P파보다 더 크다. ➡ S파의 진폭>P파의 진폭
③ **PS시** : P파와 S파의 도착 시각 차이 ➡ PS시가 길어질수록 지진이 발생한 지점으로부터 거리가 멀다.

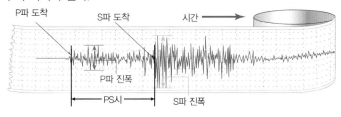

P파 도착   S파 도착   시간 ➡
P파 진폭
◄— PS시 —►   S파 진폭

플러스 노트

● **지진파**
* **실체파** : 매질의 내부로 전파되는 지진파로 P파와 S파가 있다. 지구 내부 구조를 연구하는 데 이용된다.
* **표면파** : 지표면을 따라 전파되는 지진파로 P파와 S파가 지표면에 도달한 지점에서 생성된다. R파와 L파가 있으며, 지표면을 따라 느리게 전파된다.

● **지진의 세기**
* **규모** : 진원에서 발생한 지진의 에너지양을 나타내는 지진의 절대적인 세기이다. 동일한 지진에 대해서 관측소마다 규모가 동일하다.
* **진도** : 지진이 일어났을 때 사람의 느낌이나 주변의 물체가 진동하는 정도를 수치로 표현한 것이다. 일반적으로 동일한 지진에 대해 관측소로부터 진원 거리가 멀수록 진도가 줄어든다.

● **지진 관측소의 지진계 설치**
1개의 수직 지진계와 서로 직교하는 2개의 수평 지진계를 1조로 설치해 지진을 입체적으로 기록하고 분석한다.

정답
ⓐ 수직 ⓑ 나란 ⓒ 먼저 ⓓ 관성 ⓔ P ⓕ S

플러스 노트

B 지권의 층상 구조

1 지구 내부를 구분하는 기준 : 지진파의 ⓐ___ 가 크게 변하는 곳을 경계로 지각, 맨틀, 외핵, 내핵의 4개 층으로 구분한다.

2 지구 내부 각 층의 특징

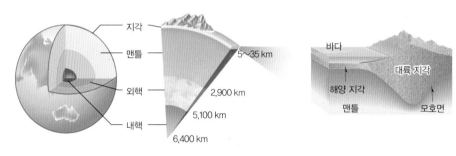

구분		깊이	상태	특징
지각	대륙 지각	지표~약 35 km	고체	• 단단한 ⓑ___ 으로 된 지구의 겉부분으로 가장 얇은 층 • 두께 : 대륙 지각>해양 지각 • 밀도 : 해양 지각>대륙 지각
	해양 지각	지표~약 5 km		
맨틀		모호면~2,900 km	고체	• 지구 전체 부피의 80 % 이상 차지 • 지각보다 무거운 물질로 구성 • 유동성 있는 고체 상태
외핵		약 2,900 km~5,100 km	ⓒ	• 무거운 철과 니켈 등으로 구성
내핵		약 5,100 km~지구 중심	고체	

 탐구

[지구 내부의 구조 모형]

• **탐구 과정**

① 반지름이 16 cm인 지구 모형을 만들 때 지구 내부 각 층의 반지름을 계산한다.

층	지각	맨틀	외핵	내핵
지표로부터 깊이(km)	지표~35	35~2,900	2,900~5,100	5,100~6,400
지구 중심으로부터 거리(km)	6,400	6,365	3,500	1,300
16 cm 지구 내부의 구조 모형에서의 거리(cm)	16	ⓓ	8.75	3.25

② 투명 필름에 각 경계면의 위치를 표시하고 컴퍼스로 각각의 호를 그린다.

③ 반지름이 16 cm인 호를 따라 투명 필름을 자른다.

④ 투명 필름을 원뿔 모양으로 만든 후 접착테이프로 고정하고, 각각의 경계면까지 색깔이 다른 고무찰흙을 채운다.

플러스 노트 (좌측 여백)

● **지구 내부의 경계면**
* 모호면 : 지각과 맨틀의 경계면
* 구텐베르크면 : 맨틀과 외핵의 경계면
* 레만면 : 외핵과 내핵의 경계면

● **모호면(모호로비치치 불연속면)**
* 지각과 맨틀의 경계면이다.
* 대륙에서는 깊이 35 km, 해양에서는 깊이 5 km이다. ➡ 지각이 두꺼운 곳일수록 모호면의 깊이도 깊다.
* 모호면에서 지진파의 속도가 갑자기 빨라진다.

● **지구 내부 물리량 비교**
* 밀도 : 내핵>외핵>맨틀>해양 지각>대륙 지각
* 온도와 압력 : 내핵>외핵>맨틀>지각
* 두께 : 맨틀>외핵>내핵>대륙 지각>해양 지각

● **내핵과 외핵의 상태가 다른 이유**
외핵의 온도는 철과 니켈의 녹는점보다 높아서 물질이 액체 상태로 존재한다. 내핵은 외핵보다 온도가 더 높기 때문에 물질이 액체 상태로 존재할 것 같지만, 압력 또한 커지므로 철과 니켈의 녹는점이 높아져 고체 상태로 존재한다.

정답

ⓐ 속도 ⓑ 암석 ⓒ 액체 ⓓ 9.15

실제 거리	모형 길이
6,400 km	16 cm
6,365 km	15.9 cm
3,500 km	8.75 cm
1,300 km	3.25 cm

· **탐구 결과 및 해석**

① 지구 내부 모형에서 부피가 가장 큰 층은 ⓐ_____이다.

➡ 지구에서 맨틀이 약 80 % 이상의 부피를 차지한다.

② 지구 내부 모형에서 두께가 가장 얇은 층은 ⓑ_____이다.

더 알아보기

[지진파의 속도 변화와 지권의 층상 구조]

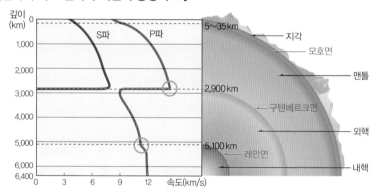

① 깊이 5~35 km : 지진파의 속도가 갑자기 증가함

➡ 지각보다 맨틀이 밀도가 ⓒ_____ 물질로 이루어져 있다.

② 깊이 2,900 km : P파의 속도가 갑자기 감소하고, S파가 전달되지 않음

➡ 외핵은 ⓓ_____ 상태로 추정된다.

③ 깊이 5,100 km : P파의 속도가 갑자기 증가함

➡ 내핵은 ⓔ_____ 상태로 추정된다.

[지진파가 지구 내부로 전파되는 모습]

지진파는 지구 내부 각 층의 경계면에서 반사 또는 굴절한다.

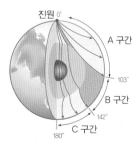

① A 구간 : P파와 S파가 모두 도달한다.

② B 구간(암영대) : 지진파가 관측되지 않는다.

③ C 구간 : P파만 도달한다.

플러스 노트

● **지구 내부 구성 물질이 같다면**

지진파가 굴절 또는 반사하지 않으므로 모든 지역에 P파와 S파가 도달한다.

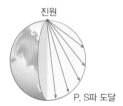

● **암영대**

진원을 기준으로 103°~142° 사이로, P파와 S파가 모두 도달하지 않는 지역이다. 그러나 실제로는 외핵과 내핵의 경계면에서 반사되는 약한 P파가 관측된다. 이를 통해 내핵의 존재를 알 수 있다.

용어풀이

굴절(굽을 屈, 꺾을 折) : 물체를 지나면서 꺾이는 현상

반사(되돌릴 反, 쏠 射) : 물체에 부딪혀 되돌아가는 현상

ⓓ 액체 ⓔ 고체
ⓐ 맨틀 ⓑ 지각 ⓒ 큰

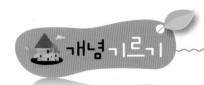

개념기르기

01 지구 내부를 조사하는 방법 중 직접적인 방법을 모두 고르시오.

①
시추법

②
지진파 분석

③
운석 연구

④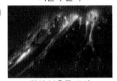
화산 분출물 조사

⑤
X선 검사

 중요
02 다음 중 지구 내부의 구조를 알아보는 가장 효과적인 방법은?

① 지진파 분석
② 우주에 떨어진 운석 연구
③ 직접 땅을 파고 들어가는 시추법
④ 지구 내부에서 나오는 화산 분출물 조사
⑤ 지구 내부와 비슷한 조건을 만든 후 광물 합성

03 다음 중 지진 발생 원인이 아닌 것은?

① 장마   ② 단층 작용
③ 화산 활동   ④ 마그마의 이동
⑤ 지하 동굴의 붕괴

04 다음 중 지구 내부 구조에 대한 설명으로 옳지 않은 것은?

① 지각은 가장 얇은 층이다.
② 맨틀은 부피가 가장 크다.
③ 모호면은 맨틀과 외핵의 경계면이다.
④ 외핵은 액체 상태이다.
⑤ 내핵은 고체 상태이다.

05 다음 중 지구의 층상 구조를 나타낸 것으로 가장 알맞은 것은?

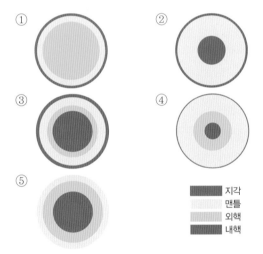

① ② ③ ④ ⑤

지각
맨틀
외핵
내핵

 중요
06 다음은 지구의 단면 구조를 나타낸 것이다. 각 구간에 대한 설명으로 옳지 않은 것은?

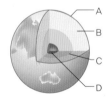

① A는 암석으로 된 지구의 겉 부분이다.
② A의 평균 두께는 5~35 km이다.
③ B는 지구 내부의 부피 중 80 % 이상을 차지한다.
④ C는 고체 상태의 암석으로 되어 있다.
⑤ D는 가장 무거운 물질로 이루어져 있다.

[07~08] 다음은 지구 내부의 각 층을 나타낸 것이다. 물음에 답하시오.

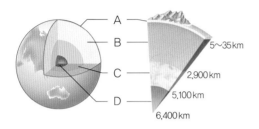

07 위 그림에서 지구 전체 부피의 약 80%를 차지하고 있으며 고체이지만 유동성을 가진 층은?

① A   ② B
③ C   ④ D
⑤ A, B

08 위의 A~D에 대한 설명으로 옳지 <u>않은</u> 것은?

① 두께가 가장 얇은 층은 A이다.
② A와 B의 경계를 모호면이라고 한다.
③ C는 대부분 액체로 이루어져 있다.
④ D는 가장 무거운 물질로 이루어졌다.
⑤ 온도, 압력, 밀도가 가장 큰 것은 A이다.

09 다음은 지각의 구조를 나타낸 것이다. 이에 대한 설명으로 옳지 <u>않은</u> 것은?

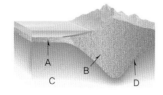

① A는 해양 지각, B는 대륙 지각이다.
② A는 C보다 무거운 물질로 이루어져 있다.
③ C는 맨틀로, A와 B보다 부피가 더 크다.
④ D는 모호면이다.
⑤ 지진파의 속도는 B에서 D를 지날 때 크게 변한다.

10 다음 중 철과 니켈로 구성되어 있는 지구 내부의 층으로 바르게 짝지은 것은?

① 지각, 맨틀   ② 지각, 외핵
③ 지각, 내핵   ④ 맨틀, 외핵
⑤ 외핵, 내핵

11 다음 중 고무찰흙을 이용하여 지구 내부 모형을 만드는 실험에 대한 설명으로 옳지 <u>않은</u> 것은?

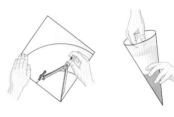

① 4가지 색의 고무찰흙이 필요하다.
② 지각은 매우 얇아서 표현하기 힘들다.
③ 고무찰흙이 가장 많이 사용된 층은 외핵이다.
④ 실제 지구 내부와 물질의 상태가 다른 곳은 외핵이다.
⑤ 지구 내부 구조 중 가장 큰 부피를 차지하는 곳은 맨틀이다.

12 다음 중 지각과 맨틀의 구조를 나타낸 것으로 옳은 것은?

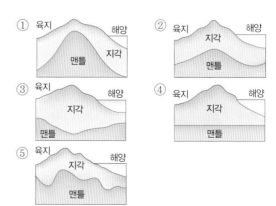

01 지구 내부를 연구하는 데 지진파를 이용하는 이유를 서술하시오.

지각
맨틀
외핵
내핵
5~35km
2,900km
5,100km
6,400km

02 지구 내부는 4개의 층상 구조로 이루어져 있다. A와 C또는 B와 C의 경계인 D를 어떻게 알아내었는지 서술하시오.

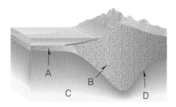

03 지진파 중 P파는 고체, 액체, 기체 상태를 모두 통과하고, S파는 고체 상태만 통과한다. 지진파 속도 변화를 바탕으로 A, B, C, D 구간의 상태를 서술하시오.

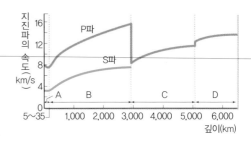

04 지구 내부로 들어가면 온도와 압력이 높아지고, 물질의 녹는점은 압력이 높아지면 높아진다. 깊이에 따른 지온과 지구 내부 물질의 용융점을 바탕으로 외핵인 구간을 찾고, 그렇게 생각한 이유를 서술하시오.

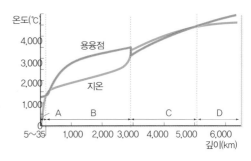

융합사고력 키우기

STEAM 맨틀까지 뚫는 시추선, 지큐호

인류가 도달한 최고 깊이는 얼마일까? 심해 잠수함을 타고 내려간 마리아나 해구의 깊이는 10 km 정도다. 지면을 뚫고 들어간 최고 기록도 12 km 정도밖에 안 된다. 특히 지구의 가장 겉껍질인 지각을 뚫고 맨틀까지 도달한 적은 한 번도 없다.

그런데 최근 세계 최초로 맨틀까지 도달할 것으로 기대되는 배가 있다. 바로 일본 아래쪽에 있는 난카이 해구로 향한 해양 시추선 지큐호다. 이번 항해의 목적은 난카이 해구의 메가스플레이 단층에 지진 관측 장비를 설치하는 것이다. 이곳은 유라시아 판과 필리핀 판이 만나는 곳으로 아시아 지역의 지진과 쓰나미의 진원지다.

메가스플레이 단층은 해저에서 3 km 깊이에 있다. 이곳에 지진파 속도 계측기, 감마 검출기, 지층 구조 분석기를 설치할 계획이다. 각종 계측기를 이용하여 실시간으로 지진을 감시하면 지진의 원인을 알 수 있고, 지진 발생 시 빠르게 대처할 수 있다. 이번 프로젝트는 총 3단계로 진행되는데 마지막 단계에서 지큐호는 맨틀까지 도달할 수 있을 것으로 보인다.

해양에서 시추하는 이유는 해양 지각(5 km)이 대륙 지각(평균 35 km)보다 훨씬 얇기 때문이다.

지큐호는 현재 일본이 1,000억 원을 투자해 개발한 해양 시추선으로, 길이 210 m, 높이 130 m, 총배수량은 5만 8000톤에 이른다. 축구장 2배 길이의 30층 건물이 바다에 떠 있다고 생각하면 된다. 기존 시추선은 해저 바닥에서 2~3 km 깊이까지 시추할 수 있는 데 비해 지큐호는 7~10km 깊이까지 시추할 수 있다. 해양 지각의 두께가 5 km 정도이므로 지큐호는 세계 최초로 지각 아래에 있는 맨틀에 도달할 수 있을 것으로 기대된다.

01 지구 내부를 알려면 직접 파서 내려가는 시추법이 가장 확실한 방법이지만, 현재 가장 깊이 뚫고 들어간 최고 기록은 약 12 km 정도에 불과하다. 지구 내부로 직접 파고 내려가지 못하는 이유를 서술하시오.

_____

_____

논술형

02 지큐호가 7 km까지 시추할 수 있는 것은 '라이저시스템'(riser system)때문이다. 드릴이 암석을 뚫으면 암석 파편이 생기는데, 깊이 시추할수록 파편이 많이 쌓여 드릴의 회전을 방해한다. 이때 진흙을 이용하여 이 파편을 걷어내는데, 이것이 라이저시스템 중 하나이다. 진흙으로 파편을 걷어낼 수 있는 방법을 서술하시오.

_____

_____

시추선

ⓞ3 암석과 암석의 순환

A 지권을 이루는 암석의 종류

1 생성 과정에 따른 분류

① ⓐ_____ : 마그마의 냉각 **예** 현무암, 화강암 등

② ⓑ_____ : 퇴적물의 퇴적 **예** 사암, 응회암, 석회암 등

③ ⓒ_____ : 열과 압력에 의한 변성 **예** 대리암, 편마암, 혼펠스 등

2 암석의 분포

① 화성암 : 화산 활동 지역

② 퇴적암 : 바다나 호수

③ 변성암 : 화산·지진 활동 지역

● **마그마와 용암**

* 마그마 : 지하 깊은 곳에서 높은 열과 높은 압력에 의해 암석이 녹아 있는 상태

* 용암 : 마그마가 지표로 분출하여 휘발성 기체가 빠져나간 상태

B 화성암

1 생성 과정 : 지구 내부의 마그마나 지표로 분출된 용암이 냉각하여 만들어진 암석

2 화성암의 분류

① 결정 크기에 따른 분류 : 마그마의 냉각 ⓓ_____ 차이

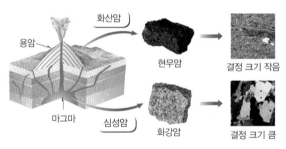

● **암석의 색과 암석을 구성하는 광물의 종류**

* 밝은색 암석 : 장석이나 석영과 같은 밝은색 광물을 많이 포함한다.

* 어두운색 암석 : 감람석, 휘석, 각섬석, 흑운모와 같은 어두운색 광물을 많이 포함한다.

색	어두움 ◄──────► 밝음		
화산암	현무암	안산암	유문암
심성암	반려암	섬록암	화강암

광물의 부피비(%) 80 60 40 20 / 감람석 / 휘석 / 각섬석 / 장석 / 흑운모 / 석영

암석 종류	냉각 물질	생성 장소(깊이)	냉각 속도	결정 크기	예
화산암	용암	지표나 지표 부근	ⓔ_____	작음	유문암, 안산암, 현무암
심성암	마그마	지하 깊은 곳	느림	ⓕ_____	화강암, 섬록암, 반려암

② 암석의 색에 따른 분류 : 구성하는 광물의 종류 차이

구분		어두움 ◄────── 암석의 색 ──────► 밝음		
얕음(화산암)	작음	현무암	안산암	유문암
↑ 생성 깊이 ↓	↑ 결정 크기 ↓			
깊음(심성암)	큼	반려암	섬록암	화강암

용어풀이

화산암(불 火, 산 山, 바위 巖) : 화산 분출 시 만들어지는 암석

심성암(깊을 深, 이룰 成, 암석 巖) : 지하 깊은 곳에서 만들어진 암석

 정답

ⓐ 화성암 ⓑ 퇴적암 ⓒ 변성암
ⓓ 속도 ⓔ 빠름 ⓕ 큼

[냉각 속도에 따른 결정 크기]

시험관에 고체 스테아르산을 넣고 물중탕으로 가열하여 모두 녹인 후 따뜻한 물, 얼음물에 나누어 붓는다. 굳은 후, 칼로 잘라 결정 크기를 비교한다.

① 따뜻한 물에서 천천히 냉각된 스테아르산의 결정 크기는 ⓐ_____ 다. ➡ 심성암
② 얼음물에서 빠르게 냉각된 스테아르산의 결정 크기는 작다. ➡ ⓑ_____

C 퇴적암

1 퇴적암 : 풍화·침식에 의해 만들어진 퇴적물이 쌓인 후 굳어져서 만들어진 암석

2 퇴적암의 생성 과정

① 침식, 운반, ⓒ_____ : 물이나 바람에 의해 침식된 퇴적물이 바다나 호수 바닥에 운반되어 쌓인다.

② ⓓ_____ 짐 : 퇴적물의 무게에 눌려 다져져 퇴적물 사이의 공간이 줄어든다.

③ ⓔ_____ 짐 : 퇴적물 사이의 공간에 다른 물질이 채워져 굳는다.

석회질, 규질, 철질 등

④ 퇴적암 생성

3 퇴적암의 특징

① ⓕ_____ : 퇴적물이 여러 겹으로 쌓여 나타나는 줄무늬 구조

② 화석 : 과거에 살았던 생물의 유해나 흔적이 지층 속에 남아 있는 것

4 퇴적암의 분류

구분	퇴적물의 입자 크기에 따른 분류			퇴적물의 종류에 따른 분류		
	역암	사암	이암, 셰일	석회암	응회암	암염
퇴적암						
퇴적물의 종류	자갈, 모래, 진흙	모래, 진흙	진흙	석회질 물질	화산재	소금
입자 크기	큼 ⟷		작음	–	–	–
생성 장소	해안가 ⟷		먼바다	매우 깊은 바다	화산 활동 주변 지역	건조한 바다

● **알갱이의 크기에 따른 퇴적 장소**
퇴적물의 알갱이의 크기가 큰 자갈은 해안가 가까운 곳에 퇴적되고, 알갱이의 크기가 작은 진흙은 해안가에서 먼 곳에 퇴적된다.

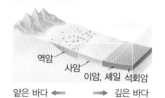

역암 / 사암 / 이암, 셰일 석회암
얕은 바다 ⟵ ⟶ 깊은 바다

● **층리와 화석**

❍ 층리   ❍ 화석

● **층리**
퇴적물은 대체로 해수면과 평행하게 쌓이므로 층리면은 퇴적 당시의 해수면과 평행하다.

층리면 / 층리

● **이암과 셰일**
이암은 진흙이 굳은 것이고, 셰일은 이암 중에서 층리가 잘 발달된 것이다. 셰일은 판 모양이나 조각으로 잘 떨어진다.

용어풀이

층리(층 層, 구별 理) : 퇴적암에서 층층이 쌓여 구별되는 줄무늬

응회암(엉길 凝, 재 灰, 암석 巖) : 화산재가 엉겨 붙어 만들어진 암석

암염(바위 巖, 소금 鹽) : 소금으로 이루어진 암석

플러스 노트

● **엽리와 큰 결정**
규암이나 편마암과 같이 압력을 받아 변성된 암석에는 엽리가 나타나지만, 대리암이나 규암, 혼펠스와 같이 열에 의해 변성된 암석에는 엽리가 나타나지 않는다.

● **층리와 엽리 비교**
층리는 서로 다른 퇴적물이 층층이 쌓여 만들어진 줄무늬이고, 엽리는 암석이 큰 압력을 받아 암석 속의 알갱이가 압력의 수직 방향으로 배열되어 나타나는 줄무늬이다.

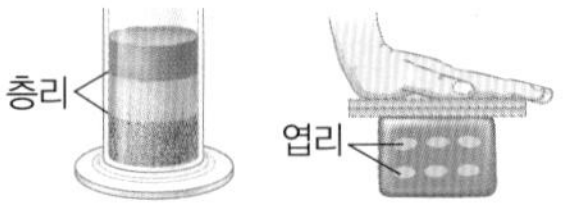

용어풀이

엽리(나뭇잎 葉, 구별 理) : 암석을 구성하는 광물이 압력을 받아 압력의 수직 방향으로 눌려 나타나는 줄무늬

정답
ⓐ 커 ⓑ 수직 ⓒ 엽리

D 변성암

1 변성암 : 암석이 높은 열과 압력을 받아 성질이나 배열 상태가 변한 암석

2 변성 작용

① **열에 의한 변성 :** 암석이 녹았다가 다시 굳어지면서 알갱이의 크기가 ⓐ____ 지거나 새로운 알갱이가 만들어진다. 예 규암, 대리암, 혼펠스 등

② **압력에 의한 변성 :** 암석 속의 알갱이가 압력이 작용한 방향에 ⓑ____ 으로 배열되어 줄무늬(엽리)가 생긴다. 예 편암, 편마암 등

탐구

[엽리의 형성 과정]

큰 고무찰흙 속에 색깔이 다른 둥근 고무찰흙 알갱이를 몇 개 넣은 후 손바닥으로 누르면, 둥근 고무찰흙 알갱이가 압력에 수직 방향으로 납작하게 눌리면서 배열된다.

➡ 변성암에서는 광물들이 압력에 수직인 방향으로 배열된 줄무늬 구조인 엽리가 나타난다.

3 변성암의 특징

① ⓒ____ : 광물이 압력의 수직 방향으로 배열되어 생긴 줄무늬 구조

② **큰 결정 :** 암석이 열에 의해 녹았다가 다시 굳어져 결정의 크기가 커진다.

4 변성암의 분류

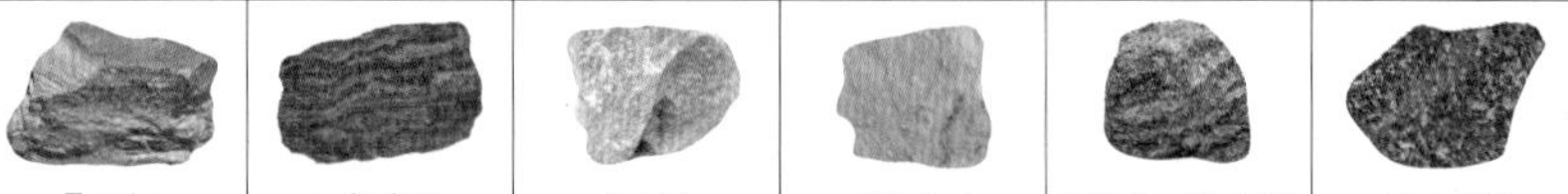

	퇴적암				화성암	
원래 암석	셰일		사암	석회암	화강암	현무암
↓	열 ↓	열과 압력 ↓ 점판암 ↓ 편암 ↓	열 ↓	열 ↓	열과 압력 ↓	열과 압력 ↓
변성암	혼펠스	편마암	규암	대리암	화강 편마암	각섬암

E 암석의 순환

1 암석의 순환 : 암석은 만들어진 후 그대로 있는 것이 아니라 주변 환경의 변화에 따라 끊임없이 다른 암석으로 변해간다. ➡ 암석은 암석의 순환 과정을 통해 변성암, 화성암, 퇴적암 등으로 그 모습이 변하면서 지권을 순환한다.

2 암석의 순환 과정

① 암석이 풍화·침식 작용을 받으면 ➡ ⓐ＿＿＿＿＿ 형성

② 퇴적물이 다져지고 굳어지면 ➡ ⓑ＿＿＿＿＿ 형성

③ 열과 압력을 받으면 ➡ ⓒ＿＿＿＿＿ 형성

④ 더 심한 열과 압력을 받으면 ➡ ⓓ＿＿＿＿＿ 형성

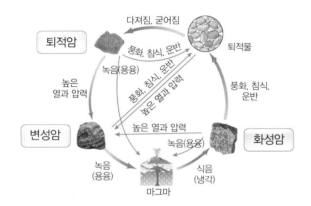

플러스 노트

● 암석의 변성 작용과 마그마
지하로 들어가면 온도와 압력이 높아진다. 온도와 압력의 범위에 따라 암석은 변성 작용을 받거나, 녹아서 마그마가 된다. 변성 작용이 일어나는 온도와 압력 범위는 마그마 형성 직전까지이다.

● 우리나라 암석의 분포
우리나라는 주로 화성암이 분포되어 있으며, 일부 변성암과 퇴적암이 분포한다.

더 알아보기

[암석의 이용]

① 편마암 : 독특한 줄무늬가 있음 ➡ 정원석 등

② 대리암 : 색이 곱고 무늬가 아름다움 ➡ 실내 장식용 건축재, 조각품 재료 등

③ 화강암 : 단단하고 풍화에 강함 ➡ 건물 외벽, 축대, 비석 등

④ 현무암 : 단단하고 풍화에 강함 ➡ 맷돌, 건축 재료, 돌하르방 등

⑤ 규암 : 규소 추출 ➡ 유리, 반도체의 원료 등

⑥ 석회암 : 치밀하고 견고함 ➡ 시멘트 원료, 석회질 비료 등

⑦ 사암 : 거칠거칠함 ➡ 절구, 숫돌, 건축 재료 등

⑧ 응회암 : 세공하기 쉽고 불에 강함 ➡ 건축 재료, 고온로의 재료 등

⑨ 점판암 : 결이 가늘고 물을 거의 흡수하지 않음 ➡ 벼루, 구들장 등

⑩ 안산암 : 단단하고 풍화에 강함 ➡ 건축 재료, 축대 등

❹ 편마암-정원석　　❹ 대리석-조각상　　❹ 화강암-비석, 바닥

용어풀이

용융(녹일 鎔, 녹을 融) : 고체가 열에 녹아 액체 상태로 변하는 것

정답

ⓓ 변성암
ⓐ 퇴적물　ⓑ 퇴적암　ⓒ 변성암

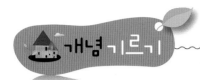

01 〈보기〉와 같이 암석을 분류한 기준은?

> 보기
> • 화강암, 현무암, 유문암, 반려암
> • 역암, 셰일, 사암, 석회암
> • 대리암, 편암, 규암

① 암석의 색에 따라
② 암석의 광물 크기에 따라
③ 암석의 단단한 정도에 따라
④ 암석이 생성되는 장소에 따라
⑤ 암석이 생성되는 과정에 따라

02 다음은 화성암이 만들어지는 장소를 나타낸 것이다. 이에 대한 설명으로 옳은 것은?

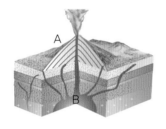

① 화성암은 열과 압력을 받아 변성된 암석이다.
② A는 결정의 크기가 커서 암석의 색이 어둡다.
③ B는 급하게 식어서 암석의 색이 밝다.
④ A의 암석 종류로는 섬록암과 반려암이 있다.
⑤ A는 화산암, B는 심성암이다.

03 오른쪽 그림은 제주도에서 흔히 볼 수 있는 화성암의 모습이다. 이에 대한 설명으로 옳지 <u>않은</u> 것은?

① 표면에 구멍이 나 있다.
② 암석을 이루는 결정 크기가 크다.
③ 돌하르방이나 맷돌을 만들 때 쓰인다.
④ 지표나 지표 부근에서 생성된다.
⑤ 용암이 빠르게 냉각되어 만들어진 암석이다.

04 다음 그림과 같이 고체 스테아르산을 물중탕으로 녹인 다음, 따뜻한 물과 얼음물에 나눠 부었다. 이에 대한 설명으로 옳은 것을 <u>모두</u> 고르시오.

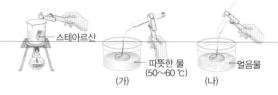

① 액체 스테아르산은 마그마에 해당한다.
② 얼음물에 부은 스테아르산은 결정의 크기가 크다.
③ 따뜻한 물에 부은 스테아르산은 결정의 크기가 작다.
④ 액체 스테아르산이 식는 속도가 빠를수록 결정의 크기가 커진다.
⑤ (가)는 심성암, (나)는 화산암의 생성 과정을 나타내는 실험이다.

05 다음 중 퇴적암에서만 볼 수 있는 특징으로 옳은 것을 <u>모두</u> 고르시오.

① 지층   ② 층리
③ 화석   ④ 엽리
⑤ 큰 결정

06 다음 중 퇴적물과 퇴적암을 연결한 것이 옳지 <u>않은</u> 것은?

	퇴적물	퇴적암
①	소금	암염
②	화산재	응회암
③	진흙	이암, 셰일
④	석회질 물질	석회암
⑤	모래, 진흙	역암

07 퇴적암의 생성 과정을 바르게 나열한 것은?

> **보기**
> ㉠ 퇴적물 사이의 공간에 다른 물질이 채워져 굳는다.
> ㉡ 퇴적물이 운반되어 두껍게 쌓인다.
> ㉢ 위층에 의해 눌려서 퇴적물이 다져진다.

① ㉠－㉡－㉢　　　② ㉠－㉢－㉡
③ ㉡－㉠－㉢　　　④ ㉡－㉢－㉠
⑤ ㉢－㉠－㉡

08 다음은 변성암에 대한 설명이다. ( ) 안에 들어갈 말을 순서대로 묶은 것은?

> 변성암은 높은 (　)을 받아 성질이나 배열 상태가 변한 암석으로, 광물이 압력에 수직인 방향으로 배열되어 생긴 줄무늬 구조인 (　)를 볼 수 있다.

① 풍화 작용, 엽리　　　② 풍화 작용, 층리
③ 풍화 작용, 화석　　　④ 열과 압력, 엽리
⑤ 열과 압력, 층리

09 다음 중 변성암에 대한 설명으로 옳지 <u>않은</u> 것은?

① 압력에 의해 줄무늬가 생기기도 한다.
② 열에 의해 녹았다 다시 굳어지면서 결정 크기가 커지기도 한다.
③ 마그마가 지나가는 길 주변에서 생기기도 한다.
④ 대리암은 화강암이 변성된 것이다.
⑤ 변성암이 변성 작용을 받으면 다른 변성암으로 변하기도 한다.

10 다음 중 원래 암석과 변성암을 바르게 연결한 것은?

① 사암 → 혼펠스
② 석회암 → 대리암
③ 현무암 → 편마암
④ 화강암 → 규암
⑤ 사암 → 편마암

[11~12] 다음은 암석의 순환 과정을 나타낸 것이다. 물음에 답하시오.

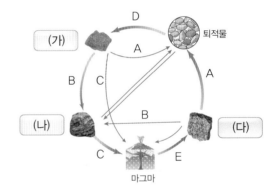

11 위 그림의 (가), (나), (다)에 들어갈 말로 옳게 짝지어진 것은?

	(가)	(나)	(다)
①	화성암	퇴적암	변성암
②	화성암	변성암	퇴적암
③	퇴적암	화성암	변성암
④	퇴적암	변성암	화성암
⑤	변성암	화성암	퇴적암

12 위 그림의 A~E에 들어갈 말로 옳지 <u>않은</u> 것은?

① A－풍화, 침식, 운반　② B－높은 열과 압력
③ C－풍화, 침식　　　　④ D－다져짐, 굳어짐
⑤ E－식음(냉각)

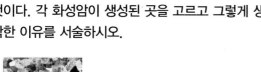

정답 ◆ 5p ◆

01 다음은 두 가지 종류의 화성암을 돋보기로 관찰한 것이다. 각 화성암이 생성된 곳을 고르고 그렇게 생각한 이유를 서술하시오.

◆ A

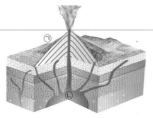
◆ B

03 다음 그림은 퇴적암에서 발견된 화석의 모습이다. 화성암이나 변성암에서는 화석이 발견되지 않는 이유를 서술하시오.

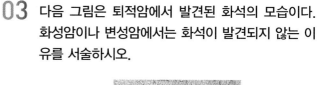

02 다음은 퇴적암과 변성암에서 볼 수 있는 줄무늬인 층리와 엽리의 모습이다. 두 줄무늬의 생성 과정과 차이점을 서술하시오.

◆ 층리

◆ 엽리

논술형

04 다음은 전북 진안에 있는 마이산에 대한 관찰 내용이다. 마이산을 이루고 있는 암석의 종류와 마이산 표면의 커다란 구멍이 만들어진 이유를 서술하시오.

마치 거대한 말의 두 귀와 같은 모습을 하고 있는 산봉우리 2개가 눈에 들어왔다. 가까이 다가가니 산 전체가 엄청난 양의 콘크리트를 쏟아부어 굳어진 것처럼 보였다. 또 산의 곳곳에는 커다란 구멍이 뻥뻥 뚫려 있었다.

마이산

융합사고력 키우기

S TEAM 화강암으로 만든 석굴암

정답 ◆ 5p ◆

I 지권의 변화

신라의 석굴암이 세계문화유산으로 지정받은 것은 외국에 있는 대형 건축물이나 유산들에 비교해 절대 떨어지지 않는 독창적인 요소를 갖추고 있기 때문이다. 신라의 예술가들은 새로운 방법을 창안했다. 산을 파내어 굴을 만들고 조각된 돌들을 조립한 후 흙을 덮어 중국이나 인도의 석굴 사원처럼 보이도록 했다. 세계적으로 인공으로 만들어진 석굴에 예술적으로 조각된 불상들을 배치한 곳은 오직 석굴암뿐이다.

더불어 석굴암이 외국의 대형 유산들과 당당하게 겨룰 수 있는 이유는 석굴암을 만든 재료에 있다. 석굴암은 단단하고 풍화에 강한 화강암으로 만들어졌다.

전 세계인들로부터 그 정교함과 화려함 때문에 찬사를 받는 스페인의 알람브라 궁전에 사용된 조각품들의 재료는 석고이다. 석고는 매우 무른 돌이다.

이집트의 거대한 피라미드, 영국의 캔터베리 대성당, 프랑스 파리의 노트르담 성당의 재료는 석회암이다. 석회암 역시 매우 무른 돌로, 조각칼로 비누를 조각하는 것처럼 쉽게 정교한 인물상들을 조각할 수 있다.

이탈리아 조각상들의 재료는 대리석이다. 대리석은 화강암보다 비교적 쉽게 제작할 수 있다.

동남아에 있는 수많은 불상과 불탑에 정교한 인물상들이 조각되어 있고, 앙코르와트가 단일 규모로 세계에서 가장 큰 사원이라는 데 놀라는 사람들이 많다. 겉보기에는 매우 단단한 돌처럼 보이므로 그 많은 돌로 건축하는 데 상당한 노력이 들어갔다고 생각하기 쉽다. 그러나 사원의 대부분은 사암이나 진흙과 같은 재료로 만든 것이다.

석굴암

01 다보탑이나 석가탑 등 경주의 유명한 문화재들은 대부분 화강암으로 이루어져 있다. 경주에서 주로 화강암을 이용하여 문화재를 만든 이유를 서술하시오.

논술형

02 석굴암 본존불에는 손금과 발금이 있는 것은 물론, 불상을 올려놓는 대좌에는 연꽃무늬가 사실적으로 조각되어 있다. 그 당시 화강암에 섬세한 무늬를 조각할 때 조그마한 부분이 깨져 떨어져 나가면 처음부터 다시 조각하기도 했다. 화강암이 잘 깨지는 이유를 서술하시오.

광물과 토양

A 지각의 구성 물질

1 지각 구성 물질 : 지각은 암석으로 이루어져 있고, 암석은 광물로 이루어져 있다.

지권 { 지각 ⊃ 암석 ⊃ 광물 ⊃ 원소
지구 내부

● **지각 구성 물질**
* **지각** : 지구의 단단한 겉 부분
* **암석** : 지각을 구성하는 주된 물질
* **광물** : 암석을 구성하는 기본 알갱이
* **원소** : 물질을 이루는 기본 성분

B 광물

1 ⓐ_____ : 암석을 이루고 있는 크고 작은 알갱이로, 암석은 대부분 여러 가지 종류의 광물로 이루어져 있다.

2 ⓑ_____ : 암석을 이루고 있는 주된 광물

① 종류 : 장석, 석영, 흑운모, 각섬석, 휘석, 감람석 등

② 부피비 : ⓒ_____ > 석영 > 휘석 > 운모, 각섬석 > 기타

③ 색

기타 16%
각섬석 5%
운모 5%
휘석 11%
장석 51%
석영 12%
○ 조암 광물 부피비

● **암석을 구성하는 광물의 수**
암석은 한 가지 광물로 이루어진 것도 있지만, 대부분 여러 종류의 광물로 이루어져 있다. **예** 화강암은 석영, 장석, 흑운모 등의 광물로 이루어져 있다.

● **광물의 색**
광물에 불순물이 섞이거나 변질되면 광물 고유의 색과 다르게 나타난다. 무색을 띠는 수정에 불순물이 섞이면 보라색의 자수정이나 노란색의 황수정, 붉은색의 홍수정이 된다.

○ 자수정   ○ 황수정   ○ 홍수정

밝은색 광물		어두운색 광물			
장석	석영	흑운모	각섬석	휘석	감람석
흰색, 분홍색	무색, 흰색	검은색	녹갈색	녹색, 검은색	황록색

3 암석의 색과 구성 광물 : 구성 광물의 종류와 비율에 따라 암석의 색이 달라진다.

화강암, 유문암	장석, 석영과 같은 밝은색 광물을 많이 포함 ➡ 밝은색 암석
반려암, 현무암	흑운모, 휘석, 감람석과 같은 어두운색 광물을 많이 포함 ➡ 어두운색 암석

4 광물의 특성

① 색 : 겉으로 드러나는 광물의 겉보기 색

ⓔ_____	장석	ⓕ_____	방해석	자철석	적철석
무색, 흰색	흰색, 분홍색	검은색	무색	검은색	검은색

지각(땅 地, 껍질 殼) : 지구의 단단한 겉 부분

광물(쇳돌 鑛, 만물 物) : 암석을 이루고 있는 기본 알갱이

조암 광물(만들 造, 바위 暗, 쇳돌 鑛, 만물 物) : 암석을 구성하는 주요 광물

ⓐ 광물 ⓑ 조암 광물 ⓒ 장석
ⓔ 석영 ⓕ 흑운모

② ⓐ _____ : 조흔판에 긁었을 때 나타나는 광물 가루의 색

• 조흔판 : 초벌구이 자기판

• 색이 같은 광물은 조흔색으로 구별할 수 있다.

광물	흑운모	자철석	적철석	금	황동석	황철석
색	검은색			노란색		
조흔색	ⓑ _____ 색	ⓒ _____ 색	붉은색	ⓓ _____ 색	녹흑색	ⓔ _____ 색

③ 굳기 : 광물의 무르고 단단한 정도로, 두 광물을 서로 긁었을 때 긁히지 않는 광물이 더 ⓕ _____ 하다.

방해석과 석영을 서로 긁었을 때	강옥과 석영을 서로 긁었을 때
방해석이 긁혔다. ➡ 굳기 : 석영>방해석	석영이 긁혔다. ➡ 굳기 : 석영<강옥
굳기 : 방해석<석영<강옥	

방해석   석영

④ 염산 반응 : 광물에 묽은 염산을 떨어뜨리면 거품이 발생하며 녹는다.

예 방해석(이산화 탄소 발생)

⑤ 자성 : 광물이 자석과 같은 성질을 띠어 클립과 같은 금속을 끌어당긴다.

예 자철석

묽은 염산
방해석

◆ 방해석+묽은 염산

자철석

◆ 자철석-클립

5 광물의 구별 방법 : 광물의 특성을 이용하여 구별한다.

① 광물의 특성 : 색, 조흔색, 굳기, 염산 반응, 자성 등

② 광물의 특성이 아닌 것 : 부피, 질량, 무게, 크기 등

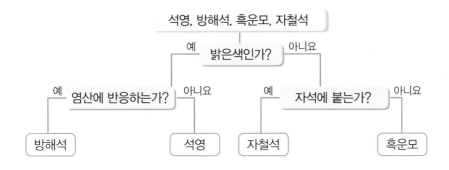

석영, 방해석, 흑운모, 자철석

예 ── 밝은색인가? ── 아니요

예 ── 염산에 반응하는가? ── 아니요   예 ── 자석에 붙는가? ── 아니요

방해석   석영   자철석   흑운모

플러스 노트

● **단단한 광물의 조흔색**

조흔판보다 더 단단한 광물은 조흔판에 흔적이 남지 않기 때문에 가루로 만들어 조흔색을 확인한다. 예 석영, 금강석 등

● **모스 굳기계**

10가지 표준 광물들의 상대적인 굳기를 순서대로 나타낸 것으로, 숫자가 클수록 단단하다.

굳기	광물	굳기	광물
1	활석	6	정장석
2	석고	7	석영
3	방해석	8	황옥
4	형석	9	강옥
5	인회석	10	금강석

● **방해석**

생물의 뼈나 조개껍데기, 달걀 껍데기의 주요 성분인 탄산 칼슘으로 이루어져 있으며 염산에 녹아 이산화 탄소를 발생시킨다.

용어풀이

조흔판(나뭇가지 條, 흔적 痕, 널빤지 板) : 광물을 문질렀을 때 나뭇가지 모양의 흔적이 남아서 붙여진 이름으로 초벌구이 도자기판이라고도 한다.

정답

ⓐ 조흔색 ⓑ 흰 ⓒ 검은
ⓓ 노란 ⓔ 검은 ⓕ 단단

C 풍화

1 ⓐ   : 암석이 오랜 세월에 걸쳐 물, 공기, 생물 등의 작용으로 잘게 부서져 돌 조각이나 모래, 흙으로 변하거나 암석의 성분이 변하는 현상

2 풍화 작용을 일으키는 요인

① 암석에 스며든 ⓑ   이 어는 작용 : 암석의 틈에 스며든 물이 얼면서 부피 증가에 따른 압력으로 암석이 부서진다. ➡ 동결 작용

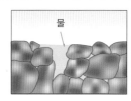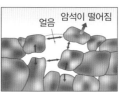

물　얼음　암석이 떨어짐

② 식물 ⓒ   의 작용 : 암석 틈을 파고든 식물의 뿌리가 성장하면서 암석 틈을 넓혀 암석이 부서진다.

③ 산소에 의한 화학 작용 : 지표면에 노출된 암석이 산소와 반응하면 암석의 화학 성분이 변하면서 암석이 잘게 부서지거나 붉게 변한다. ➡ 산화 작용

④ 지하수에 의한 화학 작용 : 이산화 탄소가 녹아 있는 물이 석회암을 녹여 석회 동굴을 만든다. ➡ 용해 작용

⑤ 압력 변화에 따른 작용 : 지하 깊은 곳에 있던 암석이 노출되면 압력이 감소하여 부피가 늘어나 얇게 떨어져 나가면서 부서진다. ➡ 박리 작용

⑥ 온도 변화에 따른 작용 : 온도 차에 의해 암석 표면이 팽창과 수축을 반복하면서 얇게 떨어져 나가면서 부서진다. ➡ 박리 작용

○ 식물 뿌리의 작용　　○ 산화 작용　　○ 용해 작용-석회 동굴　　○ 박리 작용

3 풍화 작용이 잘 일어나는 조건

① 암석의 크기가 ⓓ   때 : 암석이 잘게 부서지면 표면적이 증가하고, 표면적이 증가할수록 풍화 작용이 잘 일어난다.

② 암석이 산성 물질과 반응할 때 : 석회암이나 대리암이 산성 물질과 반응하면 녹으면서 풍화 작용이 잘 일어난다.

③ 기온과 강수량
- 산소와 물에 의한 풍화 작용은 기온이 높고 강수량이 많은 열대지방, 해안 지방, 저지대 등에서 활발하게 일어난다.
- 동결 작용은 기온 변화가 큰 고산 지역과 한랭 기후에서 활발하게 일어난다.

● 풍화 작용

* **기계적 풍화 작용** : 압력과 기온의 변화와 같은 물리적 요인에 의해 암석이 부서지는 현상 예 동결 작용, 박리 작용, 식물 뿌리의 작용 등

* **화학적 풍화 작용** : 암석이 물이나 대기 성분과 화학 반응하여 암석의 화학 성분이 변하면서 잘게 부스러지거나 용해되는 작용 예 산소와 물에 의한 화학 작용, 용해 작용 등

● 풍화 작용 촉진

기계적 풍화 작용에 의해 암석이 잘게 부서지면 표면적이 커지므로 화학적 풍화가 더욱 촉진된다.

풍화(바람 風, 될 化) : 암석이 공기, 물, 생물 등에 의해 잘게 부서지거나 성분이 변하는 현상

정답

ⓓ 작을 Ⓟ

ⓐ 풍화 ⓑ 물 ⓒ 뿌리

D 토양

1 토양 : 암석이 오랫동안 풍화를 받아 잘게 부서지고 성질이 변하여 식물이 자랄 수 있게 된 흙

2 토양의 단면 : 기반암 → 모질물 → ⓐ___ → ⓑ___

  ① **표토** : 생물의 생장에 가장 큰 영향을 주는 층으로, 모래나 진흙 등 작은 알갱이로 이루어져 있다.

  ② **심토** : 위쪽의 토양에 있던 물질 중 물에 녹은 것과 진흙 등이 아래쪽으로 이동하여 쌓인 층이다.

  ③ **모질물** : 지표에 드러난 암석이 잘게 부서져 생긴 층으로, 작은 돌 조각과 거친 모래로 되어 있다.

  ④ **기반암** : 풍화를 받지 않은 단단한 암석층이다.

3 토양의 생성 과정 : 기반암 → 모질물 → ⓒ___ → ⓓ___

  ① 암석이 지표로 드러나면 풍화되어 작은 돌 조각과 모래층(모질물)이 만들어진다.

  ② 식물이 자랄 수 있는 토양층(표토)이 만들어진다.

  ③ 토양 속으로 스며든 물에 녹은 물질과 진흙 등이 아래쪽으로 이동하여 새로운 토양층(심토)이 만들어진다.

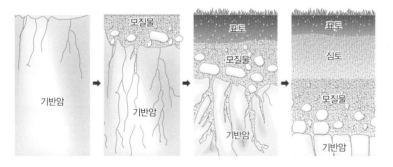

4 토양의 역할

  ① 인간을 포함한 생물에게 삶의 터전을 제공한다.

  ② 농작물에 영양분을 공급해 준다.

  ③ 강이나 바다로 흘러가는 물을 깨끗하게 걸러 준다.

5 토양의 보존

  ① 토양은 오랜 시간에 걸쳐서 생성되므로 유실되거나 오염되지 않도록 보존하고 관리해야 한다.

  ② 경사진 곳에 나무를 심어 토양 유실을 막는다.

  ③ 산비탈에 계단식 논을 만들어 유실을 막는다.

  ④ 농약과 화학 비료를 사용하지 않는 농법으로 작물을 재배한다.

◎ 계단식 논

01 다음 중 지각을 구성하는 물질에 대한 설명으로 옳지 않은 것은?

① 지각은 지구의 겉 부분으로, 암석으로 이루어져 있다.
② 암석을 이루는 기본 알갱이는 광물이다.
③ 대부분 암석은 한 가지 종류의 광물로 이루어져 있다.
④ 암석을 이루고 있는 주된 광물을 조암 광물이라고 한다.
⑤ 구성 광물의 종류에 따라 암석의 색이 달라진다.

02 다음은 조암 광물의 부피비를 나타낸 것이다. 이에 대한 설명으로 옳지 않은 것은?

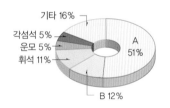

① A는 장석이다.
② B는 석영이다.
③ B는 무색 투명하다.
④ A와 B는 어두운색 광물이다.
⑤ B는 화강암을 구성하는 광물이다.

03 조암 광물 중 밝은색 광물끼리 옳게 짝지어진 것은?

① 석영, 장석
② 석영, 흑운모
③ 장석, 감람석
④ 흑운모, 각섬석
⑤ 각섬석, 휘석

04 다음 그림은 광물을 구별하는 방법을 나타낸 것이다. (가)~(다) 실험으로 조사하려고 하는 광물의 성질을 바르게 짝지은 것은?

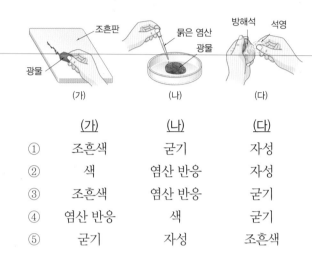

	(가)	(나)	(다)
①	조흔색	굳기	자성
②	색	염산 반응	자성
③	조흔색	염산 반응	굳기
④	염산 반응	색	굳기
⑤	굳기	자성	조흔색

05 다음 중 광물을 구별하는 방법으로 옳지 않은 것을 모두 고르시오.

① 못으로 긁어본다.
② 묽은 염산을 떨어뜨려 본다.
③ 자로 길이를 측정한다.
④ 눈금실린더로 부피를 측정한다.
⑤ 조흔판에 긁어서 가루의 색을 관찰한다.

06 다음은 여러 광물의 색과 조흔색을 비교한 것이다. 이에 대한 설명으로 옳지 않은 것은?

광물	A	B	C	D
색	노란색	노란색	검은색	검은색
조흔색	노란색	검은색	검은색	붉은색

① A는 금, B는 황철석이다.
② C는 자철석, D는 적철석이다.
③ A와 B는 조흔색으로 구별할 수 있다.
④ B와 C는 조흔색으로 구별할 수 있다.
⑤ C와 D는 조흔색으로 구별할 수 있다.

07 다음은 A~C 세 광물의 상대적인 굳기를 비교한 것이다. 가장 단단한 것부터 차례대로 나열한 것은?

> • A를 석영으로 긁었더니 긁히지 않았다.
> • B를 C로 긁었더니 긁히지 않았다.
> • B를 석영으로 긁었더니 긁혔다.

① B>A>C>석영
② A>석영>B>C
③ A>석영>C>B
④ C>B>석영>A
⑤ 석영>A>C>B

08 다음은 여러 가지 광물의 특성을 나타낸 것이다. 이와 같은 특성을 가지 광물을 옳게 짝지은 것은?

> (가) 쇠붙이를 끌어당기고, 조흔색은 검은색이다.
> (나) 밝은색이고, 묽은 염산을 떨어뜨렸을 때 거품이 발생한다.
> (다) 무색투명하다.
> (라) 겉보기 색은 검은색이지만 조흔색은 흰색이다.

	(가)	(나)	(다)	(라)
①	자철석	석영	장석	흑운모
②	방해석	자철석	석영	흑운모
③	흑운모	장석	석영	자철석
④	자철석	방해석	석영	흑운모
⑤	흑운모	자철석	방해석	석영

09 다음 중 암석의 풍화 작용에 대한 설명으로 옳지 <u>않은</u> 것은?

① 토양은 암석이 풍화되어 만들어진다.
② 암석을 파고든 식물의 뿌리가 성장하면서 암석이 부서진다.
③ 암석의 틈으로 들어간 지하수나 빗물이 암석을 녹인다.
④ 암석의 틈에 스며든 물이 얼고 녹는 과정을 반복하면서 암석이 부서진다.
⑤ 공기 중의 수증기는 암석을 부수거나 붉게 변하게 한다.

[10~11] 다음은 토양의 단면을 나타낸 것이다. 물음에 답하시오.

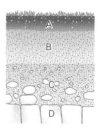

10 토양의 생성 과정을 순서대로 바르게 나열한 것은?

① D→C→B→A
② D→C→A→B
③ C→D→A→B
④ C→D→B→A
⑤ B→C→D→A

11 A~D층에 대한 설명으로 옳은 것은?

① A층이 가장 나중에 생성된 층이다.
② B층은 생물이 살아가기에 적당한 층이다.
③ 토양 알갱이의 크기는 B층이 A층보다 작다.
④ C층은 B층이 풍화되어 만들어진 것이다.
⑤ D층은 모래나 진흙으로 이루어진 층이다.

12 다음 중 토양의 역할과 보존에 대한 설명으로 옳지 <u>않은</u> 것은?

① 토양은 생물에게 삶의 터전을 제공한다.
② 토양은 농작물에 영양분을 공급해 준다.
③ 토양은 강이나 바다로 흘러가는 물을 깨끗하게 걸러 준다.
④ 토양은 오랜 시간에 걸쳐 생성되므로 유실되거나 오염되지 않도록 보존하고 관리해야 한다.
⑤ 한번 훼손된 토양을 원래 상태로 되돌리는 데에는 시간이 오래 걸리지 않는다.

01 다음 표는 광물 (가)와 (나)의 특성을 비교한 것이다. 광물의 특성을 바탕으로 광물 (가)와 (나)를 구별하는 방법을 <u>모두</u> 서술하시오.

광물	굳기	조흔색	염산 반응	자성
(가)	단단함	흰색	변화 없음	없음
(나)	무름	흰색	거품 발생	없음

02 옛날 한 영국 사람이 식민지 땅에서 노란 금을 발견하고 배에 한가득 싣고 갔지만, 영국에 돌아가서야 금이 아니라 황철석을 싣고 갔다는 사실을 알고 크게 낭패를 본 일이 있었다. 황철석은 금으로 혼동을 많이 하므로 '바보들의 금'이라고 불린다. 금과 황철석을 구별할 수 있는 방법을 서술하시오.

❶금

❶황철석

03 암석에 스며든 물이 얼면 암석이 부서지는 풍화 작용이 일어난다. 이와 같은 풍화 작용이 시작되면 풍화 작용의 속도가 더욱 빨라진다. 그 이유를 서술하시오.

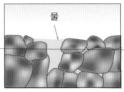
물

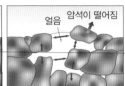
얼음   암석이 떨어짐

논술형

04 토양은 암석이 오랫동안 풍화를 받아 잘게 부서지고 성질이 변하여 식물이 자랄 수 있게 된 흙이다. 초기의 토양과 성숙한 토양의 차이점을 서술하시오.

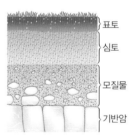
표토
심토
모질물
기반암

STEAM 보석의 겉과 속

보석은 알고 보면 참으로 맹랑하다. 그저 우리가 아무 데서나 볼 수 있는 광물이 화려한 변신을 한 것에 불과하다.

보석의 왕인 다이아몬드는 석탄이나 연필심과 같은 물질인 탄소로 만들어진 것이다. 다이아몬드를 매우 뜨겁게 달구면 석탄과 같은 검은 재밖에 남지 않는다.

강옥은 산화 알루미늄 결정 덩어리이다. 강옥을 분쇄하면 훌륭한 연마제가 되며, 보석과 금속광택 작업에 많이 사용된다. 진홍색의 루비(홍옥)와 파란색 사파이어(청옥)도 연마제로 쓰이는 강옥과 같은 물질이다.

맑고 투명한 녹색의 에메랄드는 녹주석이라는 광물 속에 들어 있고, 녹주석은 규산염(모래의 주성분) 속에 알루미늄이 들어 있는 것이다.

광물은 암석을 이루는 알갱이로, 자연계에 3,700여 종이 있지만 단지 70여 종만이 보석으로 인정된다. 모든 보석은 다른 돌과 비교할 때 단단하고 광택을 낸다는 것 외에 별다른 점이 없지만, 그 속에 들어 있는 소량 원소들이 아름다운 색깔을 보태어 값어치를 더해 준다.

이런 점은 우리 인간에게도 마찬가지다. 우리 모두 기본 바탕에는 커다란 차이가 없으나, 거기에 개성과 능력이라는 색깔이 더해지면 각자의 빛을 발하게 된다.

◎ 다이아몬드 원석

◎ 다이아몬드

◎ 강옥 원석

◎ 강옥

◎ 에메랄드 원석

◎ 에메랄드

01

◎ 루비 원석

◎ 사파이어 원석

루비와 사파이어는 강옥이라는 광물의 한 종류이다. 그러나 루비는 붉은색이 나는 보석이고, 사파이어는 푸른빛이 나는 보석이다. 강옥이 다양한 색을 나타내는 이유를 서술하시오.

02

 논술형

강옥은 주로 연마제로 사용된다. 연마제는 돌이나 쇠붙이, 보석, 유리 등의 고체를 갈고 닦아서 표면을 반질반질하게 만드는 물질로, 치약도 연마제의 한 종류이다. 강옥은 연마제로 사용되지만, 루비와 사파이어는 보석으로 사용된다. 강옥 연마제, 루비, 사파이어의 관계를 서술하시오.

치약

05 대륙 이동설과 판의 경계

A 대륙 이동설

1 대륙 이동설

① ⓐ _____ : 약 3억 년 전에 하나로 모여 있던 대륙(판게아)이 서서히 분리되고 이동하여 현재와 같은 대륙 분포를 이루었다는 학설 ➡ 1912년 베게너가 주장함

◐ 약 3억 년 전   ◐ 약 6500만 년 전   ◐ 현재

② 베게너가 주장한 대륙 이동의 증거

마주 보는 대륙의 ⓑ _____ 모양 일치	ⓒ _____ 의 이동 방향 흔적과 분포
남아메리카 대륙과 아프리카 대륙의 해안선 모양이 거의 일치한다.	여러 대륙에 남아 있는 빙하의 흔적과 이동 방향을 분석하면 한 곳으로 모인다.
고생물 ⓓ _____ 의 분포	**지질 구조의 연속성**
바다를 사이에 두고 멀리 떨어져 있는 두 대륙에서 같은 종류의 화석이 발견된다.	멀리 떨어져 있는 두 대륙에 분포된 산맥과 지질 구조가 연속적으로 이어진다.

③ 대륙 이동설의 한계 : 대륙을 이동시키는 힘(원동력)을 설명하지 못했기 때문에 발표 당시 인정받지 못하였다.

B 지진과 화산

1 지진과 화산

① 지진 : 지구 내부에서 일어나는 급격한 변동으로 땅이 갈라지거나 흔들리는 현상

② 화산 활동 : 지하에서 생성된 마그마가 지각의 약한 틈을 뚫고 지표로 분출하는 현상

플러스 노트

● 판게아(초대륙)

* 초대륙 : 고생대 말부터 중생대 초기에 걸쳐 지구의 모든 대륙이 한 덩어리로 모여 형성된 대륙

* 고생대 말 이후부터 분리되고 이동하여 현재의 대륙 분포로 바뀌었다.

● 약 3억 년 전의 빙하

현재 열대 지방이나 온대 지방에 속하는 지역에서 빙하의 흔적이 발견된다.

● 지질 구조의 연속성

◐ 남아메리카   ◐ 아프리카

남아메리카 대륙의 지층 단면과 아프리카 대륙 해안의 지층 단면을 비교해 보면, 아래쪽의 지층이 서로 일치하고 맨 위의 지층만 다르다. ➡ 과거에는 두 대륙이 서로 연결되어 있었기 때문에 지질 구조가 일치하고 맨 위층은 두 대륙이 떨어져 있었을 때 생긴 지층이므로 다르다.

정답

ⓐ 대륙 이동설 ⓑ 해안선
ⓒ 빙하 ⓓ 글로소프테리스

2 지진대와 화산대

① 지진대와 화산대

- 지진과 화산 활동이 자주 발생하는 지역이다.
- 특정 지역에 좁고 긴 띠 모양으로 집중되어 나타난다.
- 지진대와 화산대는 거의 ⓐ   한다.
- 주로 대륙 ⓑ   에 분포한다.

알프스−히말라야 지진대와 화산대
환태평양 지진대와 화산대
중앙 해령 지진대와 화산대
중앙 해령 지진대와 화산대
△ 화산 ✦ 지진

② 전 세계의 지진대와 화산대의 분포

- 환태평양 지진대와 화산대 : 태평양 가장자리를 따라 고리 모양으로 분포한다.
  ➡ 불의 고리 : 지구 전체 화산 활동의 70~80 %가 일어나고 있다.
- 알프스−히말라야 지진대와 화산대 : 알프스산맥에서 지중해와 히말라야산맥을 거쳐 남아시아까지 이어져 분포한다.
- 중앙 해령 지진대와 화산대 : 대서양, 인도양, 태평양 해저의 해령을 따라 분포한다.

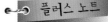
● 플러스 노트

● 해령

깊은 바닷속에 높이 솟아 있는 해저 산맥으로, 지진과 화산 활동이 자주 발생한다.

● 지진대와 화산대

지진과 화산 활동은 대부분 판의 경계에서 발생하므로 지진대와 화산대는 대체로 일치하지만, 지진만 발생하고 화산 활동이 일어나지 않는 곳도 있으므로 반드시 일치하는 것은 아니다. 대륙판끼리 충돌하는 알프스−히말라야 지역은 지진은 자주 발생하지만 화산 활동은 거의 일어나지 않는다.

정답

ⓐ 일치 ⓑ 경계

생활 속 과학

지진의 피해와 대처 방법

피해	대처 방법
• 땅이 갈라지고 건물이 무너지며 화재가 발생해 인명과 재산 피해가 발생한다. • 땅이 흔들리면서 지반을 약화시켜 대규모 산사태가 발생한다. • 바다 깊은 곳에서 발생한 지진으로 해안 지역에는 지진 해일에 의한 피해가 발생한다.	• 건물에 진동 흡수 장치를 설치한다. • 지진에 견딜 수 있도록 내진 설계를 한다. • 가스와 전기 자동 차단 장치를 설치한다. • 지진이 일어나면 가구를 고정하고 높은 곳에 있는 떨어지기 쉬운 물건을 치운다. • 지진이 일어나면 책상, 식탁 등의 밑으로 대피하여 몸을 보호한다.

❂ 지진 발생 시 대피 방법

화산 활동의 피해와 이로운 점

피해	이로운 점
• 화산재와 용암에 의해 인명과 재산 피해가 발생한다. • 용암이 주변 지역으로 흘러 가옥, 농토, 농장 등을 파괴한다. • 해로운 성분이 많이 포함된 화산 가스가 빗물에 씻겨 생물계에 큰 영향을 준다. • 화산 이류에 의해 산사태가 발생한다. • 화산 폭발의 충격으로 지진과 산사태가 발생한다.	• 화산 지형과 온천은 관광 자원으로 활용된다. • 지표에 쌓인 화산재나 분출된 용암이 시간이 지나면서 비옥한 토양을 형성한다. • 지열 에너지를 이용하여 난방과 발전을 한다. • 마그마가 식으면서 금, 은, 구리 등 유용한 광물 자원이 형성된다.

❂ 화산 이류

❂ 지열 발전소, 아이슬란드

플러스 노트

● **판을 이동시키는 힘, 맨틀 대류**
고온의 핵에서 맨틀로 전달된 열과 맨틀에서 방사성 원소에 의해 발생한 열에 의해 맨틀 윗부분(약 100~ 400 km의 연약권)은 고체 상태이지만 유동성이 있다. 이곳에서 1년에 수 cm의 매우 느린 속도로 대류가 일어난다. 맨틀 대류에 의해 그 위에 있는 판이 움직인다.

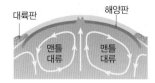

● **판이 움직이는 속도**
판은 1년에 수 cm 정도로 아주 조금씩 이동한다. 위성을 이용한 위치 측정 기술로 판의 이동 속도를 알 수 있다.

● **판 구조론**
지구 표면을 이루는 크고 작은 여러 개의 판이 맨틀의 대류를 따라 이동면서 지진과 화산 활동 등의 지각 변동이 일어난다. 1960년대 후반 과학자들이 그동안의 연구 결과를 종합하여 판 구조론을 제시했다.

 정답

ᄀ ⓔ 판의 경계
판 ⓐ 맨틀 ⓒ 경계

C 판의 경계와 지각 변동

1 판과 판의 경계

① ⓐ____ : 지각과 맨틀 윗부분을 포함하는 두께 약 100 km 정도의 단단한 암석

대륙판	해양판
• 대륙 지각 + 맨틀 윗부분 • 두께 : 두꺼움 • 평균 밀도 : 해양판보다 작음	• 해양 지각 + 맨틀 윗부분 • 두께 : 얇음 • 평균 밀도 : 대륙판보다 큼

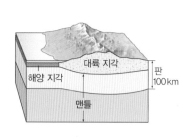

② **판의 분포** : 지구의 표면은 10개의 크고 작은 판으로 나누어져 있다.

③ **판의 운동** : 각 판은 ⓑ____의 움직임에 따라 서로 다른 방향과 속도로 천천히 이동한다.

④ **판의 경계** : 판은 이동 방향과 속도가 다르기 때문에 판의 ⓒ____ 에서 판과 판이 서로 부딪치거나 멀어지고 어긋난다. ➡ 판의 경계에서 지진이나 화산 활동에 의한 피해가 자주 발생한다.

판 구조론

2 지각 변동

① **지진대와 화산대 및 판의 경계** : 지진대와 화산대는 판의 경계와 거의 일치한다. ➡ 지진과 화산 활동은 주로 판의 ⓓ____ 에서 일어난다.

② **우리나라 부근의 지각 변동** : 우리나라는 판의 경계에서 비교적 벗어나 판의 ⓔ____ 쪽에 위치하므로 지진이나 화산 활동이 자주 발생하지 않는다. 그러나 일본은 유라시아판, 태평양판, 필리핀판이 만나는 경계에 위치하므로 지진과 화산 활동이 자주 발생한다.

🔍 더 알아보기

[판의 경계에서 일어나는 지각 변동]

• 판의 경계 : 맞붙어 있는 두 판의 이동 ⓐ _____ 에 따라 구분된다.

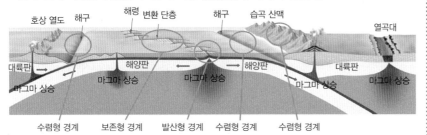

구분	ⓑ _____ 형 경계	ⓒ _____ 형 경계
모습	 해양판　해양판 맨틀 물질	변환 단층　해구 해양판
	• 판과 판이 갈라져 반대 방향으로 멀어지는 경계이다. • 맨틀 물질이 올라와 새로운 해양 지각이 생성된다.	• 판과 판이 서로 어긋나면서 반대 방향으로 이동하는 곳이다. • 판이 생성되거나 소멸하지 않는다.
발달 지형	해령, 열곡대	변환 단층
지진, 화산	지진, 화산 활동	지진
예	대서양 중앙 해령, 동태평양 해령, 인도양 중앙 해령 등	산안드레아스 단층 등

구분	ⓓ _____ 형 경계	
	섭입형 경계	충돌형 경계
모습	습곡 산맥 또는 호상열도　해구 대륙판　해양판 맨틀	습곡 산맥 대륙판　대륙판
	• 해양판이 대륙판 아래로 비스듬히 내려가는 경계이다. • 해양판이 소멸된다.	• 두 대륙판이 충돌하는 경계이다. • 거대한 습곡 산맥이 만들어진다.
발달 지형	해구, 호상 열도, 습곡 산맥	습곡 산맥
지진, 화산	지진, 화산 활동	지진
예	일본 해구, 칠레 해구, 안데스산맥 등	알프스-히말라야산맥 등

플러스 노트

● **열곡대**
대륙판과 대륙판이 서로 멀어지는 판의 경계에서 형성되는 지형이다. 열곡대가 점점 발달하여 바닷물이 들어오면 새로운 바다가 생성된다. 예 동아프리카 열곡대, 아이슬란드 열곡대 등

● **판의 밀도**
화강암질 암석으로 이루어진 대륙판은 현무암질로 이루어진 해양판에 비해 밀도가 낮다. 해양판과 대륙판이 부딪히면 상대적으로 밀도가 큰 해양판이 밀도가 작은 대륙판 밑으로 들어간다.

● **해양판과 해양판이 충돌하면**
상대적으로 밀도가 큰 판이 밀도가 작은 판 아래로 내려간다.

● **호상 열도**
해양판이 대륙판 아래로 내려가면서 부근에 있는 지각의 윗부분이 해수면 위로 밀려 올라와 생긴 활 모양으로 길게 늘어져 있는 화산섬이다.

📖 **용어풀이**

해구(바다 海, 언덕 丘) : 해저 언덕 지형

변환(변할 變, 바꿀 換) : 달라져서 바뀌는 것

호상 열도(활 弧, 형상 狀, 더울 熱, 섬 島) : 판의 수렴 경계선을 따라 호 모양으로 나란히 생긴 화산섬

ⓓ 수렴

ⓑ 발산　ⓒ 보존

ⓐ 방향

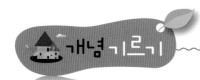

01 다음 중 베게너가 주장한 대륙 이동의 모습이다. 이에 대한 설명으로 옳은 것을 〈보기〉에서 모두 고른 것은?

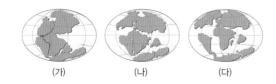

(가) (나) (다)

> 보기
>
> ㉠ (다)는 약 3억 년 전에 하나로 모여 있던 대륙인 판게아다.
> ㉡ 대륙 이동설이 발표 당시 인정 받지 못한 이유는 대륙 이동의 원인을 설명하지 못했기 때문이다.
> ㉢ 대륙 이동의 순서는 (가) → (나) → (다) 순이다.

① ㉠
② ㉡
③ ㉠, ㉡
④ ㉠, ㉢
⑤ ㉡, ㉢

02 다음 중 대륙 이동의 증거로 옳지 않은 것은?

① 마주 보는 대륙의 해안선이 거의 일치한다.
② 빙하의 이동 방향 흔적과 분포가 일치한다.
③ 모든 대륙에서 지진과 화산 활동이 발생한다.
④ 멀리 떨어져 있는 두 대륙의 지질 구조가 연속적으로 이어진다.
⑤ 바다 사이를 두고 멀리 떨어져 있는 두 대륙에서 같은 종의 고생물 화석이 발견된다.

03 지진과 화산 활동이 자주 발생하는 지역에 대한 설명으로 옳지 않은 것은?

① 지진대는 주로 판의 중앙에 위치한다.
② 화산 활동은 판의 경계에서 주로 발생한다.
③ 지진이 자주 일어나는 곳을 지진대라고 한다.
④ 지진이 자주 일어나는 곳은 화산 활동이 자주 일어나는 곳과 거의 일치한다.
⑤ 지진대와 화산대는 특정한 지역에 좁은 띠 모양으로 분포한다.

04 다음은 메소사우루스와 글로소프테리스 화석이 발견되는 지역을 기준으로 여러 대륙을 하나로 연결한 것이다. 이에 대한 설명으로 옳은 것은?

① 메소사우루스는 헤엄을 잘 치는 생물이다.
② 메소사우루스는 깊은 바다에서 번성하였다.
③ 글로소프테리스의 씨앗은 바람에 쉽게 날려갔다.
④ 두 생물은 각 대륙의 해안에서만 번성하였다.
⑤ 두 생물은 대륙들이 붙어 있었을 당시에 번성하였다.

05 다음은 빙하의 흔적과 이동 방향을 나타낸 것이다. 이에 대한 설명으로 옳지 않은 것은?

빙하의 이동

① 여러 대륙에 남아 있는 빙하 흔적이 잘 연결된다.
② 과거에 적도 부근은 추웠다.
③ 대륙들은 오랜 기간에 걸쳐 이동했다.
④ 베게너가 대륙 이동의 증거로 제시했다.
⑤ 과거에 남아메리카와 아프리카 대륙은 서로 붙어 있었다.

06 지진이 일어났을 때 피해를 줄일 수 있는 대책으로 옳지 않은 것은?

① 건물에 진동 흡수 장치를 설치한다.
② 건축물을 설계할 때 내진 설계를 한다.
③ 야외에서는 담장 옆으로 몸을 피한다.
④ 책상이나 식탁 밑으로 대피한다.
⑤ 가구를 고정하고 높은 곳에 있는 떨어지기 쉬운 물건을 치운다.

07 다음 중 판에 대한 설명으로 옳지 <u>않은</u> 것은?

① 지각과 맨틀 윗부분을 포함한 약 100 km 정도의 단단한 암석을 판이라고 한다.
② 지구의 표면은 10개의 크고 작은 판으로 이루어져 있다.
③ 판은 맨틀의 움직임에 따라 이동한다.
④ 대륙판은 해양판보다 밀도가 작다.
⑤ 판은 이동 방향과 속도가 모두 같다.

08 다음은 판의 구조를 나타낸 것이다. 이에 대한 설명으로 옳은 것을 모두 고른 것은?

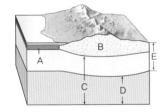

보기
㉠ A는 해양 지각이고 B는 대륙 지각이다.
㉡ C는 판이고 D는 맨틀이다.
㉢ 대륙판은 해양판보다 두껍다.
㉣ E는 서로 다른 방향과 속도로 움직인다.

① ㉠, ㉡ 　　　　② ㉠, ㉡, ㉢
③ ㉠, ㉡, ㉣ 　　④ ㉠, ㉢, ㉣
⑤ ㉡, ㉢, ㉣

09 다음 중 화산 활동의 피해로 옳지 <u>않은</u> 것은?

① 화산 이류에 의해 산사태가 발생한다.
② 화산재가 햇빛을 차단하여 기온을 낮춘다.
③ 화산재 때문에 비행기가 운항하지 못한다.
④ 화산재가 쌓여 시간이 지나면 비옥한 토양이 만들어진다.
⑤ 해로운 성분의 화산 가스가 빗물에 씻겨 생태계에 영향을 준다.

10 다음 그림의 지진대와 화산대를 보고 알 수 있는 것으로 옳은 것은?

① 해양판이 점점 커지고 있다.
② 지진대와 화산대는 항상 일치한다.
③ 지진과 화산 활동은 주로 판의 경계에서 일어난다.
④ 대륙의 중심에서는 지진대와 화산대가 나타나지 않는다.
⑤ 지진과 화산 활동이 발생하는 지역이 전 세계에 고르게 분포되어 있다.

11 다음은 전 세계에서 지진과 화산 활동이 활발하게 일어나는 환태평양 지진대와 화산대를 나타낸 것이다. 이에 대한 설명으로 옳지 <u>않은</u> 것은?

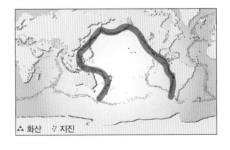

① 불의 고리라고도 한다.
② 태평양 가장자리를 따라 분포한다.
③ 지구 전체 화산 활동의 70~80 %가 일어난다.
④ 판과 판의 경계이다.
⑤ 지진과 화산 활동은 항상 동시에 일어난다.

01 베게너는 다음 그림과 같이 약 3억 년 전에는 대륙이 한 덩어리였다고 주장하였다. 그렇다면 3억 년 전보다 더 이전의 대륙은 어떠했을지 서술하시오.

03 태평양 주변 대륙의 해안에서는 지진과 화산 활동이 활발하지만 대서양 주변 대륙에서는 지진과 화산 활동이 거의 발생하지 않는다. 그 이유를 서술하시오.

02 어떤 광산업자가 아프리카 대륙 ㉠ 지점의 아주 오래된 지층에서 다이아몬드가 많이 발견되었다는 소식을 들었다. 빙하의 흔적을 바탕으로 A~E 중 다이아몬드가 발견될 가능성이 큰 지역을 고르고 그 이유를 서술하시오.

빙하의 흔적

논술형

04 2018년 3월 6일 일본 규슈에서 대규모 화산 활동이 일어나 항공기가 결항되고 화산재가 제주도까지 영향을 미쳤다. 우리나라 화산은 분출 가능성이 매우 낮지만, 일본은 2000년 이후에 108개의 화산이 분출했다. 일본에서 화산 활동이 활발한 이유를 서술하시오.

STEAM 판의 운동에 의한 지진의 발생 원인

판은 왜 움직일까? 지구 내부에는 철과 니켈로 이루어진 외핵과 내핵이 있다. 이 핵이 바로 판을 움직이는 에너지를 만든다. 핵은 뜨겁고 지각은 차갑기 때문에 맨틀 대류 현상이 일어난다. 맨틀 대류 현상으로 서서히 움직이던 판들은 어느 지점에서 부딪치게 된다. 상대적으로 밀도가 높은 해양판과 밀도가 낮은 대륙판이 만나면, 무거운 해양판이 마찰을 일으키며 대륙판 밑으로 들어간다. 이 마찰이 바로 지진이다. 일본 땅 밑에 위치한 태평양판은 1년에 8.3 cm씩 유라시아판 아래로 들어간다. 해양판이 물과 해저 퇴적물을 쓸어 모아 대륙판 밑으로 들어가면 암석의 녹는점이 낮아져 경계면 아래 60~160 km에 녹은 암석에 의해 마그마가 만들어진다. 이 마그마가 지표의 약한 틈을 뚫고 지표로 분출하는 것을 화산 활동이라고 한다.

대륙판과 대륙판이 충돌하기도 하는데, 이런 경우에는 히말라야 같은 거대한 산맥이 만들어진다.

지진이 일어날 때마다 규모가 달라지는 것은 판의 말랑말랑한 정도가 다르기 때문이다. 두 판이 충돌할 때 양쪽 판 모두에서 마찰이 발생하는데, 이때 한 판이 다른 판 밑으로 미끄러져 들어가면 작은 지진에 그친다. 반면 손톱으로 책상에 딱 붙은 스티커를 떼어내다 간혹 손톱이 부러지거나 금이 가는 것처럼, 다른 판이 탄성을 이용해 밀리는 힘을 계속 버텨내다가 한꺼번에 발산하면 지진 규모가 커진다. 판 사이 접촉 면적이 수천 km에 달하기 때문에 남은 에너지가 계속 여진 형태로 터져 나온다. 일본 해안 마을 주민 수만 명을 집어삼킨 거대한 쓰나미도 이런 커다란 지진에서 발생했다.

일본 지진

01 일본에서는 큰 지진이 자주 발생하지만 우리나라에서는 큰 지진이 잘 발생하지 않는다. 그 이유를 서술하시오.

논술형

02 판의 운동이 반드시 인류에게 피해만 주는 것이 아니다. 판의 운동은 지구에 생명 활동이 지속될 수 있는 에너지를 공급하고 지구를 따뜻하게 데워주기도 하며 석유와 석탄을 만들기도 한다. 판의 운동과 지구의 온도, 화석 연료의 관계를 서술하시오.

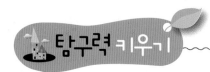

S TEAM 대륙 이동의 증거

판게아를 만들어 보고 대륙 이동의 증거를 찾아보자.
[준비물] 대륙 모형 부록(교재 p.145), 가위, 풀

실험

① 대륙 조각의 해안선을 따라 대륙 조각을 퍼즐처럼 맞추어 판게아를 만든다.
② 빙하 퇴적물, 메소사우루스 화석, 글로소프테리스 화석의 분포 지역을 살펴본다.

01 판게아의 모형을 바탕으로 '대부분의 지질 시대 동안 대륙은 한 덩어리였다'라고 가정할 수 있는 근거를 <u>4가지</u> 서술하시오.

①

②

③

④

02 아프리카 대륙과 남아메리카 대륙의 해안선이 완벽하게 일치하지 않는 이유를 서술하시오.

03 판게아의 모습과 현재 대륙의 모습을 비교할 때, 대서양의 모습은 어떻게 변해 왔으며 앞으로 어떻게 변해 갈지 서술하시오.

Ⅱ 수권과 해수의 순환

● **2015 개정 교육과정 교과서**

중학교 1~3학년 군 : 2학년 7단원 수권과 해수의 순환

● **다른 학년과의 연계**

3~4학년 군 : 지표의 변화

통합과학 : 지구 시스템

지구과학 Ⅰ : 대기와 해양의 상호 작용

지구과학 Ⅱ : 해수의 운동과 순환

06 해수와 담수료 구분되는 수권의 구성과 빙하

A 지구의 물

1 수권의 분포 : 지구상에 존재하는 모든 물로, 해수와 담수(육지의 물)로 구분된다.

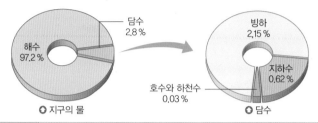

◎ 지구의 물　　◎ 담수

ⓐ (97.2 %)		바다에 있는 물로 짠맛이 나며, 지구 표면의 약 70 %를 차지한다.
담수 (2.8 %)	ⓑ	얼어 있는 상태로, 담수 중 가장 많은 양을 차지하며 극지방이나 고산 지대에 존재한다. ➡ 수자원으로 이용하기 힘들다.
	지하수	토양이나 암석 틈 사이로 흐르며 우리 생활에 이용된다.
	호수와 하천수	전체 수권의 물 중 0.03 %로 적은 양을 차지하며 우리가 주로 이용하는 물이다.

수권을 이루는 물의 양 비교 : ⓒ ＞ ⓓ ＞지하수＞호수와 하천수

2 수권의 역할

① 물의 순환 과정에서 기권, 지권, 생물권에 물을 공급하고, 날씨 변화와 지형 변화를 일으킨다.

② 태양 복사 에너지를 저장하고 열을 운반하여 생명체가 살기에 적합한 기후를 만든다.

3 물의 이용

① 수자원 : 자원으로 이용 가능한 물 ➡ 주로 호수와 하천수, 지하수를 이용한다.

② 수자원의 용도

생활용수	생명 유지를 위해 물을 마시고 씻거나 세탁하는 등 일상생활을 하는 데 사용되는 물
농업용수	농사를 짓고 가축 및 원예 작물 재배 등 농업 활동을 하는 데 사용되는 물
공업용수	제품을 생산하고 생산 시설을 관리하는 등 공업 활동에 사용되는 물
유지용수	강이나 하천의 기능을 유지하기 위해 사용되는 물

③ 수자원의 중요성

• 수자원의 양 : 매우 적은 양으로 한정되어 있다. ➡ 수권 전체의 약 0.65 %

• 수자원의 이용량 : 인구 증가와 산업 발달로 꾸준히 ⓔ 하고 있으며, 오염되는 물의 양도 많아지고 있다.

4 우리나라 수자원

① 우리나라 수자원의 이용

    ⓐ   용수 > 생활용수 > 유지용수 > 공업용수

② 우리나라 수자원의 특징

- 연평균 강수량의 대부분이 ⓑ   에 집중된다.
- 연평균 강수량은 세계 평균보다 높지만 인구 밀도가 높아 1인당 수자원량이 ⓒ   다.
- 국토 대부분이 산으로 되어 있어 강수량 중 약 73 %는 바다로 흘러가거나 증발 등을 통해 손실되고, 약 27 %만 수자원으로 이용되고 있다.

5 지하수의 가치와 활용 방안

① ⓓ   : 빗물이 지하로 스며들어 자연적으로 정화된 깨끗한 물

② 지하수의 가치

- 양이 풍부하고 수온이 14 ℃로 일정하게 유지되며, 정수 과정 없이 사용할 수 있으므로 수자원으로서 가치가 높다.
- 강수량은 기후에 따라 달라지므로 수자원을 안정적으로 확보하기 위해서 지하수를 개발해야 한다.
- 현재 전국 지하수 개발 가능량은 128억 톤이고, 지하수 이용량은 41억 톤이다.

❍ 지하수 개발

③ 지하수의 활용

- 상수도가 공급되지 않은 곳에서 상수도 수원으로 사용한다.
- 재난 대비 비상급수 시설의 비상 수원으로 사용한다.
- 농작물 재배, 민물 양식, 공업용수로 사용한다.
- 먹는 샘물, 음료수, 주류, 아이스크림 등 식음료품 원수로 사용한다.
- 지열 냉난방 시스템이나 지열 발전소에서 사용한다.

④ 지하수의 특징 : 땅속으로 흘러 오염되어도 알기 어렵고 한 번 오염되면 복구하기 어렵다.

⑤ 지하수의 관리

- 지나치게 많이 사용하면 지반이 가라앉을 수 있으므로 취수허가량을 제한한다.
- 지하수 이용 목적 외의 사용을 엄격하게 금지한다.
- 상수도 공급 지역에서는 지하수를 생활용수로 이용하는 것을 금지한다.

❍ 지하수에 의한 지반 침하

- 폐수 및 폐기물 등 오염 물질 배출량을 줄여 오염되지 않도록 관리한다.
- 지하수 고갈이나 오염을 막기 위해 수위와 수질 상태를 주기적으로 점검한다.
- 지하수 인공함양을 통해 지하수의 양을 증가시킨다.

II 수권과 해수의 순환

B 빙하의 형성과 분포

1 빙하 : 녹지 않고 쌓인 눈이 단단하게 다져져 생긴 얼음 덩어리가 중력에 의해 낮은 곳으로 이동하는 것 ➡ 만년설이 압축되어 밀도가 더욱 증가하면 빙하가 된다.

2 빙하의 형성 과정

① 눈이 녹지 않고 쌓인다.(공기 자유롭게 드나듦)

② 눈의 무게로 인해 ⓐ_____을 받아 다져진다.

③ 눈이 엉겨 붙어 단단한 얼음 덩어리가 된다.(공기 갇힘)

④ 얼음 바닥 쪽이 얼음 무게에 의해 압력이 커져 녹으면서 중력에 의해 낮은 곳으로 이동한다. ➡ ⓑ_____

3 빙하의 분포

① 극지방이나 고산 지대 : 기온이 낮아서 일 년 내내 얼음이 분포하는 지역

② 빙하 분포 면적의 변화 : 지구 온난화에 의한 기온 상승으로 빙하 면적이 감소하고 해수면이 상승하고 있다.

○ 1978년 북극해 빙하　○ 2007년 북극해 빙하

4 빙하의 분류

대륙 빙하	산악 빙하
• 대륙을 덮고 있는 빙하이다. • 해안으로 천천히 흘러내려 간다. 예 남극 대륙, 북극의 그린란드	• 높은 산악 지대에 형성된 빙하이다. • 계곡을 따라 흘러내려 간다. 예 알래스카, 알프스산맥, 히말라야산맥 등

5 빙하의 이동 속도 : 가장자리보다 가운데가 빠르고, 바닥보다 표면에서 빠르다.

➡ 빙하의 가장자리나 바닥은 지면과의 마찰에 의해 속도가 느려진다.

6 빙하에 의한 지형

침식 작용			퇴적 작용
혼	U자곡	찰흔	빙퇴석
빙하에 의해 깎여 생긴 삼각뿔 모양의 뾰족한 산봉우리	빙하에 의해 깎여 생긴 바닥이 편평하고 완만한 U자형 골짜기	빙하의 이동에 의해 암석 표면에 생긴 가는 홈 모양의 자국	빙하와 함께 운반된 퇴적물이 한꺼번에 쌓인 것

● **빙산**

해안에 도달한 빙하의 끝부분이 떨어져 나가 바다 위에 떠 있는 거대한 얼음덩어리이다.

빙하와 빙산

빙하

빙산

● **대륙 빙하와 산악 빙하**

○ 대륙 빙하　○ 산악 빙하

＊**대륙 빙하** : 남극 대륙 빙하의 평균 두께는 약 2,500 m이다.

＊**산악 빙하** : 킬리만자로 산은 적도 지방에 위치하지만 산의 정상은 기온이 매우 낮아서 빙하가 있다.

● **빙하의 이동 속도**

빠른 경우 1년에 4 km, 느리면 2 m 정도로, 흐름을 직접 느끼기 어렵다.

만년설(만 萬, 해 年, 눈 雪) : 높은 산이나 고위도 지방에 언제나 녹지 않고 쌓여 있는 눈

정답

ⓐ 압력 　ⓑ 빙하

C 빙하를 이용한 기후 변화 예측

1 빙하 코어

① 빙하 ⓐ_____ : 빙하에 구멍을 뚫어 꺼낸 얼음 기둥
② 빙하 ⓑ_____ : 여름에 눈의 표면이 살짝 녹았다가
겨울에 다시 쌓이면서 생긴 줄무늬

❍ 빙하 코어

2 빙하 코어를 이용한 연구

① 공기 방울 분석 : 눈이 쌓일 당시의 대기 성분과 이산화 탄소의 농도를 알 수
있다.
② 빙하 나이테 분석 : 빙하의 생성 시기를 알 수 있다.
③ 빙하 속의 화산재와 꽃가루 분석 : 과거의 화산 활동이나 번성했던 식물 등을
알 수 있다.

 탐구

[빙하를 통해 알아낸 기후 변화]
다음 그래프는 남극 보스토크 지역의 빙하 코어를 분석하여 얻은 자료이다. 빙하
코어의 가장 아랫부분의 얼음은 42만 년 전에 형성되었다.

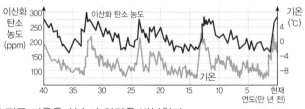

① 지구의 평균 기온은 상승과 하강을 반복한다.
② 이산화 탄소의 농도는 증가와 감소를 반복한다.
③ 이산화 탄소의 농도가 높을 때 기온이 ⓒ_____ 고, 이산화 탄소 농도가 낮을 때 기
온이 낮게 나타난다.
④ 지구의 평균 기온은 대기 중 ⓓ_____ 의 농도와 밀접한 관련이 있다.
➡ 이산화 탄소는 온실 효과를 일으키는 대표적인 대기 성분이다.

3 빙하와 지구계 각 권의 상호 작용

수권	빙하는 주로 해수가 증발하여 생긴 눈으로부터 만들어지므로, 빙하가 성장하면 해수면이 낮아지고, 빙하가 녹으면 해수면이 높아진다.
기권	빙하는 햇빛을 많이 반사하기 때문에 빙하 지역은 빙하가 없는 지역보다 평균 기온이 더 낮아진다.
생물권	빙하가 성장하거나 녹아 자연환경이 변하면 동식물의 이동이 일어나고, 때로는 환경 변화에 적응하지 못한 일부 생물이 멸종되기도 한다.
지권	빙하는 낮은 곳으로 천천히 흐르면서 주변 지형을 바꾸고, 운반되어 온 많은 양의 물질들을 퇴적시키며 암석의 순환에 관계한다.

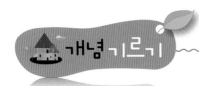

01 다음 중 수권에 대한 설명으로 옳지 <u>않은</u> 것은?

① 해수와 담수로 구분된다.
② 담수는 육지에 존재하는 물로 짠맛이 나지 않는다.
③ 물의 순환 과정에서 날씨 변화와 지형 변화를 일으킨다.
④ 지구 표면은 약 70 % 정도가 바다로 이루어져 있다.
⑤ 지하수는 수권 중 0.03 %를 차지하며 우리가 주로 이용하는 물이다.

02 다음은 수권의 분포를 나타낸 그림이다. A와 B에 해당하는 것을 바르게 짝지은 것은?

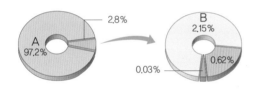

① 해수, 빙하   ② 해수, 지하수
③ 지하수, 해수   ④ 빙하, 해수
⑤ 빙하, 지하수

03 다음 중 수자원에 대한 설명으로 옳은 것은?

① 지구의 모든 물을 말한다.
② 양이 매우 적고 한정되어 있다.
③ 수자원 이용량은 꾸준히 감소하고 있다.
④ 수자원으로 주로 이용되는 물은 빙하와 지하수이다.
⑤ 공업용수는 강이나 하천의 기능을 유지하기 위해 사용되는 물이다.

04 다음 중 우리나라 수자원에 대한 설명으로 옳지 <u>않은</u> 것은?

① 강수량의 대부분이 여름에 집중된다.
② 국토 대부분이 산으로 되어 있어 강수량의 대부분이 바다로 흘러간다.
③ 연평균 강수량이 적어 수자원량이 부족하다.
④ 농업용수로 가장 많은 물을 사용하고 있다.
⑤ 우리나라는 하천수를 가장 많이 사용한다.

05 지하수에 대한 설명으로 옳지 <u>않은</u> 것은?

① 빗물이 지하로 스며들어 자연적으로 정화된 깨끗한 물이다.
② 양이 제한적이므로 수자원으로 가치가 낮다.
③ 정수 과정 없이 바로 사용할 수 있다.
④ 농작물 재배, 민물 양식, 식음료품 원수로 사용한다.
⑤ 강수량은 기후에 따라 달라지므로 수자원을 안정적으로 확보하기 위해서 지하수를 개발해야 한다.

06 지하수 관리에 대한 설명으로 옳지 <u>않은</u> 것은?

① 지하수는 하천수보다 풍부하므로 특별히 사용 제한을 두지 않아도 된다.
② 지하수 이용 목적 외의 사용을 엄격하게 금지한다.
③ 폐수 및 폐기물 등 오염 물질 배출을 줄여 오염되지 않도록 관리한다.
④ 지하수 고갈이나 오염을 막기 위해 수위와 수질 상태를 주기적으로 점검한다.
⑤ 지하수 인공함양을 통해 지하수 양을 증가시킨다.

07 오른쪽 그림은 빙하의 형성 과정을 나타낸 것이다. 이에 대한 설명으로 옳지 <u>않은</u> 것은?

① A층에서는 공기가 자유롭게 드나든다.

② 빙하는 A에서 B 방향으로 만들어진다.

③ B층에서 얼음 덩어리가 만들어지면서 공기가 갇힌다.

④ 눈의 무게로 아래쪽 눈이 압력을 받아 다져진다.

⑤ 얼음 바닥층은 무게에 의해 압력이 커져 녹으면서 위로 떠오른다.

08 다음 〈보기〉에서 빙하의 분포에 대한 설명으로 옳은 것을 모두 고른 것은?

> **보기**
> ㉠ 대륙 빙하는 대부분 남극 대륙과 북극의 그린란드에 분포한다.
> ㉡ 안데스산맥과 알프스산맥에는 산악 빙하가 분포한다.
> ㉢ 온대 지방이나 열대 지방에는 빙하가 분포하지 않는다.

① ㉠   ② ㉡

③ ㉢   ④ ㉠, ㉡

⑤ ㉡, ㉢

중요
09 다음 중 빙하에 대한 설명으로 옳지 <u>않은</u> 것은?

① 빙하가 형성되는 과정에서 화산재나 꽃가루가 빙하 속에 갇힌다.

② 빙하 속에 갇혀 있는 공기 방울을 분석하여 대기 성분과 이산화 탄소의 농도를 알 수 있다.

③ 빙하 나이테는 여름에 눈이 살짝 녹았다가 겨울에 다시 쌓여 만들어진 줄무늬이다.

④ 빙하의 이동 속도는 가운데보다 가장자리가 빠르고, 표면보다 바닥에서 빠르다.

⑤ 빙하에 구멍을 뚫어 꺼낸 얼음 기둥을 빙하 코어라고 한다.

10 다음 중 빙하를 통해 알 수 <u>없는</u> 것을 <u>모두</u> 고르시오.

① 공기 성분을 분석하여 기후 변화를 알아낸다.

② 빙하 속 공기로 빙하의 두께를 알아낸다.

③ 빙하의 나이테를 분석하여 빙하 생성 시기를 알아낸다.

④ 빙하 속 화산재로 화산 활동의 원인을 알아낸다.

⑤ 빙하 속 꽃가루로 번성했던 식물을 알아낸다.

중요
11 다음은 빙하에 대한 연구를 통해 알아낸 과거 대기 중 이산화 탄소의 농도 변화와 지구의 기온 변화를 그래프로 나타낸 것이다. 이에 대한 설명으로 옳지 <u>않은</u> 것은?

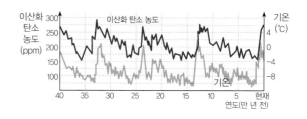

① 빙하 코어를 통해 얻은 자료이다.

② 기온이 높아질 때의 속도가 낮아질 때의 속도보다 빠르다.

③ 기온이 높으면 이산화 탄소의 농도가 높아지고 기온이 낮으면 이산화 탄소의 농도가 낮아진다.

④ 지구의 평균 기온은 대기 중 이산화 탄소의 농도와 밀접한 관련이 있다.

⑤ 과거 40만 년 동안 지구는 따뜻한 시기와 추운 시기가 4번 정도 반복되었다.

12 다음 중 빙하와 지구계 각 권의 상호 작용에 대한 설명으로 옳지 <u>않은</u> 것은?

① 빙하가 녹으면 해수면이 높아진다.

② 빙하가 햇빛을 막아주므로 평균 기온이 상승한다.

③ 빙하가 성장하면 자연환경이 변하고 환경 변화에 적응하지 못한 일부 생물이 멸종되기도 한다.

④ 빙하가 성장하면 물이 얼음으로 저장된다.

⑤ 빙하가 낮은 곳으로 흐르면서 주변 지형을 바꾼다.

01 우리나라는 연평균 강수량이 세계 평균의 1.6배나 되지만 물 부족 국가에 속한다. 우리나라가 연평균 강수량이 많은데도 불구하고 물 부족 국가인 이유를 서술하시오.

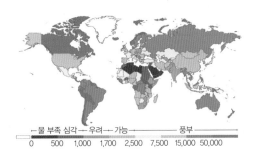

03 지구 온난화에 의해 북극은 얼음이 녹고 땅이 드러나고 있으며, 얼음이 녹은 물에서 기포가 올라온다. 북극의 얼음이 녹으면 지구 온난화가 더욱 심해진다. 그 이유를 서술하시오.

북극 해빙

02 지하수는 비가 내려 땅속으로 스며든 빗물이 모인 것으로, 수자원으로 이용된다. 지하수를 지나치게 많이 사용했을 때 지권에서 일어날 수 있는 일을 서술하시오.

논술형

04 지구 온난화에 의해 극지방의 빙하가 줄어들고 있다. 만약 남극의 빙하가 모두 녹는다면 어떻게 될지 서술하시오.

STEAM 7년간 파고 들어간 그린란드 빙하 3,084 m

지구 온난화로 인해 해양 컨베이어벨트가 멈추고, 마침내 빙하기가 도래한다는 것이 영화 투모로우가 관객에게 주는 메시지다.

영화의 주인공인 홀 박사는 지구의 옛날 기후를 연구하는 고기후학자다. 남극의 라르센 B 빙붕에서 빙하 코어를 채취하는 작업 중 빙붕이 붕괴하고, 목숨이 위태로운 상태에서도 채취한 빙하 코어를 챙기는 철저한 직업 정신을 보여준다. 홀 박사가 빙하 코어를 챙기는 데는 분명한 이유가 있다.

최근 유럽연합(EU) 연구팀이 그린란드 빙원의 바닥인 3,084 m 깊이에서 12만 년 전 빙하를 파냈다. 이 빙하는 높은 압력과 화학 작용으로 일반 얼음과는 달리 갈색을 띠고 있었다. 바닥까지 파 내려가는 데만 7년이 걸렸다. 이는 영하 수십 도를 오르내리는 혹한과 싸운 결과다.

빙하는 나무가 나이를 먹을 때 나이테를 남기듯 매년 층을 이루며 쌓여 있다. 두껍거나 얇게, 또는 바다의 염분 함량이 매년 다르게 나타나는 등 층층이 쌓인 빙하는 그해 그해 지구 기후의 이력서를 써온 것이다.

빙하가 있는 곳이면 어느 곳에서나 빙하 시추를 할 수 있지만, 수천 m 깊이의 깊은 곳의 빙하 시료는 오직 남극과 북극에서만 시추할 수 있다.

우리나라도 1988년 남극 대륙에서 약간 떨어진 킹조지섬에 세종 과학 기지를 건설하여 연구에 한창이다. 세종과학기지는 섬에 있어서 대륙 빙하 연구, 운석 연구 등 남극 대륙에 대한 체계적인 연구가 어려웠다. 이런 어려움을 극복하고자 남극 대륙에 제2기지, 장보고 과학 기지를 건설했다. 장보고 기지에서는 빙하 연구, 온실기체를 포함한 대기 구성 물질의 조성 등 기상 대기과학 연구, 우주과학 연구, 운석 탐사, 육상 생태계의 변화 연구 등을 진행 중이다.

빙하 코어

---

01 과학자들이 히말라야산맥, 안데스산맥, 킬리만자로산, 그린란드, 남극, 북극 등 추운 극한 환경에서 오랜 기간 동안 빙하 시추를 하기 위해 노력하는 이유를 서술하시오.

논술형

02 그린란드 빙하는 3,000 m 깊이를 채취해도 13만 년 전의 과거를 알아낼 수밖에 없지만, 같은 깊이의 남극 빙하는 50만 년에서 100만 년 전까지의 과거를 알아낼 수 있다. 그린란드 빙하와 달리 남극 빙하가 더 오래된 지구의 기록을 담고 있는 이유를 서술하시오.

07 해수의 특성

A 해수의 성분

1 ⓐ _____ : 해수에 녹아 있는 여러 가지 물질

* 바닷물 1 kg 당

물 965 g / 염류 35 g

염화 나트륨 27.2 g / 염화 마그네슘 3.8 g / 황산 마그네슘 1.7 g / 황산 칼슘 1.3 g / 황산 칼륨 0.9 g / 기타 0.1 g

① 염화 나트륨 : 염류 중 가장 많으며, 짠맛이 난다.

② 염화 마그네슘 : 염류 중 두 번째로 많으며, 쓴맛이 난다.

2 염분

① ⓑ _____ : 해수 1,000 g 속에 녹아 있는 염류의 총량을 g 수로 나타낸 것

$$염분(‰) = \frac{염류의\ 양(g)}{바닷물의\ 양(g)} \times 1,000 = \frac{염류의\ 양(g)}{물의\ 양(g) + 염류의\ 양(g)} \times 1,000$$

② 단위 : ‰(퍼밀) 또는 psu(실용염분단위)

③ 전 세계 바다의 평균 염분 : 35 ‰ 또는 35 psu

3 염분의 분포와 변화 원인

① 염분의 변화 원인

염분이 높은 곳	염분이 낮은 곳
• 강수량 ⓒ _____ 증발량	• 강수량 > 증발량
• 강물이 유입되지 않는 곳	• 강물이 ⓔ _____ 되는 곳
• 해수가 ⓓ _____ 곳	• 빙하가 녹는 곳

② 위도에 따른 염분의 분포

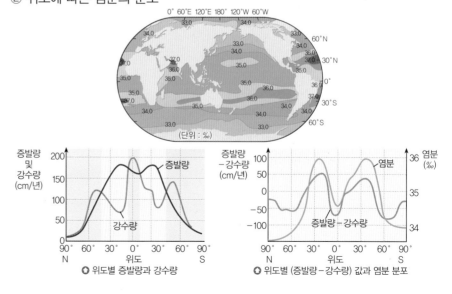

(단위 : ‰)

❖ 위도별 증발량과 강수량

❖ 위도별 (증발량−강수량) 값과 염분 분포

플러스 노트 (왼쪽 여백)

● **염류의 기원**
* 해저 화산 활동으로 분출된 지구 내부의 구성 물질이 직접 해수에 용해된다. ➡ 염소, 황 등
* 지각을 구성하는 물질이 빗물에 녹아 강을 따라 바다로 유입된다.
➡ 칼슘, 칼륨, 나트륨, 마그네슘 등

● **바닷물의 결빙과 염분**
극지방이나 고위도의 해역은 수온이 매우 낮아 해수가 얼 수 있다. 이때 순수한 물만 얼고, 해수 중에 녹아 있던 염류는 주위로 빠져나오므로 결빙이 일어나는 지역의 바닷물은 염분이 높아진다.

● **고위도 지역의 (증발량−강수량)과 표층 염분**
고위도록 갈수록 (증발량−강수량)보다는 결빙량과 해빙량의 영향을 더 많이 받으므로 (증발량−강수량)과 표층 염분의 그래프가 일치하지 않는다.

용어풀이

염류(소금 鹽, 무리 類) : 해수에 녹아 있는 물질

염분(소금 鹽, 나눌 分) : 해수 1,000 g 속에 녹아 있는 염류의 총량

정답
ⓐ 염류 ⓑ 염분 ⓒ > ⓓ 어는 ⓔ 유입

- 적도 : 증발량<강수량 ➡ 염분이 ⓐ　　 다.
- 위도 30° 부근 : 증발량>강수량 ➡ 염분이 가장 ⓑ　　 다.
- 극지방 : (증발량−강수량)보다 해빙의 영향으로 염분이 낮다.

4 우리나라 주변 바다의 염분 분포

① 여름보다 겨울에 염분이 더 ⓒ　　 다.

　　➡ 여름에 강수량이 많기 때문이다.

② 동해와 남해보다 서해의 염분이 더 ⓓ　　 다.

　　➡ 많은 양의 강물이 서해로 흘러가기 때문이다.

③ 남쪽으로 갈수록 염분이 높아진다.

　　➡ 전 세계적으로 염분이 가장 높은 위도 30° 해역에 가까워지기 때문이다.

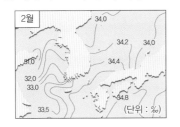

5 염분비 일정 법칙

① 염분비 일정 법칙 : 지역이나 계절에 따라 해수의 염분은 변하지만, 해수에 녹아 있는 각 염류 사이의 ⓔ　　 는 항상 일정하다.

② 염분비가 일정한 까닭 : 바닷물이 끊임없이 움직이고 순환하면서 염류들이 골고루 잘 섞이기 때문이다.

 탐구

[염분비 일정 법칙]

① 서해, 동해, 지중해의 해수 1,000 g에 녹아 있는 염류의 양(g)

구분	염화 나트륨	염화 마그네슘	황산 마그네슘	기타	총 염류량(g)
서해	24.09	3.35	1.49	2.08	31
동해	25.64	3.56	1.58	2.21	33
지중해	29.53	4.10	1.82	2.55	38

➡ 서해의 염분은 31 ‰, 동해의 염분은 ⓕ　　 ‰, 지중해의 염분은 38 ‰이다.

② 서해, 동해, 지중해의 해수에 포함된 염류의 구성 비율(%)

구분	염화 나트륨	염화 마그네슘	황산 마그네슘	기타	합계
서해	77.7	10.8	4.8	6.7	100
동해	77.7	10.8	4.8	6.7	100
지중해	77.7	10.8	4.8	6.7	100

➡ 서해, 동해, 지중해의 염분은 다르지만, 염류 총량에 대한 각 염류의 질량 구성 비율은 ⓖ　　 다.

플러스 노트

● 서해로 강물이 많이 흘러가는 이유

우리나라는 동쪽이 높고 서쪽이 낮은 지형을 이루고 있어 강물은 대부분 서해로 흘러간다.

● 염분비 일정 법칙

1872년부터 1876년까지 영국 군함 챌린저호가 전 세계 대양의 77개 해역을 조사하여 해수 표본을 분석한 결과 확인하였다. 염분비 일정 법칙을 이용하면 해수 속에 녹아 있는 특정 성분의 양만 알아도 전체 염류의 양을 알아낼 수 있다.

● 전체 염류에 대한 주요 염류들의 구성 비율

염화 나트륨 77.7 %
염화 마그네슘 10.8 %
황산 마그네슘 4.8 %
황산 칼슘 3.7 %
황산 칼륨 2.6 %
기타 0.4 %

정답

ⓔ 비율 ⓕ 33 ⓖ 같
ⓐ 낮 ⓑ 높 ⓒ 높 ⓓ 높

플러스 노트

● **해수의 표층 수온 측정**
인공위성에 부착된 적외선 센서를 이용하여 0.3 ℃ 오차 범위 내에서 측정한다.

● **태양 복사 에너지의 도달**
해수면에 입사하는 태양 복사 에너지의 약 50 %는 수심 1 m 이내에 흡수되며, 수심 300 m 이상의 깊이에는 거의 도달하지 않는다.

● **서해 수심**
서해는 전체가 수심 100 m 이하의 대륙붕이며, 평균 수심은 약 45 m이다. 중국에서 대량으로 공급되는 퇴적물로 인해 우리나라 쪽으로 올수록 수심이 깊어진다.

● **수온의 범위**
전 세계 바다에서 가장 수온이 높은 곳은 페르시아만으로 평균 수온이 약 32 ℃이며, 높은 곳은 36 ℃까지 올라간다. 해수는 약 −1.9 ℃에서 얼기 때문에 해수의 온도가 −2 ℃ 이하로는 내려가지 않는다.

용어 풀이

태양 복사(클 太, 볕 陽, 바퀴살 輻, 쏠 射) 에너지 : 태양에서 모든 방향으로 방출하는 에너지

 정답

① 가료
ⓐ 이움 ⓑ 서해 ⓒ 잘아
ⓒ 태양 복사 ① 태양 복사

B 해수의 온도

1 해수의 표층 수온 분포 : 지역과 계절에 따라 다르다.

① 표층 해수의 수온에 영향을 주는 요인

• ⓐ_____ 에너지 : 저위도 지역으로 갈수록 해수면에 도달하는 태양 복사 에너지의 양이 많아 수온이 높아진다.

• 대륙의 분포 : 육지가 많은 북반구의 수온이 육지가 적은 남반구의 수온보다 높다.

• 해류의 영향 : 난류가 흐르는 해역은 수온이 높고, 한류가 흐르는 해역은 수온이 낮다.

② 우리나라 주변 바다의 표층 수온 분포

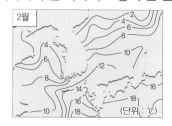 

• 겨울보다 여름에 표층 수온이 더 높다.

➡ 여름에는 ⓑ_____ 에너지의 양이 많기 때문이다.

• 서해나 동해보다 남해의 표층 수온이 더 높다.

➡ 위도가 낮을수록 태양 복사 에너지를 ⓒ_____ 받기 때문이다.

• 계절에 따른 수온 변화는 동해보다 ⓓ_____가 크다.

➡ 서해는 수심이 얕고 대륙에 둘러싸여 있기 때문이다.

③ 표층 수온의 위도별 분포

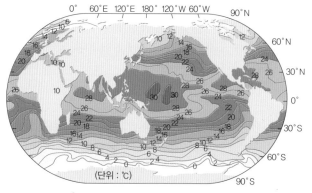

• 적도 지방에서 고위도로 갈수록 수온이 ⓔ_____지고, 먼바다에서는 해수의 등온선이 위도선과 거의 ⓕ_____하다. ➡ 저위도에서 고위도로 갈수록 해수면에 도달하는 태양 복사 에너지양이 적어지기 때문이다.

• 대륙 주변부는 해류나 대륙의 영향으로 등온선이 위도와 나란하지 않다.

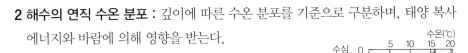

2 해수의 연직 수온 분포 : 깊이에 따른 수온 분포를 기준으로 구분하며, 태양 복사 에너지와 바람에 의해 영향을 받는다.

① 혼합층
- 태양 복사 에너지를 직접 흡수하여 수온이 ⓐ   다.
- ⓑ   에 의해 혼합되므로 수온이 거의 일정하다.
- 바람이 강할수록 두껍게 형성된다.

② 수온 약층
- 수온이 급격히 낮아진다.
- 아래쪽으로 갈수록 수온이 낮아지므로 해수가 잘 섞이지 않는 ⓒ   한 층이다.
  ➡ 혼합층과 심해층 사이의 물질과 에너지 교환을 차단한다.
- 혼합층과 심해층의 온도 차이가 큰 ⓓ   에 가장 뚜렷하게 나타난다.

③ 심해층
- 수온이 매우 ⓔ   고 연중 깊이에 따른 수온 변화가 없다.
- 햇빛이나 바람의 영향을 거의 받지 않는다.

[수온의 연직 분포]

• **실험 방법**

① 비커에 물을 $\frac{2}{3}$ 가량 채운 후 온도계를 수면에서 깊이 1 cm, 3 cm, 5 cm, 7 cm, 9 cm 간격으로 스탠드에 매달고, 각 깊이에서 처음 온도를 측정한다.
② 수면 15 cm 높이에서 전등을 비추고 더 이상 온도 변화가 나타나지 않을 때 각 깊이에서 온도를 측정한다.
③ 전등을 켠 채 수면 위에서 약 3분 동안 부채질한 후 온도를 측정한다.

• **실험 결과 및 결론**

① 전등을 비추기 전에는 깊이에 따른 수온이 일정하다.
② 전등을 비춘 후에는 표층 수온이 가장 ⓕ   고 깊어질수록 수온이 낮아진다.
  ➡ 해수의 표층은 태양 복사 에너지를 대부분 흡수하므로 수온이 높다.
③ 부채질한 후 수면 부근에 온도가 일정한 층이 생성된다. ➡ 바람의 영향으로 해수 표면 부근의 물이 잘 섞여 온도가 일정한 ⓖ   이 나타난다.
④ 부채질을 강하게 하면 혼합층의 두께가 ⓗ   진다. ➡ 바람이 강하게 불면 깊은 곳까지 물이 혼합되기 때문이다.

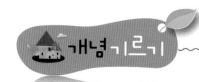

01 다음은 해수의 성분을 나타난 그림이다. A, B, C에 들어갈 물질로 바르게 짝지은 것은?

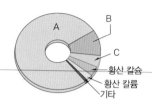

	A	B	C
①	염화 나트륨	황산 마그네슘	염화 마그네슘
②	염화 나트륨	염화 마그네슘	황산 마그네슘
③	염화 마그네슘	염화 나트륨	황산 마그네슘
④	염화 마그네슘	황산 마그네슘	염화 나트륨
⑤	황산 마그네슘	염화 마그네슘	염화 나트륨

02 다음 표는 어느 지역의 해수 500 g 속에 녹아 있는 염류의 양을 나타낸 것이다. 이 해수의 염분은?

염류	해수 500 g에 녹아 있는 양(g)
염화 나트륨	13.6
염화 마그네슘	1.9
황산 마그네슘	0.9
황산 칼슘	0.6
기타	0.5

① 13.6 ‰ ② 17 ‰
③ 17.5 ‰ ④ 34 ‰
⑤ 35 ‰

03 다음 중 염분이 가장 높은 지역은?

① 강수량이 증발량보다 많은 적도 지역
② 강물이 유입되는 지역
③ 빙하가 녹는 극지방
④ 강수량이 적고 증발량이 많은 중위도 지역
⑤ 비가 많이 내리는 열대 우림 지역

04 다음 표는 해수 A와 B의 1 kg 속에 포함된 여러 염류의 양을 나타낸 것이다. 해수 A의 염화 나트륨의 양은 얼마인가?

염류	해수 A(g)	해수 B(g)
염화 나트륨	?	16
염화 마그네슘	10	8
황산염	5	4

① 10 ② 15
③ 17 ④ 20
⑤ 22

05 다음은 우리나라 주변 바다의 염분 분포를 나타낸 그림이다. 이에 대한 설명으로 옳은 것은?

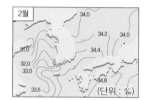

① 서해의 염분이 다른 지역의 염분보다 높다.
② 육지에서 먼 바다로 나갈수록 염분이 낮다.
③ 강수량이 많은 여름이 겨울보다 염분이 낮다.
④ 육지로부터 유입되는 강물의 양이 많은 동해가 서해보다 염분이 낮다.
⑤ 동해는 한류와 난류의 영향으로 염분이 다른 지역보다 높다.

06 다음 중 염분비 일정 법칙을 옳게 설명한 것은?

① 염분은 염류의 비와 관계없이 일정하다.
② 염분은 달라져도 염류들의 비율은 일정하다.
③ 지역에 관계없이 해수에 포함된 염류의 양은 일정하다.
④ 지역에 관계없이 해수에 포함된 염류의 종류가 같다.
⑤ 염류의 비율은 달라져도 해수의 염분은 일정하다.

07 다음 중 해수의 표층 수온 분포에 대한 설명으로 옳은 것은?

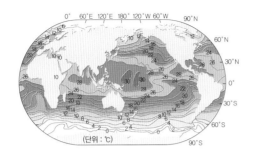

(단위 : ℃)

① 지역과 계절에 관계없이 일정하다.
② 고위도 지역으로 갈수록 수온이 높아진다.
③ 한류가 흐르는 해역은 수온이 높다.
④ 육지가 많은 북반구의 수온이 육지가 적은 남반구보다 높다.
⑤ 중위도 지역의 수온이 가장 높다.

08 다음 그림은 우리나라 주변 바다의 표층 수온 분포를 나타낸 것이다. 이에 대한 설명으로 옳은 것을 〈보기〉에서 모두 고른 것은?

(단위 : ℃)

보기
㉠ 겨울보다 여름에 표층 수온이 높다.
㉡ 서해나 동해보다 남해의 표층 수온이 더 높다.
㉢ 대륙 주변의 등온선은 위도선과 거의 나란하다.

① ㉠
② ㉡
③ ㉢
④ ㉠, ㉡
⑤ ㉡, ㉢

[09~10] 다음 그림은 해수의 연직 수온 분포를 나타낸 것이다. 물음에 답하시오.

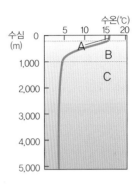

09 다음 중 A층이 두꺼워지는 데 영향을 주는 요인으로 옳은 것은?

① 기온
② 습도
③ 바람
④ 강수량
⑤ 한류와 난류

10 위 그림에 대한 설명으로 옳지 않은 것은?

① A층은 수온이 일정하다.
② B는 겨울에 가장 뚜렷하게 나타난다.
③ C는 햇빛이나 바람의 영향을 받지 않는다.
④ B는 A와 C의 물질과 에너지 교환을 차단한다.
⑤ A는 혼합층, B는 수온 약층, C는 심해층이다.

11 오른쪽 그림의 실험 장치는 무엇을 알아보기 위한 것인가?

① 표층 수온 분포
② 해수의 염분 분포
③ 해수의 수온 연직 분포
④ 난류와 한류의 차이
⑤ 지구 온난화의 원인

01 다음 표는 지각과 바닷물에 포함된 원소의 질량비를 나타낸 것이다. 지각에는 보이지 않으나 바닷물에 많이 녹아 있는 성분을 두 가지 쓰고 이들이 바닷물에 어떻게 녹아 들었는지 서술하시오.

지각	산소	규소	알루미늄	철	칼슘	나트륨	칼륨	마그네슘
	46.6	27.7	8.1	5.0	3.6	2.8	2.6	2.1
바닷물	염소	나트륨	마그네슘	황	칼슘	칼륨	탄소	–
	55.0	31.6	3.7	2.6	1.2	1.1	0.1	–

02 다음은 빗물, 강물, 해수의 주요 용존 염류량을 나타낸 글이다. 해수의 용존 염류 공급원은 강물인데 해수가 강물보다 더 많은 용존 염류를 포함하고 있는 이유를 서술하시오.

빗물의 용존 염류량은 10 mg/L 이하로 매우 낮으나, 강물은 약 100～200 mg/L이다. 반면, 해수의 용존 염류량은 34～35 g/L로 강물의 평균값보다 약 150～200배 더 많다.

03 다음 그림은 우리나라 주변 해수의 표층 수온 분포이다. 수온의 연교차가 서해에서 가장 크게 나타나는 이유를 서술하시오.

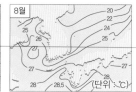

논술형

04 다음 그림은 이스라엘에 위치한 사해에서 물에 뜬 채로 신문을 보는 모습이다. 사해는 염분이 200～300 ‰이나 되어 생물이 거의 살 수 없고, 물체가 잘 뜬다. 사해의 염분이 다른 지역의 바다에 비해 높은 이유를 서술하시오.

정답 ◆ 11p ◆

S_{TEAM} 땀 흘리는 지구가 전력 대란의 원인

지구의 기온이 오르면 그 영향을 받지 않는 것이 없을 정도로 지구 온난화로 인한 환경적 재앙의 범위는 막대하다. 기온이 올라가면서 극지방의 빙하가 녹아 해안 도시들이 침수 위기에 놓여있다는 것은 지구 온난화의 가장 잘 알려진 시나리오다. 이 밖에도 생물 멸종, 질병 확산, 가뭄으로 인한 식량난 부족 등 다양한 재앙들이 코앞에 놓여있다.

지구 온난화가 가속화되면 발전소의 전력 생산에 차질이 생겨 전력난이 생길 수 있다.

원자력 발전소는 원자로에서 원료인 우라늄이나 플루토늄을 핵분열하여 열에너지를 얻고, 열에너지로 물을 가열하여 생긴 수증기로 터빈을 돌려 전기를 만든다. 화력 발전소는 석탄이나 석유를 태워 물을 가열하고 이때 생긴 수증기로 터빈을 돌려 전기를 만든다.

지구 온난화가 가속화되면 하천의 온도가 상승하고 수량이 줄어 하천수를 냉각수로 활용하는 화력 발전소와 원자력 발전소의 발전 효율이 20 % 가까이 떨어진다. 여름에 폭염이 지속되어 냉각수 온도가 상승하면 일부 화력 발전소와 원자력 발전소는 발전 용량을 줄이거나 가동을 중단한다.

원자력 발전소

01 하천수의 온도 변화에 영향을 받는 발전소는 냉각수가 필요한 원자력 발전소와 화력 발전소이다. 이들 발전소는 모두 물을 끓여 만든 수증기로 터빈을 돌려 전기를 만든다. 하천수 온도가 올라가면 발전에 필요한 수증기를 만드는 데 더 이롭지 않을까 생각할 수 있지만, 실제로는 발전 용량에 도움이 되지 않는다. 그 이유를 서술하시오.

02 미국은 대부분 화력 발전소가 남동부의 하천 주변에 위치하므로 지구 온난화로 수온이 상승하면 상당한 영향을 받을 것으로 예상된다. 하지만 우리나라 발전소들은 한강 주변에 위치한 서울 화력 발전소를 제외하고 모두 해안가에 있어 이러한 영향에서 벗어난다고 한다. 그 이유를 서술하시오.

08 지속적인 바람과 태양과 달의 인력에 의한
해수의 순환과 조석

플러스 노트

● **해류의 측정**
바다의 한 지점에서 그곳을 지나는 해류를 관측하거나, 부표를 띄워 부표의 흐름을 따라가며 관측한다.

● **표층 해류**
바람이 불면 해수면과의 마찰에 의해 바람의 운동 에너지가 해수에 전달되면서 해수 표면에서 수십~수백 m 사이에 표층 해류가 형성된다.

● **난류와 한류에 녹아 있는 산소량**
산소와 같은 기체는 물의 온도가 높으면 용해도가 감소하므로, 따뜻한 난류보다 차가운 한류에 산소가 더 많이 녹아 있다.

● **조경 수역과 황금 어장**
난류와 한류가 만나면 밀도가 큰 한류가 난류 아래쪽으로 이동한다. 온도가 낮은 한류에는 산소가 많이 포함되어 있고 영양 염류가 풍부하여 플랑크톤이 많으며, 산소와 플랑크톤이 수직으로 순환하면서 영양이 풍부해져 많은 어류가 모인다.

● **한류성 어종과 난류성 어종**
* **한류성 어종** : 대구, 명태, 청어 등
* **난류성 어종** : 오징어, 꽁치, 멸치, 정어리, 고등어 등

용어풀이

표층(겉 表, 층 層) : 여러 층의 겉을 이루는 층

영양 염류(경영할 營, 기를 養, 소금 鹽, 무리 類) : 바닷물에 들어 있는 인, 규소, 질소 등의 염류로 식물성 플랑크톤의 생산량을 좌우한다.

정답

ⓐ 표층 해류 ⓑ 바람
ⓒ 구로시오 ⓓ 동한 ⓔ 북한
ⓕ 조경 수역 ⓖ 어장

A 해류

1 해류 : 일정한 방향으로 지속적으로 흐르는 해수의 흐름
① ⓐ＿＿＿＿＿＿ : 해수면 표층을 따라 일정하게 흐르는 해수의 흐름
② **심층 해류** : 바닷속에서 천천히 일정하게 흐르는 해수의 흐름

2 표층 해류
① 발생 원인 : 같은 방향으로 부는 지속적인 ⓑ＿＿＿
② 표층 해류의 종류

구분	수온	이동 방향	염분	용존 산소와 영양 염류	색
난류	높음	저위도 → 고위도	높음	적음	검푸른색
한류	낮음	고위도 → 저위도	낮음	많음	녹색

3 우리나라 주변의 해류
① 난류
• ⓒ＿＿＿＿ 해류 : 북태평양에서 우리나라로 북상하는 해류로, 우리나라 주변 난류의 근원
• **황해 난류** : 구로시오 해류에서 갈라져 나와 서해로 흐르는 난류
• ⓓ＿＿＿ 난류 : 구로시오 해류에서 갈라져 나와 동해로 흐르는 난류
• **쓰시마 난류** : 구로시오 해류에서 갈라져 나와 일본 열도의 서해안을 흐르는 난류

② 한류
• **리만 해류** : 북태평양에서 남하하는 한류
• ⓔ＿＿＿ 한류 : 리만 해류가 해안을 따라 남하하는 한류
③ ⓕ＿＿＿＿ : 한류와 난류가 만나는 해역
• 우리나라 조경 수역
－북한 한류와 동한 난류가 만나는 동해의 원산만 근처에 형성된다.
－계절에 따라 한류와 난류의 세력이 변하므로 여름에 북상하고 겨울에 남하한다.

• 조경 수역 특징
－영양 염류와 플랑크톤이 풍부하여 좋은 ⓖ＿＿＿을 형성한다.
－난류성 어종과 한류성 어종이 함께 분포한다.

④ 해류와 기후

• 여름 : 북한 한류 남하

➡ 동해안은 같은 위도의 내륙이나 서해에 비해 여름에 ⓐ＿＿＿하다.

➡ 동해안은 여름에 연안 안개가 자주 발생하고 농작물이 냉해를 입기도 한다.

• 겨울 : 동한 난류 북상

➡ 동해안은 같은 위도의 내륙이나 서해에 비해 겨울에 ⓑ＿＿＿하다.

4 해류의 역할

① 해수는 대기나 암석에 비해 비열이 크므로 지구가 일정한 ⓒ＿＿＿를 유지하는 데 중요한 역할을 한다.

② 저위도의 남는 열을 고위로도 수송하여 적도 지방과 극지방의 기온 ⓓ＿＿＿를 줄이고, 지구의 평균 기온을 유지한다.

③ 주변 지역의 ⓔ＿＿＿에 영향을 준다. ➡ 난류가 흐르는 지역은 따뜻하고, 한류가 흐르는 지역은 시원하다.

더 알아보기

[표층 순환]

표층 해류가 각 대양에서 서로 연결되어 이루는 큰 순환

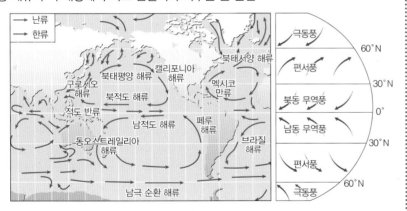

[심층 순환]

바람의 영향이 미치지 않는 깊은 바다에서 수온과 염분 차이에 의해 나타나는 매우 느린 해수의 흐름

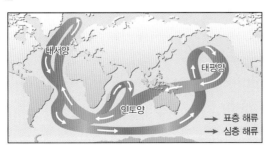

플러스 노트

● **겨울의 울릉도 기후**

겨울에 울릉도는 따뜻하고 눈이 많이 내린다. 겨울에 표층 수온이 8 ℃ 이하로 내려가는 경우가 드물고, 비슷한 위도의 인천보다 10 ℃ 정도 높다. 또한, 차고 건조한 북동풍이 우리나라 쪽으로 불어올 때 따뜻한 동한 난류에서 많은 수증기가 증발하여 눈구름이 급격히 발달하기 때문이다.

● **심층 순환과 표층 순환의 연결**

극지방의 해수는 수온이 낮아서 밀도가 크므로 아래로 가라앉아 심층수가 된다. 적도 지방으로 서서히 이동한 극지방의 해수는 적도 지방에서 상승하여 표층 순환과 이어진다.

● **지구 온난화와 심층 순환**

지구 온난화로 인해 수온이 상승하면 극지방의 얼음이 녹아 염분이 낮아진다. 이로 인해 심층 순환이 약해지므로 열에너지의 이동이 줄어들어, 고위도는 더 추워지고 저위도는 더 더워진다.

ⓐ 서늘 ⓑ 온화 ⓒ 온도
ⓓ 차이 ⓔ 기후

플러스 노트

B 조석 현상

1 조석 현상과 조류

① ⓐ_____ 현상 : 해안가에서 하루에 두 번씩 주기적으로 해수면의 높이가 상승했다 하강하는 현상

- ⓑ_____ : 조석 현상에 의해 해수면이 가장 높을 때
- ⓒ_____ : 조석 현상에 의해 해수면이 가장 낮을 때

○ 만조　　　○ 간조　　　　　○ 만조　　　○ 간조

- ⓓ_____ : 만조와 간조 때의 해수면의 높이 차이
- 조석 주기 : 만조에서 다음 만조까지 또는 간조에서 다음 간조까지 걸리는 시간으로 약 ⓔ_____ 이다.

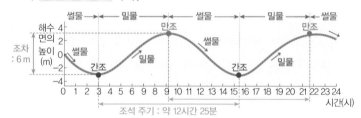

② ⓕ_____ : 조석 현상에 따라 나타나는 바닷물의 흐름으로, 해류와 달리 일정한 주기를 가지고 있다.

- 밀물 : 바다에서 육지 쪽으로 바닷물이 밀려 들어오는 흐름으로 간조와 만조 사이에 나타난다.
- 썰물 : 육지에서 바다 쪽으로 바닷물이 밀려 나가는 흐름으로 만조와 간조 사이에 나타난다.

③ 조석 현상의 원인 : 지구 표면의 각 지점에 미치는 달과 태양의 인력이 다르기 때문이다.

④ 사리와 조금

- ⓖ_____ : 한 달 중 조차가 가장 클 때로, 삭(그믐)과 망(보름) 때 나타난다.
- ⓗ_____ : 한 달 중 조차가 가장 작을 때로, 상현과 하현 때 나타난다.

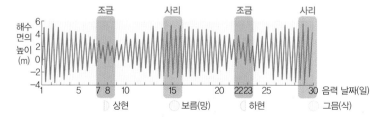

지역에 따른 조차
조차는 해안선의 굴곡이나 해저 지형의 영향으로 지역에 따라 달라진다. 대양에서는 조석의 영향이 매우 작고, 만이나 해협 등 좁은 곳에서는 조차가 매우 크다. 우리나라 서해안은 조차가 약 8 m 정도이고, 동해안은 30 cm 정도이다.

조석 현상의 원인
조석 현상을 일으키는 힘은 달과 태양의 인력이 대부분이며, 이 힘을 기조력이라고 한다. 태양은 질량이 지구의 33만 배나 되지만 거리가 매우 멀기 때문에 달보다 영향력이 약하다. 실제로 달에 의한 기조력이 태양에 의한 기조력보다 2배 정도 더 크다.

백중 사리
음력으로 7월 보름을 백중이라고 한다. 이 무렵 달이 지구에 가까이 위치하므로 조차가 매우 크다.

용어풀이

조석(밀물 潮, 썰물 汐) : 해수면이 주기적으로 높아졌다 낮아졌다 하는 현상

조류(밀물 潮, 흐를 流) : 밀물과 썰물 때문에 일어나는 바닷물의 흐름

정답
ⓐ 조석 ⓑ 만조 ⓒ 간조
ⓓ 조차 ⓔ 12시간 25분
ⓕ 조류 ⓖ 사리 ⓗ 조금

2 조석 현상 이용

① 조류 발전 : 울돌목 조류 발전소

- 조류가 ⓐ　　　 바닷물 속에 터빈을 설치하고 조류로 터빈을 돌려 전기를 얻는다.
- 장점 : 고갈될 염려가 없고 공해가 발생하지 않는다.
- 단점 : 유속이 빠른 지역에만 설치할 수 있고, 빠른 유속 때문에 설치가 어렵다.

◎ 울돌목 조류 발전소

② 조력 발전 : 시화호 조력 발전소

- 바다를 제방으로 막아서 바닷물을 가두었다가 흘려보내면서 ⓑ　　　를 이용하여 바닷물 속에 설치한 터빈을 돌려 전기를 얻는다.
- 장점 : 고갈될 염려가 없고 공해가 발생하지 않는다.

◎ 시화호 조력 발전소

- 단점 : 조차가 큰 지역에만 설치할 수 있고 조류가 멈추는 시간에는 발전할 수 없으며, 제방 안쪽 생태계에 혼란을 줄 수 있다.

더 알아보기

[조석과 달의 인력]

한 지역에서 조석을 지속적으로 관찰하면 만조와 간조 때 해수면의 높이 차이가 항상 같지 않으며, 약 15일을 주기로 커졌다 작아지는 현상을 반복한다.

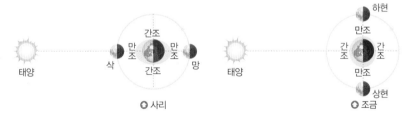

◎ 사리　　　◎ 조금

달의 위상이 삭이나 망일 때 달은 태양과 같은 방향에 있거나 반대 방향에 있으므로 달과 태양의 인력이 합쳐져 커지므로 조차가 가장 크다. 반면에 달의 위상이 상현이나 하현일 때는 달과 태양이 서로 수직이므로 달과 태양의 인력이 상쇄되어 조차가 가장 작다.

[조석 주기가 매일 50분씩 늦어지는 이유]

지구가 자전하는 동안 달도 지구 둘레를 지구 자전과 같은 방향으로 공전하기 때문이다. 달은 하루에 약 13° 정도 공전하므로 달과 지구가 처음과 같은 위치가 되려면 지구가 약 13°(1°≒4분) 더 자전해야 한다. 지구가 약 13° 자전하는데 걸리는 시간은

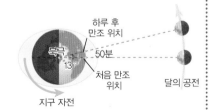

약 50분이고 조석은 하루에 2회씩 발생하므로 조석 주기는 약 12시간 25분이다.

Ⅱ

수권과 해수의 순환

플러스 노트

● **조력 발전**

조력 발전소는 밀물과 썰물 때 해수면의 높이 차이가 큰 곳에 설치한다. 우리나라의 서해안은 조차가 커서 조력 발전을 하기에 좋은 조건을 가지고 있다.

◎ 시화호 조력 발전소 – 밀물 때

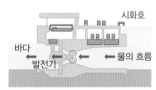

◎ 시화호 조력 발전소 – 썰물 때

● **하루 동안 만조와 간조 횟수**

우리나라 서해안은 만조와 간조가 하루에 2회씩 나타나지만 모든 지역에서 2회씩 나타나는 것은 아니다. 지구의 자전축은 지구의 공전 궤도면에 약 66.5° 기울어져 있으므로 달의 공전 궤도면과 지구의 적도면이 일치하지 않는다. 바닷물은 달이 있는 방향으로 분포하고 지구는 자전축을 중심으로 자전하므로 A 지역에서는 만조와 간조 1번, B 지역에서는 주기가 일정하지 않은 만조와 간조 2번, C 지역에서는 주기가 일정한 만조와 간조 2번이 나타난다.

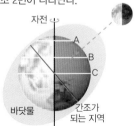

정답

ⓑ 중력 ⓐ 빠른

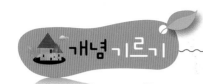

01 다음 중 해수 표면에서 해류를 발생시키는 원인으로 옳은 것은?

① 지속적인 바람 ② 밀도 차이
③ 수온 차이 ④ 염분 차이
⑤ 강수량 차이

02 다음 중 해류에 대한 설명으로 옳지 <u>않은</u> 것은?

① 일정한 방향으로 지속적으로 흐르는 해수의 흐름이다.
② 표층 해류는 주로 달의 인력에 의해 움직인다.
③ 난류는 저위도의 따뜻한 물이 고위도로 이동하는 것이다.
④ 난류가 흐르는 연안은 따뜻하다.
⑤ 한류와 난류가 만나는 곳에는 플랑크톤이 풍부해 좋은 어장이 형성된다.

03 다음 중 난류와 한류를 비교한 내용으로 옳지 <u>않은</u> 것은?

구분	난류	한류
① 수온	높음	낮음
② 이동 방향	저위도 → 고위도	고위도 → 저위도
③ 염분	높음	낮음
④ 용존 산소	많음	적음
⑤ 색	검푸른색	녹색

04 다음 〈보기〉 중 해류의 역할에 대한 설명으로 옳은 것을 모두 고른 것은?

> **보기**
> ㉠ 지구가 일정한 온도를 유지하게 한다.
> ㉡ 저위도의 남는 열을 고위도로 운반한다.
> ㉢ 난류가 흐르는 지역은 시원하고, 한류가 흐르는 지역은 따뜻하다.

① ㉠ ② ㉡
③ ㉢ ④ ㉠, ㉡
⑤ ㉡, ㉢

05 다음 중 바닷물의 운동에 대한 설명으로 옳지 <u>않은</u> 것은?

① 해류는 같은 방향으로 부는 지속적인 바람에 의해 생긴다.
② 조류는 달의 영향을 많이 받는다.
③ 해류는 난류와 한류로 구분할 수 있다.
④ 조류는 밀물과 썰물로 구분할 수 있다.
⑤ 해류는 일정한 주기로 방향이 바뀐다.

[06~07] 다음 그림은 우리나라 주변에 흐르는 해류를 나타낸 것이다. 물음에 답하시오.

06 위 그림의 A~E의 이름이 바르게 짝지어진 것은?

① A, 북한 한류
② B, 리만 해류
③ C, 남해 난류
④ D, 동한 난류
⑤ E, 구로시오 해류

07 다음 중 조경 수역이 만들어지는 해류로 바르게 짝지은 것은?

① A, B ② A, E
③ B, C ④ C, E
⑤ D, E

08 다음 중 조석 현상에 대한 설명으로 옳지 <u>않은</u> 것은?

① 해안가에서 하루에 한 번씩 주기적으로 해수면의 높이가 상승했다 하강하는 현상이다.
② 만조는 하루 중 해수면의 높이가 가장 높을 때이다.
③ 조차는 만조와 간조 때의 해수면의 높이 차이다.
④ 우리나라 서해는 동해보다 조차가 크다.
⑤ 조석 주기는 약 12시간 25분이다.

09 어느 해안 지방에서 오전 8시에 만조가 되었다면 간조가 되는 시간은?

① 오전 11시   ② 오후 1시
③ 오후 2시   ④ 오후 4시
⑤ 오후 6시

[10~11] 다음은 인천 앞바다에서 하루 동안 측정한 해수면의 높이를 나타낸 것이다. 물음에 답하시오.

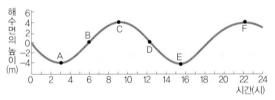

10 위 그래프에 대할 설명으로 옳지 <u>않은</u> 것은?

① A와 E는 간조이다.
② 만조와 간조는 하루에 두 번씩 나타난다.
③ 조차는 8 m이다.
④ A에서 C사이에는 밀물이 나타난다.
⑤ 조석 주기는 A에서 C까지의 시간이다.

11 개펄에 조개나 게를 잡으러 나가기 적당한 때는?

① A   ② B
③ C   ④ D
⑤ E

12 다음은 인천 앞바다에서 해수면의 높이 변화와 지구의 둘레를 공전하는 달의 모습을 나타낸 것이다. 이에 대한 설명으로 옳지 <u>않은</u> 것은?

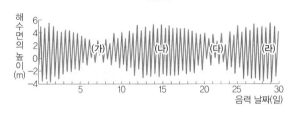

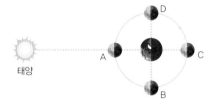

① (가)와 (다)는 조차가 작은 조금이다.
② (나)와 (라)는 조차가 큰 사리이다.
③ 사리와 조금은 한 달에 두 번씩 일어난다.
④ (가)는 달이 A 위치에 있을 때이다.
⑤ (나)는 음력 15일 경으로 보름달이 뜰 때이다.

13 다음 중 조석 현상의 이용에 대한 설명으로 옳지 <u>않은</u> 것은?

① 조류가 빠른 곳에 조력 발전소를 설치한다.
② 조력 발전은 바다를 제방으로 막아 바닷물을 가두었다가 흘려보내면서 낙차를 이용하여 터빈을 돌려 전기를 얻는다.
③ 조력 발전은 제방 안쪽 생태계에 혼란을 줄 수 있다.
④ 조류 발전은 터빈을 설치하고 조류로 터빈을 돌려 전기를 얻는다.
⑤ 조석 현상을 이용한 발전은 고갈될 염려가 없고 공해가 발생하지 않는다.

01 1990년 7월 27일 거제도 앞바다에서 충돌 사고가 일어나 유조선에서 기름이 유출되어 바다를 크게 오염시켰다. 유조선에서 유출된 기름의 이동 방향을 고르고 이유를 서술하시오.

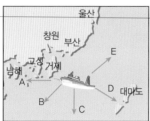

02 배를 타고 제주도에서 일본 북부 지방인 북해도로 여행하였다. 제주도에서 북해도로 갈 때보다 북해도에서 제주도로 돌아올 때 시간이 더 걸렸다. 그 이유를 서술하시오.

03 경기도 서해안에 있는 제부도는 섬이지만 다리가 아닌 일반 도로로 육지와 연결되어 있다. 그런데 이 도로는 시간에 따라 바닷물 속에 잠겨 있기도 하고 물 밖으로 드러나기도 하므로 제부도에 들어가려면 미리 물이 빠지는 시간을 알아두어야 한다. 다리가 바닷물 속에 잠기는 이유를 서술하시오.

제부도 도로

04 현재 진도 대교가 놓여 있는 바다를 울돌목이라고 한다. 1597년 음력 9월 16일 이순신 장군은 울돌목의 양 끝에 쇠사슬을 걸어 놓고, 일본 함선을 공격하여 큰 승리를 거두었다. 이순신 장군이 명량 해전에서 활용한 지리적 특징을 서술하시오.

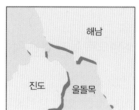 

명량 해전

S_{TEAM} 바다를 위협하는 해양 산성화

현재 누구도 부인할 수 없는 사실 가운데 하나는 대기 중 이산화 탄소 농도가 계속해서 증가하고 있다는 사실이다. 산업 시대 이전에 260~280 ppm 사이를 유지했던 이산화 탄소의 대기 중 농도는 인류가 막대한 화석 연료를 태우면서 점차 늘어나 2012년 10월에는 391 ppm까지 증가했고 최근에는 매년 2 ppm씩 평균적으로 증가하고 있다.

이렇게 증가한 대기 중 이산화 탄소의 상당 부분은 대기에서 다시 바다로 녹아 들어간다. 상당량의 이산화 탄소가 일단 바다로 흡수되기 때문에 대기 중의 이산화

탄소 농도가 급격하게 증가하지 않는 장점도 있다. 문제는 이산화 탄소가 바다에 녹아 들어가면 탄산을 형성하기 때문에 바다가 산성화되는 것이다.

최근 동해에서는 가리비 종패(씨조개)들이 피해를 보고 있고, 바지락, 굴, 홍합 등 어패류가 폐사하거나 잘 자라지 않는 현상이 나타나고 있다. 전문가들은 그 원인을 바다의 산성화로 보고 있다. 산성화된 물에서 조개나 갑각류의 껍데기가 변형됐고, 껍데기가 두꺼워지고 속살은 작아졌다. 동해의 pH는 태평양이나 대서양 등에 비해 2배가량 빠르게 떨어져 산성화가 심각하다.

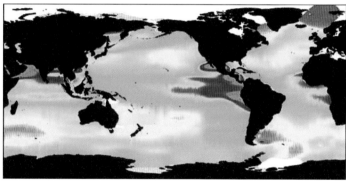

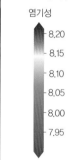

전 세계 해양의 pH

염기성
8.20
8.15
8.10
8.05
8.00
7.95

산성

해양 산성화

01 동해가 지구 온난화로 급격한 환경 변화를 겪고 있다. 동해의 pH는 지난 10년간 0.04나 떨어져, 세계 바다 평균보다 2배나 빠르게 산성화되고 있다. 동해의 산성화 속도가 빠른 이유를 동해를 지나는 표층 해류의 성질을 바탕으로 서술하시오.

 논술형

02 사람이 살지 않는 바다가 산성화되는 것이 생태계에 미치는 영향을 서술하시오.

S TEAM 표층 해류의 생성 원인

표층 해류의 생성 원인을 알아보자.

[준비물] 수조, 물, 빨대, 헤어드라이어, 종이 돛단배

실험

① 수조에 물을 채운 후, 물 위에 작은 종이 돛단배를 띄우고, 빨대를 이용하여 수면 위로 강하게 한 번 바람을 불고 종이 돛단배의 움직임을 관찰한다.

② 헤어드라이어를 수조의 수면과 평행하게 놓고 계속 같은 방향으로 바람을 일으키며 종이 돛단배의 움직임을 관찰한다.

③ 헤어드라이어의 바람을 더 강하게 하고 종이 돛단배의 움직임을 관찰한다.

④ 헤어드라이어의 바람 방향을 반대로 하고 종이 돛단배의 움직임을 관찰한다.

01 실험 과정 ①의 결과를 서술하시오.

02 실험 과정 ②의 결과를 서술하시오.

03 실험 과정 ③과 ④의 결과를 서술하시오.

• 실험 ③ :

• 실험 ④ :

04 실험 결과를 바탕으로 표층 해류가 발생하는 과정을 서술하시오.

Ⅲ 기권과 날씨

● **2015 개정 교육과정 교과서**

중학교 1~3학년 군 : 3학년 2단원 기권과 날씨

● **다른 학년과의 연계**

5~6학년 군 : 날씨와 우리 생활
통합과학 : 생태계와 환경
지구과학 Ⅰ : 대기와 해양의 변화
지구과학 Ⅱ : 대기의 운동과 순환

09 기권과 지구의 복사 평형

A 기권

1 대기의 역할

① ⓐ_____ 공급 : 생명체가 호흡할 수 있도록 산소를 공급해 준다.

② ⓑ_____ 차단 : 지구로 들어오는 해로운 자외선 등을 차단하여 지구의 생명체를 보호해 준다.

③ 지구 보온 : 지구가 일정한 온도를 유지할 수 있도록 해 준다.

④ 지구 보호 : 운석과 같이 우주에서 지구로 떨어지는 물체로부터 보호해 준다.

⑤ 지구의 열 순환 : 저위도의 남는 열을 고위도로 운반하여 온도 차를 줄여준다.

2 기권의 구조와 특징

① 기권 : 지구를 둘러싸고 있는 공기 층으로 지표에서 높이 약 1,000 km까지이다.

② 대기의 약 99 %는 높이 약 32 km 이하에 존재한다.

③ 높이에 따른 기온 변화를 기준으로 4개의 층으로 구분한다.

구분	높이	기온 변화	특징
열권	80~ 1,000 km	기온 ⓒ___	• 대기가 희박하고 태양 복사 에너지를 직접 흡수하여 가열되므로 높이 올라갈수록 기온이 상승한다. • 대기가 희박하여 밤낮의 기온 차가 크다. • 고위도 지역에서 오로라가 나타난다. • 인공위성의 궤도로 이용된다.
중간권 계면 : 기권에서 최저 기온이 나타난다.			
중간권	50~ 80 km	기온 하강	• 높이 올라갈수록 성층권의 열이 적게 도달하므로 기온이 낮아진다. • 대류 현상은 일어나지만 대기가 희박하고 수증기가 없어 기상 현상이 일어나지 않는다. • 유성이 나타난다.
성층권 계면			
성층권	11~ 50 km	기온 ⓓ___	• 오존층이 태양에서 오는 자외선을 흡수하므로 높이 올라갈수록 기온이 높아진다. • 오존층이 ⓔ___을 흡수하여 지구의 생명체를 보호한다. • 대류 현상이 없고 안정하여 비행기 항로로 이용된다.
대류권 계면 : 위도와 계절에 따라 높이가 달라진다.			
대류권	지표~ 11 km	기온 ⓕ___	• 높이 올라갈수록 지표에서 방출되는 열이 적게 도달하므로 기온이 낮아진다. • 전체 대기의 약 75 %가 분포한다. • 대류 현상이 일어나고, 수증기가 많이 포함되어 있어 ⓖ___ 현상이 나타난다.

플러스 노트

● 오존
오존이 성층권에 분포할 때는 해로운 자외선을 차단하지만, 오존이 지표면 근처에 많이 있으면 스모그 현상을 일으키고 호흡기 질환이나 피부암 등을 유발할 수 있다.

● 대류권 계면 높이
10~15 km 사이이며, 햇빛이 강한 여름과 저위도 적도 지방에서 높게 나타난다. 지표에서 방출되는 지구 복사 에너지가 많을수록 대류권 계면의 높이가 높아진다.

● 기권의 구조

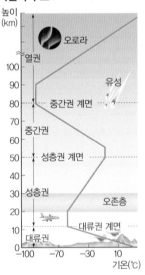

용어풀이

대류(대할 對, 흐를 流) : 기체나 액체 등이 열 때문에 상하로 뒤바뀌면서 움직이는 현상

정답

ⓖ 기압
ⓔ 자외선 ⓕ 하강 ⓓ 상승
ⓒ 상승 ⓓ 자외선 ⓔ 산소
ⓐ 산소 ⓑ 자외선 ⓒ 상승

탐구

[기권의 온도 분포]

다음 그림과 같이 스탠드에서 20 cm, 50 cm 정도 떨어진 곳에 적외선 가열 장치를 놓고 5 cm, 10 cm 간격으로 온도계를 매단 후 더 이상 온도가 변하지 않을 때 온도를 측정한다.

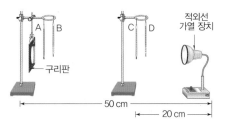

① A가 B보다 온도가 ⓐ 다. ➡ 적외선 가열 장치보다 구리판의 영향을 많이 받으므로 대류권의 온도 분포를 나타낸다.

② D가 C보다 온도가 ⓑ 다. ➡ 구리판보다 적외선 가열 장치의 영향을 더 많이 받으므로 열권의 온도 분포를 나타낸다.

B 지구의 복사 평형

1 ⓒ **에너지** : 물체가 복사에 의해 표면에서 방출하는 열에너지

① 태양 복사 에너지 : 태양이 방출하는 에너지로 가시광선, 적외선, 자외선 등 다양한 파장의 에너지를 방출한다.

② 지구 복사 에너지 : 지구가 방출하는 에너지로 주로 적외선 파장의 에너지를 방출한다.

2 복사 평형 : 물체가 흡수하는 에너지와 방출하는 에너지의 양이 같아져서 온도가 ⓓ 하게 유지되는 현상

3 지구의 복사 평형 : 지구에 흡수되는 태양 복사 에너지의 양과 방출되는 지구 복사 에너지의 양이 ⓔ 다. ➡ 지구의 평균 기온이 일정하게 유지된다.

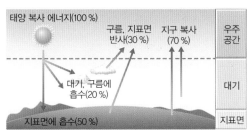

지구로 입사하는 태양 복사 에너지 반사-30 %	구름과 지표에서 반사-30 %
지구에 흡수되는 태양 복사 에너지-70 %	• 지표면에 흡수-50 % • 대기나 구름에 흡수-20 %
지구에서 방출하는 지구 복사 에너지-70 %	지표면, 대기, 구름에서 방출-70 %

● **태양 복사 에너지**

표면 온도가 6,000 ℃ 정도인 태양에서는 자외선, 가시광선, 적외선 등 다양한 파장을 가진 에너지를 방출하지만, 이중 자외선은 오존층에 흡수되고 50 % 정도의 가시광선만 지표면에 도달한다. 태양 복사 에너지는 물의 순환, 기상 현상, 광합성 등을 일으키고 화석 연료의 근원이 되는 지구계의 주요 에너지원이다.

● **복사 평형과 대기**

행성이 복사 평형을 이루는 것은 대기의 존재 여부와 관계없다. 지구에 대기가 없더라도 복사 평형은 이루어진다. 단지, 대기가 있는 경우는 대기가 없는 경우에 비해 온실 효과에 의해 복사 평형 온도가 높아진다.

용어풀이

복사 평형(바퀴살 輻, 쏠 射, 평평할 平, 저울대 衡) : 복사 에너지가 들어오는 양과 나가는 양이 같아서 서로 균형을 이루고 있는 상태

정답

ⓔ 같 ⓓ 일정
ⓒ 복사 ⓑ 높 ⓐ 높

플러스 노트

● **위도에 따른 태양 복사 에너지의 양**
책상 면과 손전등 사이의 각이 클수록
좁은 면적에 에너지가 집중되어 단위
면적에 도달하는 에너지가 많아진다.
저위도 지방으로 갈수록 태양의 고
도가 높아지므로 단위 면적 당 도달
하는 태양 복사 에너지의 양이 많다.

● **위도별 지구 복사 에너지의 양**
지표면에서 방출되는 지구 복사 에너
지의 양은 적도 지방에서 가장 크고
극지방으로 갈수록 점점 작아진다.
그러나 지구 복사 에너지는 태양 복사
에너지에 비해 위도에 따라 그 차이가
크지 않다.

● **에너지의 수송**
저위도에서 고위도로 수송되는 에너
지의 70 %는 대기 대순환에 의해 일
어나고 나머지는 해수의 순환에 의해
일어난다.

정답

ⓓ > ⓒ 대기 ① 해수

ⓐ 일정 ⓑ 복사 평형 ⓒ <

탐구

[물체의 복사 평형]
검은색 알루미늄 컵에 온도계를 꽂고 뚜껑을 덮은 후 적외선 가열 장치에서 20 cm
정도 떨어진 곳에 세워둔다. 적외선 가열 장치를 켜고 온도가 일정하게 되는 구간이
나타날 때까지 2분 간격으로 컵 속 공기의 온도를 측정한다.

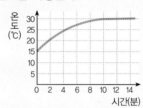

① 시간이 지남에 따라 컵 속 공기의 온도는 점점 상승하다가 어느 정도 시간이 지
나면 온도가 ⓐ_____ 해진다.
② 알루미늄 컵이 전등으로부터 받은 복사 에너지와 같은 양의 복사 에너지를 컵
밖으로 내보내기 때문에 온도가 일정해진다. ➡ ⓑ_____ 상태가 된다.
③ 적외선 가열 장치는 태양, 알루미늄 컵은 지구에 비유된다.

4 위도에 따른 복사 평형

① 위도에 따른 복사 에너지 출입량

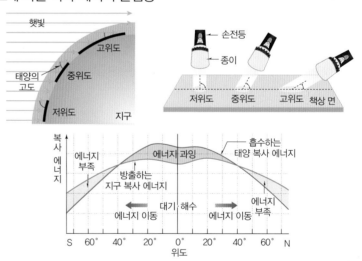

저위도 지방	태양 복사 에너지 ⓒ_____ 지구 복사 에너지	에너지 과잉
중위도(38°) 지방	태양 복사 에너지 = 지구 복사 에너지	에너지 균형
고위도 지방	태양 복사 에너지 ⓓ_____ 지구 복사 에너지	에너지 부족

② 지구의 에너지 평형 : ⓔ_____ 와 ⓕ_____ 가 순환하면서 저위도의 과잉 에너지를
에너지가 부족한 고위도 지방으로 수송한다. ➡ 지구는 전체적으로 복사 평형을
이루고 평균 기온이 일정해진다.

5 온실 효과

① 대기가 있을 때 – ⓐ [   ] 효과 : 지구가 방출하는 복사 에너지 일부가 대기 중의 수증기나 이산화 탄소에 의해 흡수된 후 다시 지표로 재방출되어 지구의 온도를 높인다. ➡ 지구의 평균 기온이 약 15 ℃로 유지된다.

② 대기가 없을 때 : 온실 효과가 일어나지 않으므로 지구의 평균 기온은 −18 ℃ 정도로 낮아진다.

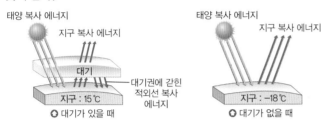

태양 복사 에너지
지구 복사 에너지
대기
대기권에 갇힌 적외선 복사 에너지
지구 : 15 ℃
ⓞ 대기가 있을 때

태양 복사 에너지
지구 복사 에너지
지구 : −18 ℃
ⓞ 대기가 없을 때

6 지구 온난화

① 지구 온난화 : 지구 대기 중에 ⓑ [   ] 의 양이 많아져 온실 효과가 활발해짐에 따라 지구의 연평균 기온이 상승하는 현상

② 지구 온난화의 원인 : 대기 중 ⓒ [   ] 의 양 증가

- 화석 연료의 사용량 증가
- 산림 벌채, 도시 개발, 농경지 확장 등으로 인해 식물의 광합성량 감소

③ 지구 온난화의 영향 : 지구의 평균 기온 상승

- 해수 온도 상승 및 해수의 열팽창 : 해수면 상승, 해안 지역 침수, 농경지 감소, 육지 면적 감소 등
- 기상 이변 : 집중 호우, 홍수, 가뭄, 엘니뇨, 라니냐, 폭설 등
- 가뭄과 사막화 : 식량 자원 부족
- 식물의 서식지 변화 : 농작물의 재배 북한계선 변화
- 해양 생태계의 변화 : 어족 자원 변화, 적조 현상 발생
- 기후 변화 : 우리나라는 사계절이 뚜렷한 온대 기후에서 아열대 기후로 변화

④ 지구 온난화를 감소시키기 위한 대책

- 산림을 보존하고 숲을 늘린다.
- 이산화 탄소 배출을 법적으로 규제한다.
- 화석 연료의 사용을 줄이고, 자원을 재활용한다.
- 풍력 에너지, 태양 에너지 등 대체 에너지를 개발한다.
- 에너지를 절약하고 대중교통을 이용하는 등 이산화 탄소 배출을 줄인다.

● **온실 기체**

온실 기체의 종류는 매우 다양하지만, 이산화 탄소, 메테인, 일산화 이질소, 프레온 가스, 오존 등이 대표적이다. 각 온실 기체들이 온실 효과를 일으키는 데 기여하는 정도는 모두 다르다. 이산화 탄소는 온실 효과율이 작지만 대기 중 농도가 다른 온실 기체의 농도보다 훨씬 크기 때문에 온실 효과를 가속하는 정도가 가장 크다.

● **온실 기체와 지구 온난화**

지구 대기에 포함된 수증기, 이산화 탄소, 메테인 등의 온실 기체가 지구가 방출하는 복사 에너지를 흡수한 뒤 다시 지표로 재방출하고, 이 중 일부가 지구에 흡수되어 지구의 평균 온도가 상승한다. 대기의 복사 과정을 통해 지구는 에너지를 더 얻는 효과가 발생하고, 그만큼 지구의 평균 온도는 상승한다.

● **엘니뇨와 라니냐**

＊ **엘니뇨** : 남아메리카 태평양 쪽 해수의 온도가 평년보다 상승하는 현상으로, 남아메리카 지역에 홍수가 발생하고 아시아 지역에 가뭄이 발생한다.

＊ **라니냐** : 서태평양 쪽 해수의 온도가 평년보다 높아지는 현상으로, 아시아 지역에 홍수가 발생하고 남아메리카 지역에 가뭄이 발생한다.

엘니뇨와 라니냐

정답

ⓒ 이산화 탄소
ⓐ 온실 ⓑ 온실 기체

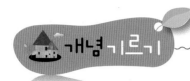

01 다음 중 기권에 대한 설명으로 옳지 <u>않은</u> 것은?

① 자외선을 차단하여 생명체를 보호한다.
② 지표면에서 약 1,000 km까지이다.
③ 지구가 일정한 온도를 유지할 수 있게 해준다.
④ 위로 올라갈수록 기온이 낮아진다.
⑤ 운석과 같이 지구로 떨어지는 물체로부터 보호해 준다.

[02~04] 다음 그림은 기권의 구조를 나타낸 것이다. 물음에 답하시오.

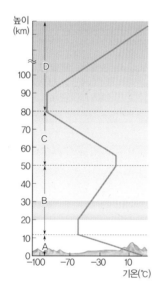

02 대류 현상이 일어나는 구간을 바르게 짝지은 것은?

① A, B ② A, C
③ B, C ④ B, D
⑤ C, D

03 기상 현상이 일어나는 구간으로 옳은 것은?

① A ② B
③ A, B ④ A, C
⑤ A, B, C

04 A~D 층에 대한 설명으로 옳지 <u>않은</u> 것은?

① A층은 높이가 높아질수록 기온이 낮아진다.
② B층에는 오존층이 있다.
③ C층은 자외선을 흡수한다.
④ D층은 밤과 낮의 기온 차가 크다.
⑤ 각 층은 높이에 따른 기온 변화를 기준으로 구분한다.

05 다음 중 기권에 대한 설명으로 옳은 것을 <u>모두</u> 고르시오.

① 대류권은 인공위성의 궤도로 이용된다.
② 열권에서 유성이 나타난다.
③ 성층권은 비행기의 항로로 이용된다.
④ 열권에서 오로라가 나타난다.
⑤ 중간권은 오존층이 있어 태양에서 오는 자외선을 흡수하여 지구 생명체를 보호한다.

06 다음 그림은 지구의 복사 평형을 나타낸 것이다. 이에 대한 설명으로 옳은 것을 〈보기〉에서 모두 고른 것은?

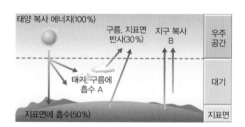

> **보기**
> ㉠ 지구의 대기와 구름에서 흡수하는 태양 복사 에너지의 양 A는 20 %이다.
> ㉡ 지구에서 방출되는 에너지 B는 100 %이다.
> ㉢ 지구에 흡수되는 태양 복사 에너지의 양이 지구에서 방출되는 지구 복사 에너지의 양보다 많다.

① ㉠ ② ㉡
③ ㉢ ④ ㉠, ㉡
⑤ ㉡, ㉢

07 다음 (가)와 (나) 그림에 대한 설명으로 옳지 <u>않은</u> 것은?

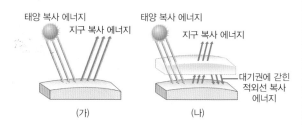

① (가)는 대기가 없을 때 모습이다.

② (나)는 대기가 있을 때 모습이다.

③ (가)는 태양 복사 에너지를 직접 받기 때문에 (나)보다 평균 기온이 높다.

④ 대기가 있으면 온실 효과가 일어나 지구의 온도를 높인다.

⑤ (나)에서는 복사 평형이 이루어져 온도가 일정하게 유지된다.

08 다음은 위도에 따른 태양 복사 에너지의 양을 나타낸 것이다. 이에 대한 설명으로 옳은 것은?

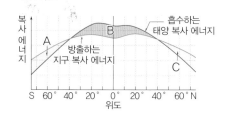

① 저위도에서는 에너지가 부족하고, 고위도에서는 에너지가 남는다.

② 태양 복사 에너지와 지구 복사 에너지가 평형을 이루는 곳은 위도 38° 부근이다.

③ A의 면적과 B의 면적을 합한 값은 C의 면적과 같다.

④ 에너지 불균형으로 저위도 지역과 고위도 지역의 온도 차는 점점 커진다.

⑤ 복사 평형은 지구 전체적으로 보면 이루어지지 않지만 위도별로 보면 이루어진다.

09 다음 그림과 같이 전등을 켜고 2분 간격으로 컵 속 공기의 온도를 측정하였다. 이에 대한 설명으로 옳은 것을 〈보기〉에서 모두 고른 것은?

보기

㉠ 전등은 태양, 알루미늄 컵은 지구를 나타낸다.

㉡ 컵 속 공기의 온도는 계속 상승한다.

㉢ 지구의 복사 평형을 알아보는 실험이다.

① ㉢　　　　　　　② ㉠, ㉡

③ ㉠, ㉢　　　　　④ ㉡, ㉢

⑤ ㉠, ㉡, ㉢

10 다음 중 지구 온난화의 원인으로 옳지 <u>않은</u> 것은?

① 엘니뇨　　　　　② 산림 벌채

③ 도시 개발　　　　④ 농경지 확장

⑤ 화석 연료 사용

11 다음 〈보기〉 중 지구 온난화를 감소시키는 대책으로 옳은 것을 모두 고른 것은?

보기

㉠ 산림을 보존하고 숲을 늘린다.

㉡ 이산화 탄소의 배출을 규제한다.

㉢ 친환경적인 대체 에너지를 개발한다.

① ㉡　　　　　　　② ㉠, ㉡

③ ㉠, ㉢　　　　　④ ㉡, ㉢

⑤ ㉠, ㉡, ㉢

Ⅲ 기권과 날씨

01 오로라는 태양에서 방출된 전기를 띤 입자가 공기 입자와 충돌하며 빛을 내는 현상이다. 오로라가 주로 고위도 지방의 열권에서 잘 관측되는 이유를 서술하시오.

오로라

02 다음 그림은 남극 상공 오존층의 오존 농도가 낮아져 구멍이 생긴 것처럼 보이는 모습이다. 만약 성층권 내의 오존층이 모두 파괴되었다면 이로 인해 생길 수 있는 현상을 <u>2가지</u> 서술하시오.

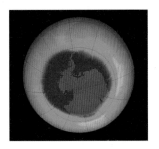

03 대기 중에 떠 있는 구름은 지표면 기온에 영향을 미친다. 겨울철 밤에 구름이 없으면 구름이 있을 때보다 기온이 더 낮아진다. 그 이유를 서술하시오.

논술형

04 지구는 대기가 있어 대기가 없는 행성과 다른 환경을 이룬다. 만약 지구의 대기가 없어진다면 어떤 변화가 생길지 예상되는 현상을 <u>3가지</u> 서술하시오.

STEAM 화산이 폭발하면 지구의 기온이 내려간다고?!

1991년 필리핀 피나투보 화산 분출은 1919년 알래스카 노바럽타 화산 분출에 이어 20세기 최대 규모로 기록되고 있다. 피나투보 화산 분출 이후 지구 북반구의 기온은 2년간 0.5~0.8 ℃ 이상 내려갔다. 4억 톤가량의 유황 가스와 함께 뿜어져 나온 2000만 톤의 화산재와 먼지들이 하늘을 뒤덮어 태양 빛을 차단했기 때문이다. 실제로 피나투보 화산은 거대한 추진력으로 단번에 화산재를 대류권을 뚫고 40 km 높이의 성층권으로 밀어 올렸으며, 화산재는 성층권을 돌며 오랫동안 태양 빛을 차단했다.

그런데 최근 소규모 화산의 화산재도 성층권으로 올라갈 수 있다는 연구 결과가 나왔다. 광주과학 기술원은 레이저 원격탐사 장비인 라이다를 이용해 2011년 6월 13일 분출한 아프리카 나브로 화산의 화산재가 대기를 따라 이동하여 한반도 상공 성층권에 6개월 동안 분포했다는 사실을 확인했다.

* 라이다(LIDAR) : 바람, 먼지, 에어로졸, 구름 입자 등의 존재와 이동을 측정하는 장비
* 에어로졸 : 대기 중에 떠다니는 작은 고체 및 액체 입자

화산재와 기후

01  피나투보 화산의 화산재가 오랫동안 태양 빛을 차단할 수 있었던 이유를 성층권의 특징과 관련하여 서술하시오.

논술형

02 화산재가 성층권에서 태양 빛을 차단하기 때문에 기온이 낮아지는 효과를 쿨링(cooling) 효과라고 한다. 이 효과를 이용하면 지구 온난화로 인한 지구 기온 상승을 해결할 수 있다고 주장하는 일부 과학자가 있다. 온실 기체 배출량을 줄이는 방법 외에 지구 기온을 낮출 수 있는 방법을 2가지 서술하시오.

10 구름과 강수

A 대기 중의 수증기

1 증발과 응결

① ⓐ___ : 물이 기체 상태의 수증기로 변해 공기 중으로 날아가는 현상

② ⓑ___ : 공기 중의 수증기가 물방울로 맺히는 현상

2 포화 수증기량

① 포화 상태 : 어떤 온도에서 공기가 수증기를 최대한 포함하고 있는 상태

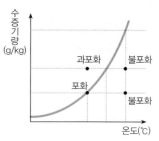

불포화(증발)	포화	과포화(응결)
증발량>응결량	증발량=응결량	증발량<응결량

② 포화 수증기량 : 어떤 온도에서 1 kg의 공기가 최대로 포함할 수 있는 수증기량(g)

③ 포화 수증기량과 온도 : 온도가 높아질수록 포화 수증기량은 ⓒ___ 한다.

• 플라스크에 따뜻한 물을 넣고 입구를 막은 후 헤어드라이어로 가열하면 내부가 맑아진다.
• 가열했던 플라스크를 찬물이 담긴 수조에 넣으면 플라스크 내부가 흐려진다.
➡ 온도가 높아지면 포화 수증기량이 증가하여 증발이 일어나고, 온도가 낮아지면 포화 수증기량이 감소하여 응결이 일어난다.

3 이슬점 : 수증기가 물방울로 ⓓ___ 하기 시작하는 온도

① 이슬점과 수증기량 : 공기 중에 수증기량이 많으면 이슬점이 ⓔ___ 고, 수증기량이 적으면 이슬점이 낮다. ➡ 현재 ⓕ___ 과는 관계 없다.

② 공기 중에 포함된 실제 수증기량=이슬점에서의 포화 수증기량

③ 응결량=현재 수증기량-냉각시킨 온도에서의 포화 수증기량

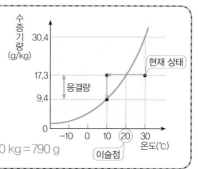

• 30 ℃ 현재 공기 1 kg의 수증기량은? 17.3 g
• 30 ℃ 공기 1 kg의 포화 수증기량은? 30.4 g
• 30 ℃ 현재 공기의 이슬점은? 20 ℃
• 10 ℃ 공기 1 kg의 포화 수증기량은? 9.4 g
• 30 ℃ 공기 100 kg이 10 ℃로 냉각될 때, 응결되는 수증기량은? (17.3-9.4) g/kg×100 kg=790 g

---

플러스 노트

● **포화 상태에서의 증발과 응결**
포화 상태에서는 증발량과 응결량이 같기 때문에 물의 양에 변화가 없는 것처럼 보인다. 하지만 실제로는 포화 상태에서도 증발과 응결은 끊임없이 일어난다.

용어풀이

증발(김오를 蒸, 일어날 發) : 물이 수증기로 변하는 현상

응결(뭉칠 凝, 맺을 結) : 수증기가 뭉쳐 물방울이 되는 현상

정답
ⓐ 증발 ⓑ 응결 ⓒ 증가
ⓓ 응결 ⓔ 높 ⓕ 기온

B 상대 습도

1 상대 습도 : 공기의 건조하고 습한 정도

$$ⓐ \quad (\%) = \frac{현재\ 공기\ 속의\ 수증기량(g/kg)}{현재\ 기온에서의\ 포화\ 수증기량(g/kg)} \times 100$$

2 상대 습도의 변화

① A의 상대 습도(%) = $\frac{b}{a} \times 100$

② A에서 온도 상승 : 포화 수증기량(a)이 ⓑ ___ 하여
상대 습도가 ⓒ ___ 한다.

③ A에서 온도 하강 : 포화 수증기량(a)이 감소하여
상대 습도가 증가한다.

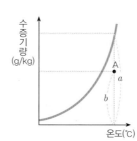

3 상대 습도의 측정

① 건습구 습도계 : 건구와 습구 온도계의 온도 차이 값으로 상대 습도를 측정한다.

② 건습구 습도계의 원리 : 물이 증발할 때 주위의 열을 ⓓ ___ 하므로 습구 온도는
건구 온도보다 항상 낮거나 같다.

건구 온도계(16 ℃)
습구 온도계(14 ℃)
천
물

습구 온도 (℃)	건구와 습구의 온도 차이(℃)			
	0	1	②2	3
12	100	89	79	70
13	100	90	80	71
⑭14	100	91	81	72
15	100	92	82	73

③ 상대 습도

• 상대 습도 : 습도표에서 습구 온도와 건구와 습구 온도 차이가 만나는 곳의 숫자

• 건구와 습구의 온도 차이가 클수록 상대 습도가 ⓔ ___ 다.

• 상대 습도 100 % : 포화 상태로 물의 증발이 일어나지 않고, 건구와 습구 온도가
같다.

4 맑은 날 하루 동안 기온과 상대 습도 변화

① 이슬점 : 크게 변하지 않는다. ➡ 공기
중 수증기량이 ⓕ ___ 하기 때문이다.

② 기온 : 오후 2~3시경 가장 ⓖ ___ 고,
새벽에 가장 낮다.

③ 상대 습도 : 오후 2~3시경 가장 ⓗ ___ 고,
새벽에 가장 높다. ➡ 기온과 상대 습도는 서로 반대로 나타난다.

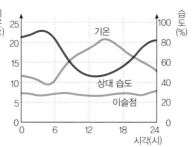

기온(℃) / 습도(%)
기온
상대 습도
이슬점
시각(시)

● **기온과 상대 습도**

새벽에는 기온이 낮아지므로 상대
습도가 높아진다. 공기가 포화 상태에
도달하면 수증기가 응결하여 이슬
이나 안개가 생긴다.

● **날씨에 따른 습도 변화**

* **맑은 날** : 기온과 습도의 변화가 거의
반대로 나타난다.

* **흐린 날** : 기온과 습도의 변화가 맑은
날보다 작게 나타난다.

* **비 오는 날** : 공기 중에 수증기가 많기
때문에 습도가 거의 100 %이다.

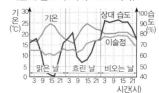

기온(℃) / 습도(%)
기온
상대 습도
이슬점
맑은 날 / 흐린 날 / 비오는 날
시간(시)

용어풀이

건구(하늘 乾, 둥글 球) 온도계 : 건
습구 온도계에서 공기의 온도를 측정
하는 온도계

습구(축축할 濕, 둥글 球) 온도계 :
건습구 온도계에서 구부를 젖은 천으로
감싼 온도계

정답

ⓐ 상대 습도 ⓑ 증가 ⓒ 감소
ⓓ 흡수 ⓔ 낮 ⓕ 일정 ⓖ 높
ⓗ 낮

● **단열 팽창과 단열 압축**

＊ **단열 팽창** : 공기 덩어리가 상승하여 주변의 기압이 낮아지면, 단열 팽창하고 기온이 하강한다.

＊ **단열 압축** : 공기 덩어리가 하강하여 주변의 기압이 높아지면, 단열 압축하고 기온이 상승한다.

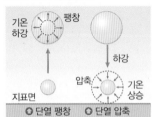

● **하늘 높이 있는 구름**

구름을 이루고 있는 알갱이는 약 0.01 mm 정도로 매우 작고 가볍기 때문에 구름 내의 상승 기류에 의해 떨어지지 않고 떠 있을 수 있다.

● **응결핵**

공기 중에 있는 먼지, 화산재, 소금 입자 등과 같이 수증기의 응결을 돕는 입자이다. 공기 중에 응결핵이 많으면 구름이 잘 생긴다.

용어풀이

단열(끊을 斷, 열 熱) : 열이 통하지 않도록 막음

응결핵(엉길 凝, 엉길 結, 씨 核) : 수증기가 응결할 때 중심 역할을 하는 핵

정답
⑨ 응결핵 ⑥ 상승
③ 하강 ④ 상승 ⑤ 팽창
① 이슬점 도달 ⑥ 단열 팽창

C 구름

1 구름 : 공기 중의 수증기가 응결하여 생긴 작은 물방울이나 얼음 알갱이가 하늘 높이 떠 있는 것

2 구름의 생성 과정 – 단열 팽창

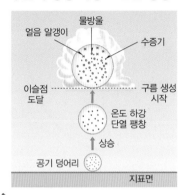

• 구름 생성 ⬆ 수증기가 응결하여 생긴 작은 물방울이나 얼음 알갱이가 모여 구름이 된다. 응결핵이 있으면 응결이 더욱 잘 일어난다.

• 수증기 응결 ⬆

• ⓐ ⬆ 공기가 더욱 냉각되어 이슬점에 도달하면 수증기가 응결한다.

• 온도 하강 ⬆ 공기가 팽창하면서 해 준 일만큼 에너지가 줄어들어 온도가 내려간다.

• ⓑ ⬆

• 공기 상승 공기가 상승할수록 주위 기압이 낮아지기 때문에 공기의 부피가 팽창한다.

탐구

[구름 생성 과정]

• 탐구 과정

① 페트병에 물을 조금 붓고 액정 온도계를 넣은 후 간이 가압 펌프를 닫는다.

② 간이 가압 펌프로 공기를 압축시키면서 기온 변화와 페트병 내부에서 일어나는 현상을 관찰한다.

③ 간이 가압 펌프를 열어 공기를 팽창시키면서 기온 변화와 페트병 내부에서 일어나는 현상을 관찰한다.

④ 페트병 안에 향 연기를 넣고 ②와 ③의 과정을 반복한다.

• 탐구 결과

① 간이 가압 펌프를 압축시킬 때와 팽창시킬 때 변화

구분	압력	온도	상대 습도	페트병 안의 변화
압축시킬 때	증가	상승	하강	맑아짐
팽창시킬 때	ⓒ	ⓓ	상승	뿌옇게 흐려짐

② 페트병을 압축시키면 구름이 사라지고 ⓔ 시키면 구름이 생성된다.

③ 페트병 안에 향 연기를 넣으면 페트병 내부가 쉽게 흐려진다.

➡ 향 연기가 ⓕ 역할을 한다.

3 구름이 생성되는 경우 : 공기가 ⑨ 할 때 생성된다.

① 지표면이 불균등하게 가열될 때

② 공기가 산의 경사면을 타고 올라갈 때

③ 찬 공기와 따뜻한 공기가 만날 때

④ 저기압의 중심으로 공기가 모여들 때

4 구름의 분류

모양에 따른 분류		높이에 따른 분류
층운형 구름	적운형 구름	
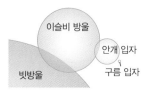		
상승 기류가 약할 때	상승 기류가 강할 때	
옆으로 퍼진 모양	위로 솟은 모양	
이슬비	소나기	
층운, 층적운, 고층운	적운, 적란운, 고적운	

높이에 따른 분류 그림: 높이(km), 권층운, 권운, 적란운 10·11·13, 권적운 8, 고적운 5, 고층운 3, 적운, 층적운 1.6, 층운, 난층운, 지표면

D 비와 눈

1 비와 눈의 생성 과정

빙정설	병합설

-40 ℃ 얼음 알갱이, 수증기, 증발, 승화, 눈, 0 ℃, 물방울, 비, 물방울, 지표면	작은 물방울, 빗방울, 큰 물방울, 물방울, 지표면
물방울에서 ⓐ＿＿＿가 증발하여 얼음 알갱이에 달라붙어 점점 커지면 아래로 떨어진다. 녹지 않고 떨어지면 눈이 되고, 녹으면 찬 비가 된다.	물방울들이 서로 ⓑ＿＿＿하여 합쳐지면 점점 커지고 무거워져 따뜻한 비가 내린다.
고위도 지방, 중위도 지방	열대 지방, 중위도 지방 여름

2 눈의 결정 : 얼음 알갱이에 수증기가 달라붙어 만들어지며, 기온과 수증기량에 따라 결정 모양이 다양하다.

3 강수의 양

① 강우량 : 지표에 내린 순수한 비의 양, 단위 : mm

② 적설량 : 지표에 내린 눈의 두께, 단위 : cm

③ 강수량 : 하늘에서 내린 비, 눈, 우박 등을 녹여 합한 양, 단위 : mm

4 ⓒ＿＿＿ : 구름이 있어도 비나 눈이 내리지 않아 가뭄이 지속되는 경우에 인위적으로 비를 내리게 하는 방법으로, 구름 속에 얼음 알갱이나 응결핵을 뿌린다.

플러스 노트

● **구름 속 얼음 알갱이의 성장**
기온이 0 ℃ 이하가 되어도 얼지 않은 채 존재하는 물방울을 과냉각 물방울이라고 한다. 과냉각 물방울로부터 증발한 수증기가 얼음 알갱이에 달라붙어 승화하면서 점점 커진다.

● **구름 입자와 빗방울의 크기**
구름 입자의 지름은 0.01 mm, 빗방울의 지름은 1~2 mm 정도이다. 따라서 구름 입자가 빗방울이 되려면 100만 개 이상이 모여야 한다.

이슬비 방울, 안개 입자, 구름 입자, 빗방울

● **우박**
상승 기류가 강한 적운형 구름 속에서 상승, 하강 운동을 반복하면서 크기가 커진 얼음 덩어리가 떨어지는 기상 현상

용어풀이

적운(쌓을 積, 구름 雲) : 수직으로 발달한 구름

층운(층 層, 구름 雲) : 수평으로 발달한 구름

정답

ⓐ 수증기 ⓑ 충돌 ⓒ 인공강우

기권과 날씨

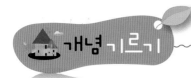

01 다음 중 대기 중의 수증기에 대한 설명으로 옳지 <u>않은</u> 것은?

① 온도가 높아질수록 포화 수증기량은 증가한다.
② 증발량이 응결량보다 많아지면 포화 상태가 된다.
③ 이슬점은 공기 중의 수증기량이 많을수록 높아진다.
④ 응결은 공기 중의 수증기가 물방울로 맺히는 현상이다.
⑤ 포화 수증기량은 어떤 온도에서 1,000 g의 공기가 최대로 포함할 수 있는 수증기량이다.

02 다음과 같이 페트리 접시에 물을 가득 담고 한쪽은 수조로 덮고 다른 쪽은 덮지 않은 채 며칠 동안 변화를 관찰하였다. 이에 대한 설명으로 옳은 것은?

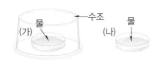

① (가)의 물의 양은 변화 없다.
② (가)는 물의 양이 감소하다가 일정해진다.
③ (나)는 물의 양이 증가하다가 일정해진다.
④ (가)와 (나)의 물은 없어질 때까지 계속 줄어든다.
⑤ (나)의 물의 양은 (가)보다 항상 많다.

중요
03 다음은 온도와 포화 수증기량의 관계를 나타낸 그래프이다. 공기 A에 대한 설명으로 옳은 것은?

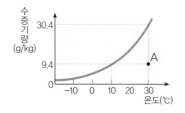

① 습도는 약 40 %이다.
② 이슬점은 30 ℃이다.
③ 포화 수증기량은 9.4 g이다.
④ 포화 상태가 되려면 21 g의 수증기가 필요하다.
⑤ 10 ℃로 냉각되면 9.4 g의 수증기가 응결된다.

[04~05] 다음은 온도에 따른 포화 수증기량의 관계를 그래프로 나타낸 것이다. 물음에 답하시오.

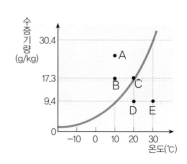

04 위 그림에 대한 설명으로 옳은 것은?

① B, C의 포화 수증기량은 같다.
② D, E의 이슬점은 같다.
③ A의 이슬점이 가장 낮다.
④ D와 E의 상대 습도는 같다.
⑤ B는 포화 상태이다.

05 A~E 중 상대 습도가 가장 낮은 공기는?

① A   ② B
③ C   ④ D
⑤ E

중요
06 다음 중 맑은 날 하루 동안의 기온과 습도 변화에 대한 설명으로 옳은 것은?

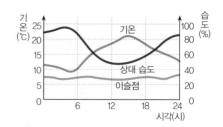

① 하루 중 이슬점은 크게 변하지 않는다.
② 기온은 12시경에 가장 높다.
③ 상대 습도는 2~3시경에 가장 높다.
④ 하루 중 기온과 이슬점은 서로 반대로 나타난다.
⑤ 하루 중 기온이 높아지면 상대 습도도 같이 높아진다.

07 다음은 건습구 습도계와 습도표를 나타낸 것이다. 이에 대한 설명으로 옳지 **않은** 것은?

습구 온도 (℃)	건구와 습구의 온도 차이(℃)			
	0	1	2	3
12	100	89	79	70
13	100	90	80	71
14	100	91	81	72
15	100	92	82	73

① 습구 온도는 12 ℃, 건구 온도는 15 ℃이다.

② 현재 상대 습도는 70 %이다.

③ 습구 온도는 물이 증발하면서 열을 흡수하므로 항상 건구 온도보다 낮거나 같다.

④ 부채질하면 습구 온도가 더 낮아질 것이다.

⑤ 비가 오면 습구 온도가 낮아질 것이다.

08 지표면 부근에서 공기 덩어리가 상승할 때 나타나는 변화로 옳지 **않은** 것은?

① 부피가 커진다.

② 습도가 높아진다.

③ 기온이 낮아진다.

④ 이슬점이 낮아진다.

⑤ 단열 팽창이 일어난다.

09 다음 〈보기〉는 구름의 생성 과정이다. 구름의 생성 순서를 바르게 나열한 것은?

> **보기**
> ㉠ 수증기 응결　　㉡ 온도 하강
> ㉢ 단열 팽창　　　㉣ 이슬점 도달
> ㉤ 공기 상승

① ㉤-㉠-㉡-㉣-㉢　　② ㉤-㉡-㉢-㉣-㉠

③ ㉤-㉡-㉠-㉢-㉣　　④ ㉤-㉢-㉡-㉠-㉣

⑤ ㉤-㉢-㉡-㉣-㉠

10 다음은 구름의 생성 원리를 알아보기 위한 실험 과정이다. 이에 대한 설명으로 옳지 **않은** 것은?

> ㉠ 페트병에 물 2 mL와 액정 온도계를 넣고, 향 연기를 넣은 후 간이 가압 펌프의 뚜껑을 닫는다.
> ㉡ 간이 가압 펌프를 눌러 공기를 압축하면서 페트병 내부와 온도 변화를 관찰한다.
> ㉢ 간이 가압 펌프를 열어 공기를 팽창시키면서 페트병 내부와 온도 변화를 관찰한다.

① ㉡에서 압력이 높아진다.

② ㉡에서 온도가 낮아진다.

③ ㉢에서 압력이 낮아진다.

④ ㉢에서 페트병 내부가 뿌옇게 흐려진다.

⑤ 구름은 압력이 낮아질 때 생기는 것을 알아보는 실험이다.

11 다음 중 구름이 생성되는 경우로 옳지 **않은** 것은?

① 지표면이 불균등하게 가열될 때

② 공기가 산의 경사면을 타고 올라갈 때

③ 찬 공기와 따뜻한 공기가 만날 때

④ 저기압의 중심으로 공기가 모여들 때

⑤ 공기가 산의 경사면을 타고 내려올 때

12 오른쪽 그림은 수직으로 발달한 구름의 모습을 나타낸 것이다. 이에 대한 설명으로 옳은 것은?

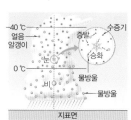

① 병합설에 대한 그림이다.

② 내리던 비가 얼면 우박이 된다.

③ 구름 속에 물방울과 얼음 알갱이가 함께 있다.

④ 열대 지방이나 중위도 지방 여름의 구름 모습이다.

⑤ 구름 속의 눈과 얼음이 서로 부딪치고 합쳐지면서 무거워지면 비가 내린다.

Ⅲ 기권과 날씨

01 다음은 A, B, C 3일 동안 기온, 상대 습도, 이슬점의 변화는 나타낸 그래프이다. A, B, C 중 비가 온 날을 고르고 그 이유를 서술하시오.

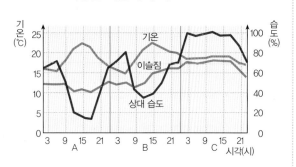

02 맑은 날에는 구름이 하얗고 밝게 보이지만 비가 오기 전에는 구름이 어두운 회색으로 변한다. 그 이유를 서술하시오.

03 다음과 같이 비행기가 차고 습한 대기 속을 지나간 후 꼬리처럼 길게 구름이 생기는 경우가 있다. 비행기 구름이 생기는 이유를 서술하시오.

논술형

04 다음은 1654년 게리케가 공기의 힘을 보여주기 위해 한 실험과 결과이다. 이 실험으로 진공과 공기의 힘을 사람들에게 인식시킬 수 있었다. 이처럼 기압의 변화를 확인할 수 있는 장치를 고안하시오.

구리로 만들어진 지름 50 cm인 두 개의 반구 사이에 기름에 젖은 가죽 고리를 끼우고 맞물려 공기가 통하지 않게 한 후, 펌프로 구 내부 공기를 빼내어 진공을 만들었다. 이 두 개의 반구를 16마리의 말이 서로 반대 방향으로 끌게 하였더니 처음에는 떨어지지 않았지만, 말이 전력을 다해 끌게 하였더니 커다란 소리와 함께 둘로 나누어졌다.

S_{TEAM} 인공강우, 가뭄을 해결할 수 있을까?

전 국토가 타는 듯한 목마름에 시달리고 있다. 봄 가뭄이 있었지만, 6월 말까지 가뭄이 이어지는 것은 매우 드물다.

절대 가뭄 상황에서 주목받는 기술은 인공강우이다. 자연적으로는 구름 속 얼음 알갱이에 주변 수증기가 엉겨 붙어 얼면 무거워져 떨어지고, 떨어지면서 녹으면 비가 된다. 인공강우는 빗방울을 만들지 못하는 구름에 수증기가 잘 달라붙을 수 있게 하는 아이오딘화 은(AgI)과 같은 화학 물질을 일종의 씨앗(응결핵)으로 사용해 인위적으로 비를 내리게 하는 기술이다. 일반적으로 응결핵을 뿌린 후 1~4시간 안에 빗물이 검출되면 성공했다고 판단한다.

인공강우는 중국이 2008년 베이징 올림픽 때 활용하면서 유명해졌다. 구름 낀 하늘에 소형로켓 1000여 대를 발사해 응결핵을 뿌려 개막식이 시작되기 전에 비를 내리게 했다. 실제 개막식 때 하늘은 구름 한 점 없이 맑았다. 우리나라에서도 평창올림픽 때 눈이 부족해 인공강설로 인공 눈을 내리게 했다.

우리나라는 1994년부터 염화 칼슘($CaCl_2$)을 응결핵으로 사용해 눈을 만드는 인공강설 실험을 시작해 총 19차례의 실험을 했다.

인공강우

01
인공강우가 성공하기 위해서는 조건이 필요하기 때문에 사막의 가뭄을 해결하기 힘들다. 인공강우의 조건을 서술하시오.

논술형
02 인공강우는 무분별한 시행보다 인접 국가 및 전 지구적으로 미칠 수 있는 영향 등에 대한 연구와 병행되어 추진되어야 한다. 인공강우로 인한 부작용을 서술하시오.

날씨 변화

기단, 저선, 고기압과 저기압에 의한

A 기압과 바람

1 대기압

① 대기압 : 지구 대기에 의해 생기는 압력

② 대기압의 방향 : ⓐ_____ 방향에서 ⓑ_____ 크기의 힘으로 작용한다.

③ 대기압의 크기 측정

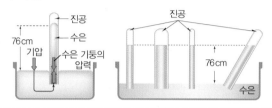

> 수은 면에 작용하는 기압의 크기 = 수은 기둥 ⓒ_____ cm가 누르는 압력
> 1기압 = 76 cmHg = 10 m H_2O = 1,013 hPa

④ 대기압의 변화
- 높이 올라갈수록 공기가 희박해지므로 기압이 ⓓ_____ 진다.
- 공기는 계속 이동하므로 기압은 시간과 장소에 따라 변한다.

2 바람

① 바람 : 기압 차에 의해 ⓔ_____ 기압에서 ⓕ_____ 기압으로 움직이는 공기의 흐름

② 지표면의 불균등 가열과 바람 : 지표면의 불균등 가열에 의해 기압 차가 생긴다.

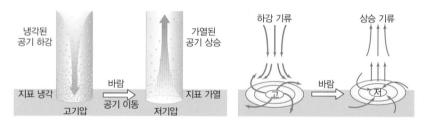

③ 해륙풍과 계절풍 : 땅과 물의 비열 차이로 인한 가열·냉각 속도의 차이에 의해 발생한다.

구분	해륙풍		계절풍	
	해풍(낮)	육풍(밤)	남동 계절풍(여름)	북서 계절풍(겨울)
모습	해풍 고 저	육풍 저 고	저 고	고 저
기온	바다 < 육지	바다 > 육지	대륙 > 해양	대륙 < 해양
기압	바다 > 육지	바다 < 육지	대륙 < 해양	대륙 > 해양
풍향	바다 → 육지	육지 → 바다	해양 → 대륙	대륙 → 해양

B 기단과 전선

1 기단

① ⓐ : 기온과 습도 등의 성질이 비슷한 큰 규모의 공기 덩어리

② 기단의 성질

발생 장소	해양	대륙	고위도	저위도
성질	습함	건조함	차가움	따뜻함

③ 우리나라 주변의 기단

양쯔강 기단	이동성 고기압과 저기압, 황사
오호츠크해 기단	장마, 동해안 저온 현상
북태평양 기단	장마, 소나기, 폭염, 열대야
시베리아 기단	북서풍, 한파
적도 기단	태풍, 집중 호우

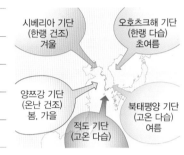

2 전선

① 전선면 : 성질이 다른 두 기단이 만나서 생기는 경계면

② ⓑ : 전선면이 지표면과 만나는 경계선

③ 전선의 종류

- ⓒ 전선 : 찬 기단이 따뜻한 기단 쪽으로 이동할 때 생기는 전선
- ⓓ 전선 : 따뜻한 기단이 찬 기단 쪽으로 이동할 때 생기는 전선
- 폐색 전선 : 이동 속도가 빠른 한랭 전선이 온난 전선과 겹쳐져 생기는 전선
- 정체 전선 : 세력이 비슷한 두 기단이 이동하지 않고 한곳에 오래 머물러 있는 전선 예 장마 전선(오호츠크해 기단과 북태평양 기단이 만나서 형성)

④ 한랭 전선과 온난 전선의 비교

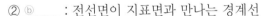

한랭 전선	구분	온난 전선
급함	전선면의 기울기	ⓔ 함
ⓕ 형	구름의 종류	층운형
소나기성	강수	이슬비
ⓖ	이동 속도	느림
기온 하강, 기압 상승, 남서풍 → 북서풍	전선 통과 후	기온 상승, 기압 하강, 남동풍 → 남서풍

플러스 노트

● 기단의 변질

기단이 이동하면 이동한 지역의 지표면의 영향을 받아 아래부터 기온과 습도가 변하여 성질이 변한다.

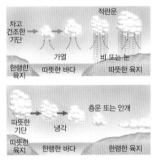

● 전선면의 기울기

찬 공기와 따뜻한 공기가 만났을 때 찬 공기는 따뜻한 공기보다 무거우므로 전선면은 항상 찬 공기 쪽으로 기울어지며, 위쪽에 따뜻한 공기가 위치한다.

● 전선 기호

* 한랭 전선 : ▲▲▲▲
* 온난 전선 : ●●●●
* 폐색 전선 : ▲●▲●
* 정체 전선 : ▲●▲●

용어풀이

기단(공기 氣, 모일 團) : 공기 덩어리

ⓗ 뚜껑
ⓐ 기단 ⓑ 전선 ⓒ 한랭
ⓓ 온난 ⓔ 완만 ⓕ 적운
ⓖ 빠름

● **기압**

기압은 높이에 따라 다르므로 각 관측소에서 측정한 기압을 높이가 0 m인 해수면의 값으로 고쳐서 기록한다.

● **온대 저기압과 열대 저기압**

온대 저기압은 중위도 지방에서 성질이 다른 두 공기가 만나서 생기며 전선을 동반한다. 그러나 열대 저기압은 적도 부근의 해상에서 증발한 수증기가 응결되면서 방출한 응결열(숨은열)을 에너지원으로 하여 생기며, 전선을 동반하지 않는다. 열대 저기압 중 중심 부근의 풍속이 최대 17 m/s 이상인 것을 태풍이라고 한다.

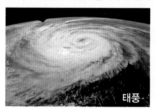

태풍

● **편서풍**

위도 30~65° 사이의 중위도 지방에서 서쪽에서 동쪽으로 부는 바람

등압선(등급 等, 누를 壓, 줄 線): 압력이 같은 지점을 연결한 선

ⓘ 편서풍 ④ 저곡풍

ⓓ 흐림 ⓔ 서 ⓕ 동 ⓖ 비

ⓐ 세게 ⓑ 맑음 ⓒ 구름 ⓗ 맑음

C 기압과 날씨

1 등압선: 기압이 같은 지점들을 연결한 곡선으로, 등압선 간격이 좁을수록 바람이 ⓐ_____ 분다.

2 고기압과 저기압에서의 날씨

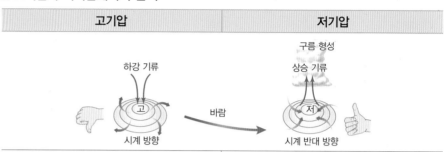

고기압	저기압
• 바람이 시계 방향으로 불어 나간다. • 중심부 하강 기류 ⇒ 기온 상승(단열 압축) ⇒ 구름 소멸 ⇒ 날씨 ⓑ___	• 바람이 시계 반대 방향으로 불어 들어온다. • 중심부 상승 기류 ⇒ 기온 하강(단열 팽창) ⇒ ⓒ___ 생성 ⇒ 날씨 흐림, 비

3 온대 저기압

① **온대 저기압**: 중위도 지방(온대 지방)에서 발달하는 저기압으로 찬 기단과 따뜻한 기단이 만나는 경계에서 생기며, 전선을 동반한다.

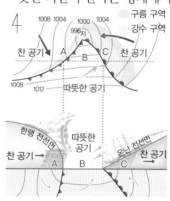

구분	A 지역	B 지역	C 지역
위치	한랭 전선 뒤	한랭 전선과 온난 전선 사이	온난 전선 앞
기온	낮음	높음	낮음
구름	적운형	없음	층운형
날씨	좁은 지역 소나기	ⓓ	넓은 지역 이슬비
풍향	북서풍	남서풍	남동풍

② **온대 저기압의 이동 방향**: 편서풍의 영향으로 ⓔ___ 쪽에서 ⓕ___ 쪽으로 이동한다.

③ **온대 저기압과 날씨**: 온난 전선의 영향을 받은 후 한랭 전선의 영향을 받는다.

구분	기온	기압	구름	강수	풍향
온난 전선 다가옴	낮아짐	높아짐	층운형	ⓖ	남동풍
온난 전선 통과 후	높아짐	낮아짐	없음	없음	남동풍 → 남서풍
한랭 전선 통과 후	낮아짐	높아짐	ⓗ	소나기	남서풍 → 북서풍

④ **온대 저기압의 소멸**: 이동 속력이 빠른 한랭 전선이 온난 전선과 겹쳐서 폐색 전선을 형성한 후 세력이 약해져 소멸한다.

D 날씨 예보

1 일기도

① ⓐ_____ : 관측한 기상 요소를 지도 위에 표시한 후 등압선을 그리고, 전선과 기압 배치 등을 나타낸 지도

② 기상 요소 : 기온, 기압, 풍향, 풍속, 습도, 이슬점, 구름의 양 등 날씨에 영향을 미치는 요소

③ 일기 기호 : 일기도에 사용되는 기호

③ 일기도 해석

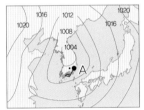

- A 지역 바람 : 풍속은 ⓑ____ m/s이고, ⓒ____ 풍이 불고 있다.
- A 지역 구름의 양 : 구름이 ⓓ____고 흐리다.
- A 지역 일기 : ⓔ____ 가 내리고 있다.

2 우리나라의 계절별 날씨

봄 · 가을		초여름(장마)	
(일기도)	• 이동성 고기압의 영향으로 날씨 변화가 심하다. • 봄 : 황사, 꽃샘추위 • 가을 : 첫서리	(일기도)	오호츠크해 기단과 북태평양 기단이 만나 장마 전선 형성
여름		겨울	
(일기도)	• ⓕ____ 형 기압 배치 ➡ 남쪽에 고기압, 북쪽에 저기압 • 폭염, 다습, 열대야	(일기도)	• ⓖ____ 형 기압 배치 ➡ 서쪽에 고기압, 동쪽에 저기압 • 폭설, 한파, 건조 • 삼한사온

3 날씨와 우리 생활

① 장기적인 날씨 : 가전, 패션, 음식료, 유통, 레저, 에너지, 스포츠 등의 수요 변동에 영향을 미친다.

② 기상 재해 : 농수산업, 건설, 교통, 보험 등에 영향을 미친다.

플러스 노트

● **기상 요소가 아닌 것**
등압선, 고기압, 저기압, 전선 등 일기도를 작성할 때 기입하는 것은 관측에 의해 측정하는 기상 요소가 아니다.

● **늦여름(태풍)**
전선을 동반하지 않는 동심원 모양의 태풍(열대 저기압)이 북상한다.

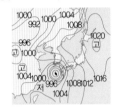

● **날씨와 우리 생활**
* 유통 : 불볕더위가 오면 빙과류와 냉방기의 주문량이 증가한다.
* 스포츠 : 야구 경기 때 기온, 습도, 풍향 등이 투수의 구속이나 타자의 타구에 영향을 미친다.
* 에너지 : 불볕더위가 오면 에어컨 사용량 증가로 전기 에너지의 사용량이 증가한다.
* 건설 : 날씨에 따라 공사 일정을 조절하고, 콘크리트를 붓는 시기를 조절한다.
* 운송 : 폭설이 내릴 때 차량보다는 기차를 이용하여 물류를 운반한다.
* 농업 : 날씨 정보에 따라 파종 시기, 농작물의 출하 시기 등을 조절한다.
* 보험 : 갑작스러운 날씨 변화로 입은 손해를 보상해 주는 보험 상품을 개발한다.

정답

ⓐ 일기도 ⓑ 5 ⓒ 북동 ⓓ 많 ⓔ 비 ⓕ 남고북저 ⓖ 서고동저

01 다음 중 대기압에 대한 설명으로 옳지 <u>않은</u> 것은?

① 1기압은 1,013 hpa이다.
② 높이 올라갈수록 대기압이 낮아진다.
③ 모든 방향에서 같은 크기의 힘이 작용한다.
④ 대기압은 시간과 장소에 관계없이 일정하다.
⑤ 1기압은 수은 기둥 76 cm가 누르는 압력과 동일하다.

02 다음 중 바람에 대한 설명으로 옳은 것은?

① 온도 차에 의해 바람이 분다.
② 고기압에서 저기압으로 이동한다.
③ 고기압은 주변보다 기압이 낮은 곳이다.
④ 고기압은 지표가 가열되어 가열된 공기가 상승하는 곳이다.
⑤ 저기압은 지표가 냉각되어 냉각된 공기가 하강하는 곳이다.

03 다음 그림은 낮에 해안 지역에서 부는 바람의 모습이다. 이에 대한 설명으로 옳은 것은?

① 육지보다 바다의 기온이 높을 때 일어난다.
② 1년 중 여름에 부는 바람이다.
③ 바다에서 육지로 육풍이 분다.
④ 바다가 육지보다 기압이 높을 때 일어난다.
⑤ 땅과 물의 습도 차이에 의해 발생한다.

04 다음 〈보기〉 중 기단의 성질을 결정하는 것을 모두 고른 것은?

> **보기**
> ㉠ 기온 ㉡ 풍향 ㉢ 구름 ㉣ 습도 ㉤ 풍속

① ㉠, ㉢ 　　　　　　② ㉠, ㉣
③ ㉠, ㉡, ㉤ 　　　　④ ㉠, ㉢, ㉣
⑤ ㉢, ㉣, ㉤

05 다음 그림은 우리 나라 주변의 기단을 나타낸 것이다. 이에 대한 설명으로 옳은 것은?

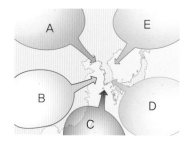

① A는 온난 건조하며 봄에 황사를 일으킨다.
② B는 고온 다습하며 태풍을 일으킨다.
③ C는 온난 건조하며 폭염과 열대야를 일으킨다.
④ D는 한랭 건조하여 한파를 일으킨다.
⑤ E는 한랭 다습하며 장마와 동해안에 저온 현상을 일으킨다.

06 다음 중 전선에 대한 설명으로 옳지 <u>않은</u> 것은?

① 온난 전선이 한랭 전선보다 더 빠르다.
② 한랭 전선에서는 적운형 구름이 만들어져 소나기가 내린다.
③ 온난 전선에서는 층운형 구름이 만들어져 이슬비가 내린다.
④ 정체 전선은 세력이 비슷한 두 기단이 이동하지 않고 오래 머무를 때 생긴다.
⑤ 폐색 전선은 한랭 전선과 온난 전선이 겹쳐져 생긴다.

07 다음 〈보기〉 중 고기압에 대한 설명으로 옳은 것을 모두 고른 것은?

> **보기**
> ㉠ 바람이 시계 방향으로 불어 나간다.
> ㉡ 구름이 생성되어 날씨가 흐리고 비가 온다.
> ㉢ 중심부에서 상승 기류가 발생한다.

① ㉠
② ㉡
③ ㉢
④ ㉠, ㉡
⑤ ㉡, ㉢

08 다음 그림은 전선의 단면을 나타낸 것이다. 이에 대한 설명으로 옳지 <u>않은</u> 것은?

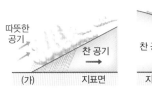
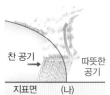

① (가)는 온난 전선, (나)는 한랭 전선이다.
② 이동 속도는 (가)가 (나)보다 느리다.
③ 전선면의 기울기는 (나)가 (가)보다 급하다.
④ (가)가 통과한 후에는 넓은 지역에 이슬비가 내린다.
⑤ (나)가 통과한 후에는 좁은 지역에 소나기가 내린다.

09 온대 저기압에 대한 설명으로 옳지 <u>않은</u> 것은?

① 온대 저기압은 동쪽에서 서쪽으로 이동한다.
② 폐색 전선이 형성된 후 약해져 소멸한다.
③ 중위도 지방에서 발달하는 저기압이다.
④ 온난 전선의 영향을 먼저 받은 후 한랭 전선의 영향을 받는다.
⑤ 찬 기단과 따뜻한 기단이 만나는 경계에서 생기며 전선을 동반한다.

[10~11] 다음 그림은 온대 저기압을 나타낸 것이다. 물음에 답하시오.

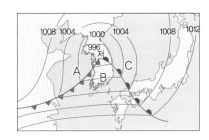

10 위 그림에서 현재 따뜻하고 맑은 날씨로 남서풍이 불고 있는 지역으로 옳은 것은?

① A
② B
③ C
④ A, B
⑤ A, C

11 위 그림의 A 지역에 대한 설명으로 옳은 것을 <u>모두</u> 고르시오.

① 넓은 지역에 이슬비가 내린다.
② 남동풍이 분다.
③ 적운형 구름이 생긴다.
④ 남서풍이 분다.
⑤ 좁은 지역에 소나기가 내린다.

12 다음은 우리나라 주변의 일기도이다. 이에 대한 설명으로 옳은 것을 <u>모두</u> 고르시오.

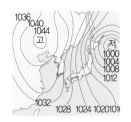

① 우리나라는 북서풍이 분다.
② 서고동저형의 기압 배치가 나타난다.
③ 여름에 해당한다.
④ 무더위와 열대야가 나타난다.
⑤ 장마로 인한 호우주의보가 내려졌다.

기
권
과
날
씨

서술형으로 다지기

01 다음 그림과 같이 길이 1 m의 유리관에 수은을 가득 채우고 수은이 담긴 수조에 거꾸로 세웠더니 수은 기둥이 내려오다가 수은 면으로부터 약 76 cm 높이 에서 멈췄다. 만약 이 실험을 달에서 한다면 결과를 이유와 함께 서술하시오.

02 다음은 날씨와 관련된 속담이다. 각 속담의 의미를 과학적으로 서술하시오.

- 밥알이 그릇에 잘 붙으면 날씨가 맑고, 잘 떨어지면 비가 온다.
- 고양이가 털을 핥으면 날씨가 맑다.
- 청개구리가 울면 비가 온다.
- 제비가 지표면 가까이에서 낮게 날면 비가 온다.

03 우리나라에서는 늦봄에 동풍이 불어 영동 지방에서 상승한 공기가 높은 태백산맥을 넘어 영서 지방으로 이동한다. 공기 이동에 따른 영동 지방과 영서 지방의 날씨 변화를 서술하시오.

논술형

높새바람

04 2018년 여름 한반도에 사상 최악의 폭염이 나타났다. 폭염의 원인은 이동하지 않고 한곳에 오래 머무른 고 기압 때문이었다. 고기압이 한곳에 오래 머무르면 폭 염이 나타나는 이유를 서술하시오.

열돔 현상

융합사고력 키우기

STEAM 허리케인, 이제 꼼짝 마! 날씨 조절 기술 현실로 다가와

[가상 뉴스] 방금 들어온 소식을 전해드리겠습니다. 2041년 9월 2일 남부 플로리다 해안에 상륙할 예정인 제4호 태풍 페르도가 세계 역사상 인류에 의해 처음으로 길들여진 태풍으로 기록될 전망입니다. 과학기술이 만들어낸 쾌거라고 할 수 있습니다.

과학자들은 이 태풍이 육지에 상륙하기 전에 정밀 분석하여 허리케인의 중심 부근을 찾았고, 항공부대가 허리케인의 세력을 약화시키는 생분해성 기름 성분의 혼합물을 허리케인 중심 부근 바다 표면에 분사했습니다. 기상 당국에 따르면 이번 허리케인은 초기에는 세력이 강한 5등급으로 분류됐지만, 실제 육지에 상륙했을 때 4등급으로 약화된 것으로 알려졌습니다.

5등급 태풍이 우리에게 주는 피해를 계산하기에는 그 예측이 어려운 것이 사실입니다. 그러나 과거의 데이터를 통해 볼 때 5등급 허리케인의 등급이 한 단계 낮춰져 4등급이 되면 피해액이 적어도 10 % 감소한다는

것을 알 수 있습니다. 이것을 돈으로 환산하면 얼마나 될까요? 전문가들은 약 170억 달러 정도에 이를 것으로 전망하고 있습니다. 다시 말해서 허리케인이 육지에 상륙하기 전에 항공부대가 기름 성분의 혼합물을 살포하지 않았다면 170억 달러에 상당하는 손해가 발생했을 수도 있다는 이야기입니다.

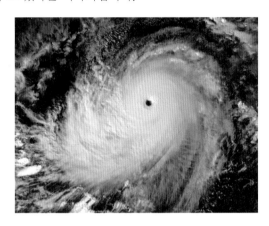

01 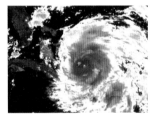 지구 온난화로 인해 허리케인 수가 계속 증가하고 그 세기도 커져 상당한 피해를 안겨주고 있다. 가상 뉴스에서 항공부대가 기름 성분의 혼합물을 바다 표면에 살포하여 허리케인에 의한 피해를 줄였다. 이 원리를 서술하시오.

논술형

02 2009년 미국 특허국에 특이한 특허가 신청됐다. 선박에 터빈을 장착해 깊은 바닷속의 차가운 물을 퍼 올려 해수면의 온도를 낮춰 허리케인을 약하게 하는 기술이었다. 이 외에 허리케인의 힘을 약하게 할 수 있는 아이디어를 고안하여 원리와 함께 서술하시오.

허리케인

S TEAM 구름, 안개, 이슬 만들기

구름, 안개, 이슬을 만들어 보고 이들의 차이점과 공통점을 알아보자.

[준비물] 뜨거운 물, 얼음물, 향, 유리병 2개, 비커, 페트병

실험

① 깨끗하게 닦은 비커에 얼음물을 넣고 10분 후 비커 표면을 관찰한다.

② 유리병 2개에 각각 뜨거운 물과 얼음물을 절반 정도 넣는다.

③ 얼음을 모두 버리고 얼음을 넣은 유리병을 뜨거운 물이 들어 있는 유리병 위에 거꾸로 세운다.

④ 유리병을 살짝 기울여 향 연기를 넣고, 5분 후 유리병 안의 변화를 관찰한다.

⑤ 페트병에 뜨거운 물을 조금 넣고 뚜껑을 닫은 후 손으로 세게 눌렀다 놓기를 반복한다.

⑥ 페트병에 뜨거운 물과 향 연기를 조금 넣고 뚜껑을 닫은 후 손으로 세게 눌렀다 놓기를 반복한다.

01 각 실험 과정의 결과를 비교하여 서술하시오.

• 실험 과정 ① :

• 실험 과정 ④ :

• 실험 과정 ⑤ :

• 실험 과정 ⑥ :

02 실험 과정 ①, ④, ⑤, ⑥에서 나타나는 변화의 공통점을 서술하시오.

03 실험 과정 ④와 ⑥에서 향 연기의 역할을 서술하시오.

04 안개와 구름 모두 수증기가 응결하여 공기 중에 뿌옇게 떠 있는 상태이다. 그러나 안개는 지표면 근처에서, 구름은 높은 하늘에서 생성된다. 구름의 생성 원리를 안개와 비교하여 서술하시오.

Ⅳ 태양계

● **2015 개정 교육과정 교과서**

중학교 1~3학년 군 : 2학년 3단원 태양계

● **다른 학년과의 연계**

3~4학년 군 : 지구의 모습

5~6학년 군 : 계절의 변화, 지구와 달의 운동, 태양계와 별

지구과학 Ⅱ : 행성의 운동

12 지구의 자전과 공전

플러스 노트

A 지구의 모양

1 지구의 모양

① 옛날 사람들의 생각 : 대부분 땅은 편평하고, 하늘은 둥글다.

② 실제 지구의 모양 : 적도 쪽이 극쪽 보다 약간 부푼 구형에 가까운 ⓐ   이다.

❂ 옛날 사람들이 생각한 지구

북극
6,357 km
6,378 km
적도   적도 반지름
남극
❂ 지구 타원체

2 지구가 둥근 증거

① 아리스토텔레스 : ⓑ   때 달에 비친 지구의 그림자가 둥글게 보인다.

② 마젤란 : 세계 일주에 성공하였다.

태양   지구   달   부분 월식   개기 월식

달   월식   지구 그림자

태평양   세비야 항   대서양   마젤란 해협

③ 인공위성에서 촬영한 지구의 모습은 둥글다.

④ 먼바다에서 항구로 들어오는 배는 ⓒ   부터 보이기 시작하다가 점차 배 전체의 모습이 보인다.

C   B   A

A → B → C

⑤ 고위도 지방으로 갈수록 북극성의 고도가 ⓓ   진다.

A   B   C

A(저위도)

B(중위도)

C(고위도)

⑥ 높은 곳에 올라갈수록 시야가 ⓔ   진다.

⑦ 동쪽으로 갈수록 해 뜨는 시각이 ⓕ   진다.

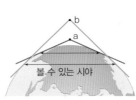
b
a
볼 수 있는 시야

[일출 시각]
서울   7 : 47   독도   7 : 26
지리산   부산
7 : 39   7 : 32

지구가 둥근 증거

● 지구 타원체
지구가 자전하기 때문에 원심력에 의해 물체가 중심에서 바깥쪽으로 튀어 나간다. 이로 인해 지구는 적도 쪽이 극 쪽보다 더 부푼 타원체가 되었다.

● 지구가 둥글다는 증거가 아닌 것
* 태양이 매일 동쪽에서 떠서 서쪽으로 진다. ➡ 지구의 자전에 의한 현상
* 계절에 따라 별자리가 달라진다. ➡ 지구의 공전에 의한 현상
* 달의 모양이 한 달을 주기로 바뀐다. ➡ 달의 공전에 의한 현상

● 멀리 떨어진 북극성의 방향
북극성은 지구에서 아주 멀리 떨어져 있기 때문에 북극성의 빛은 지구 어디에서나 평행한 것으로 가정한다. 그러므로 2-⑤에서 A, B, C는 모두 같은 별이다.

용어풀이

월식(달 月, 좀먹을 蝕) : 달이 지구의 그림자 속으로 들어가서 가려지는 현상

고도(높을 高, 정도 度) : 지평선과 천체가 이루는 각도

정답

ⓓ 낮아 ⓒ 선박 ⓑ 월식
ⓐ 타원체 ⓔ 넓어 ⓕ 빨라

B 지구의 크기

1 에라토스테네스의 지구 크기 측정 : 약 2,200년 전 지구의 크기를 최초로 측정

① 가정

- 지구는 완전한 ⓐ　　　이다. ➡ 호의 길이와 중심각 관계 이용
- 지구로 들어오는 태양 광선은 어디에서나 ⓑ　　　하다. ➡ 엇각 이용

② 측정 원리

- 평행선에서 엇각
- 호의 길이와 중심각 : 원에서 호의 길이는 중심각의 크기에 ⓒ　　　한다.

③ 측정 과정 : 하짓날 정오에 시에네에서는 햇빛이 우물의 바닥을 수직으로 비추지만, 시에네에서 북쪽으로 약 925 km 떨어진 알렉산드리아에서는 햇빛과 탑이 이루는 각도가 7.2°이다. ➡ 알렉산드리아에서 탑과 그림자 끝이 이루는 각도 7.2°는 시에네와 알렉산드리아 사이의 지구 중심각의 크기와 엇각으로 같다.

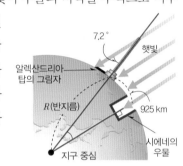

④ 계산 과정

> **✱ 부채꼴의 중심각 : 호의 길이＝지구의 중심각 : 지구의 둘레**
> $$7.2° : 925\,km = 360° : 2\pi R$$
> - 지구의 둘레＝$2\pi R = \dfrac{360°}{7.2°} \times 925\,km = 46,250\,km$ (오늘날 측정값 ≒40,000 km)
> - 지구의 반지름＝$R = \dfrac{360°}{2\pi \times 7.2°} \times 925\,km ≒ 7,360\,km$ (오늘날 측정값 ≒6,400 km)

⑤ 오차 원인

- 지구는 완전한 구형이 아니다.
- 시에네와 알렉산드리아는 같은 ⓓ　　　상에 있지 않다.
- 시에네와 알렉산드리아 사이의 거리가 정확하지 않다.

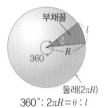

2 중심각(θ)과 같은 값을 이용한 지구 크기 측정

두 지방의 위도 차		두 지방의 북극성 고도 차	
	• 두 지방의 위도 차 ＝37.5°－35°＝2.5° • 지구 반지름, R ＝$\dfrac{280\,km}{2\pi} \times \dfrac{360°}{2.5°}$ ≒6,420 km		• 두 지방의 북극성의 고도 차 ＝두 지방의 중심각(θ) ＝60°－30°＝30° • 지구 반지름, R ＝$\dfrac{l}{2\pi} \times \dfrac{360°}{30°} = \dfrac{6l}{\pi}$

플러스 노트

● **지구로 들어오는 태양 광선**
지구와 태양 사이의 거리가 매우 멀기 때문에 실제로는 그렇지 않지만 평행하게 들어온다고 할 수 있다.

● **평행선에서 엇각**
두 직선이 다른 한 직선과 만나서 생긴 각 중 반대쪽에 있는 각을 엇각이라고 한다. 두 직선이 서로 평행이면 엇각의 크기가 같다.

θ = θ′

● **호의 길이와 중심각**
중심각의 크기는 호의 길이에 비례한다.

360° : 2πR＝θ : l

용어풀이

하지(여름 夏, 이를 至) : 태양이 북위 23.5°를 수직으로 비추는 때

경도(지날 經, 정도 度) : 지구의 표면을 런던의 그리니치 천문대를 기준으로 동서로 각각 180°로 나누고 동경 몇°, 서경 몇°로 표시한 것

정답

ⓐ 구형
ⓔ 평행 ⓒ 비례 ⓓ 경선

● **천체의 일주 운동**

태양과 별은 움직이지 않지만 지구가 서쪽에서 동쪽으로 자전하므로 지구의 관측자는 태양과 별이 동쪽에서 서쪽으로 움직이는 것처럼 보인다.

● **자전의 증거**

* **푸코 진자 진동면의 회전** : 지구가 시계 반대 방향으로 자전하기 때문에 푸코 진자의 진동면은 시계 방향으로 회전한다.

* **인공위성 궤도의 서편 현상** : 지구가 서쪽에서 동쪽으로 자전하기 때문에 극궤도 위성의 궤도가 점점 서쪽으로 이동하는 것처럼 보인다.

* **코리올리 효과** : 물체가 운동하는 동안 지구가 서쪽에서 동쪽으로 자전하기 때문에, 북반구에서는 운동하는 물체가 운동 방향의 오른쪽으로, 남반구에서는 운동 방향의 왼쪽으로 휘어진다.

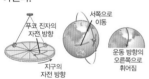

용어풀이

자전(스스로 自, 구를 轉) : 천체가 회전축을 중심으로 회전하는 운동

일주 운동(날 日, 두루 周, 운전할 運, 움직일 動) : 지구의 자전에 따른 천체의 겉보기 운동

정답

ⓐ 15 ⓑ 동 ⓒ 서
ⓓ 시계 반대

C 지구의 자전

1 지구의 자전 : 1시간에 ⓐ_____°씩 서쪽에서 동쪽으로 회전하는 운동

2 지구의 자전에 의한 현상

① **태양의 일주 운동** : 태양이 동쪽에서 떠서 일정한 속도로 이동해 서쪽으로 진다.

② **별과 달의 일주 운동** : 밤하늘에 있는 달이나 별은 시간이 지남에 따라 ⓑ_____ 쪽에서 ⓒ_____ 쪽으로 이동한다.

3 별자리의 위치 변화

① 북쪽 하늘의 별은 북극성을 중심으로 ⓓ_____ 방향으로 1시간에 15°씩 회전한다.

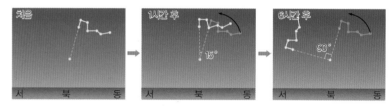

② 별의 일주 운동 모습(북반구 중위도 지역)

• **북쪽 하늘** : 북극성을 중심으로 시계 반대 방향으로 회전한다.

• **동쪽 하늘** : 지평선에서 오른쪽으로 비스듬히 떠 오른다.

• **남쪽 하늘** : 지평선과 거의 나란하게 동쪽에서 서쪽으로 이동한다.

• **서쪽 하늘** : 지평선에서 오른쪽으로 비스듬히 진다.

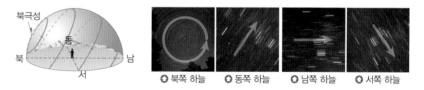

◎ 북쪽 하늘   ◎ 동쪽 하늘   ◎ 남쪽 하늘   ◎ 서쪽 하늘

---

* 천구와 북극성의 움직임

① **천구** : 지구를 둘러싸고 있는 큰 가상의 구

② **천구의 북극과 천구의 남극** : 지구의 자전축을 연장하여 천구와 만나는 두 점

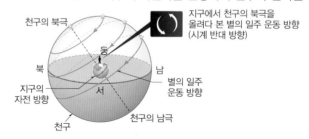

지구에서 천구의 북극을 올려다 본 별의 일주 운동 방향 (시계 반대 방향)

③ 지구가 자전축을 중심으로 하루에 한 바퀴씩 서쪽에서 동쪽으로 자전하므로 별은 북극성을 중심으로 동쪽에서 서쪽으로 회전하는 것처럼 보이는 일주 운동을 한다.

D 지구의 공전

1 지구의 공전 : 하루에 약 ⓐ_____ °씩 서쪽에서 동쪽으로 태양 주위를 도는 운동

2 지구의 공전에 의한 현상

① **별자리의 연주 운동** : 별자리가 태양을 기준으로 하루에 약 1°씩 ⓑ_____ 쪽에서 ⓒ_____ 쪽으로 이동하여 1년 후에 처음 위치로 돌아오는 운동

② **태양의 연주 운동** : 태양이 천구상에서 별자리 사이를 하루에 약 1°씩 ⓓ_____ 쪽에서 ⓔ_____ 쪽으로 이동하여 1년 후에 처음 위치로 돌아오는 운동

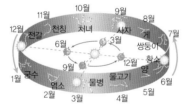

③ **계절에 따른 별자리 변화** : 계절에 따라 관측되는 밤하늘의 별자리가 달라진다.

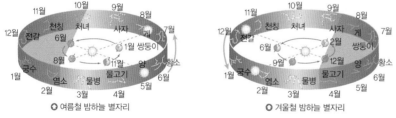

❀ 여름철 밤하늘 별자리　　❀ 겨울철 밤하늘 별자리

④ **지구의 계절의 변화** : 지구 자전축이 공전 궤도면에 수직인 축에 약 23.5° 기울어진 상태로 태양 둘레를 ⓕ_____ 하기 때문에 계절의 변화가 생긴다.

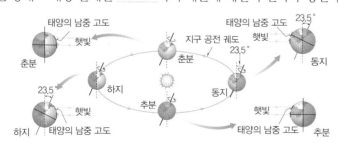

- **하지** : 태양의 남중 고도가 ⓖ_____ 다. ➡ 낮의 길이가 가장 길다. ➡ 지표면에 도달하는 태양 복사 에너지의 양이 ⓗ_____ 다. ➡ 기온이 높다.
- **동지** : 태양의 남중 고도가 ⓘ_____ 다. ➡ 낮의 길이가 가장 짧다. ➡ 지표면에 도달하는 태양 복사 에너지의 양이 ⓙ_____ 다. ➡ 기온이 낮다.

플러스 노트

● **황도와 황도 12궁**
　태양의 연주 운동 시 천구 상에서 태양이 지나가는 길을 황도, 황도에 있는 별자리 12개를 황도12궁이라고 한다.

● **남중 고도**
　별이나 태양이 남쪽 하늘 가운데에 있을 때 지평선과 이루는 각도로, 하루 중 천체가 가장 높이 떠 있을 때의 고도이다.

● **계절에 따른 태양의 남중 고도 변화**
　북반구에서 하지 때 태양은 북동쪽에서 떠올라 가장 오랫동안 하늘에 머물고, 동지 때 태양은 남동쪽에서 떠올라 가장 짧게 하늘에 머문다.

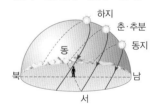

용어풀이

공전(공평할 公, 구를 轉) : 행성이 태양 둘레를 주기적으로 도는 운동

연주 운동(해 年, 두루 周, 운전할 運, 움직일 動) : 지구의 공전에 따른 천체의 겉보기 운동

정답

ⓕ 공전 ⓖ 높 ⓗ 많
ⓘ 낮 ⓙ 적음 ⓔ 동
ⓐ 1 ⓑ 동 ⓒ 서 ⓓ 서

01 다음 중 지구가 둥근 증거로 옳지 <u>않은</u> 것은?

① 태양이 매일 동쪽에서 떠서 서쪽으로 진다.
② 북극성의 고도가 고위도로 갈수록 높아진다.
③ 같은 방향으로 계속 가면 제자리로 돌아온다.
④ 월식 때 달에 비친 지구 그림자가 둥글게 보인다.
⑤ 멀어져 가는 배가 수평선 밑으로 가라앉는 것처럼 보인다.

[02~03] 다음 그림을 보고 물음에 답하시오.

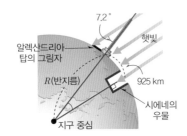

02 에라토스테네스가 지구의 크기를 측정하기 위하여 세운 가정 2개는?

① 지구는 완전한 구형이다.
② 지구는 24시간에 한 번 자전한다.
③ 두 지점은 동일 위도상에 위치한다.
④ 두 지점은 동일 경도상에 위치한다.
⑤ 지구에 들어오는 태양 광선은 평행하다.

03 위 그림의 지구 반지름 R을 구하는 식으로 옳은 것은?

① $R = \dfrac{925}{2\pi} \times \dfrac{7.2°}{360°}$ ② $R = \dfrac{2\pi}{925} \times \dfrac{360°}{7.2°}$

③ $R = \dfrac{925}{2\pi} \times \dfrac{360°}{7.2°}$ ④ $R = \dfrac{2\pi}{925} \times \dfrac{7.2°}{360°}$

⑤ $R = \dfrac{925}{2\pi} \times \dfrac{180°}{7.2°}$

04 다음 그림은 지구 모형의 크기를 측정하는 방법을 나타낸 것이다. 지구 모형의 크기를 구하기 위해 직접 측정해야 하는 것으로 옳은 것은?

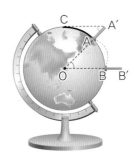

① ∠AA′C , AB의 거리
② ∠ACA′, AB의 거리
③ ∠AOB, 그림자 AC의 길이
④ AB의 거리, 그림자 AC의 길이
⑤ 막대 AA′의 길이, 막대 BB′의 길이

05 같은 경도상에 있는 서울과 광주의 위도와 거리가 그림과 같을 때 지구 반지름은? (단, π는 3으로 계산한다.)

① 5,700 km ② 6,000 km
③ 6,400 km ④ 6,720 km
⑤ 7,250 km

06 다음 중 지구의 자전과 관계 <u>없는</u> 현상은?

① 밤과 낮이 하루를 주기로 반복된다.
② 계절에 따라 보이는 별자리가 달라진다.
③ 모든 별이 북극성을 중심으로 하루에 한 바퀴씩 회전한다
④ 지구 둘레를 도는 인공위성의 궤도가 점차 서쪽으로 옮겨 간다.
⑤ 푸코 진자의 진동면이 시계 방향으로 회전한다.

07 다음 그림은 어느 날 밤에 4시간 간격으로 관측된 북두칠성의 모습을 나타낸 것이다. 그림에서 ∠θ의 크기로 옳은 것은?

① 20°　　　　② 30°
③ 40°　　　　④ 50°
⑤ 60°

08 다음 그림은 해가 진 후 서쪽 하늘에 나타나는 어느 별자리를 15일 간격으로 관측하여 나타낸 것이다. 이에 대한 설명으로 옳은 것은?

① 지구의 자전 때문에 나타나는 현상이다.
② 별자리가 공전하여 나타나는 현상이다.
③ 별자리는 하루에 약 15°씩 이동한다.
④ (다)–(나)–(가) 순서대로 관측되었다.
⑤ 별자리가 태양을 기준으로 동쪽에서 서쪽으로 이동한다.

09 다음 중 우리 나라에서 서쪽 하늘을 보았을 때 나타나는 별의 일주 운동 모습은?

10 다음 그림은 지구의 운동을 나타낸 것이다. 이에 대한 설명으로 옳지 않은 것은?

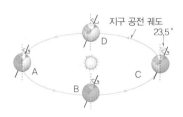

① 지구가 C에 위치할 때 우리나라는 겨울이다.
② 지구가 A에 위치할 때 우리나라에서 태양의 고도가 가장 높다.
③ 지구가 D에 위치할 때는 우리나라는 춘분이다.
④ 지구의 공전 궤도면이 자전축에 수직이므로 계절의 변화가 나타난다.
⑤ 지구가 B에 위치할 때 우리나라는 밤과 낮의 길이가 비슷하다.

11 다음 그림은 태양의 연주 운동과 별자리 변화를 나타낸 것이다. 이에 대한 설명으로 옳지 않은 것은?

① 태양은 1년 후 처음 위치로 되돌아온다.
② 9월에 태양이 지나는 별자리는 사자자리이다.
③ 태양은 별자리 사이를 서쪽에서 동쪽으로 움직인다.
④ 계절에 따라 관측되는 별자리가 달라지는 까닭은 지구의 공전 때문이다.
⑤ 6월 한밤중에 남쪽 하늘에서 볼 수 있는 별자리는 황소자리이다.

태양계

01 다음 그림은 여름과 겨울의 모습이다. 지구에 계절의 변화가 일어나는 이유를 서술하시오.

여름

겨울

02 다음 그림은 같은 경도상에 있는 (가)와 (나) 두 지점에서 관측한 북극성의 모습이다. 두 지점 사이의 거리를 a라고 했을 때 지구의 반지름 (R)을 구하고 그 과정을 서술하시오.

(가)   지평선   (나)

03 옛날 사람들은 그림과 같이 지구가 편평하다고 생각하였다. 옛날 사람들이 지구가 둥글다는 주장을 받아들이지 못한 이유를 서술하시오.

04 아래 지도는 인천에서 뉴욕으로 가는 비행 경로를 표시한 것이다. 세 가지 항로 중 북극을 지나는 북극 항로는 다른 두 경로보다 멀어 보인다. 하지만 실제 인천–뉴욕 비행은 북극을 지나는 북극 항로로를 이용한다. 그 이유를 서술하시오.

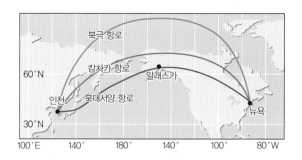

21억 년 후 하루는 30시간

1960년대 미국의 고생물학자 존 웰스는 고생대 산호 화석을 연구하다가 산호 화석의 성장선 개수가 현생 산호보다 너무 많다는 것을 발견했다. 성장선은 산호나 조개 등의 생물이 성장함에 따라 골격에 생기는 일종의 나이테로, 하루에 약 한 개씩 생성된다. 또 계절에 따라 그 성장 속도가 달라 성장선 사이의 간격을 통해 1년 단위로 확인할 수 있다.

4억 년 전에 살았던 산호에는 1년에 약 400개의 성장선이, 3억 년 전에 살았던 산호는 1년에 390개의 성장선이 있었다. 성장선이 줄어든다는 것은 1년의 날수가 줄어든다는 의미다. 지구가 태양을 공전하는 주기, 즉 1년은 크게 변하지 않기 때문에 1년의 날수가 줄어든다는 것은 곧 하루가 길어지고 있다는 뜻이다.

3억 년 전 석탄기의 하루는 약 22시간 30분, 4억 년 전 데본기의 하루는 22시간 정도다. 이 추세라면 그보다 몇십억 년 거슬러 올라간 과거의 하루는 매우 짧아진다. 실제로 20억 년 전 지구의 하루는 약 11시간이었고, 지구 탄생 당시에는 하루가 4시간 정도로 지금보다 훨씬 짧았다.

지구의 하루는 왜 점점 길어질까?

지구의 자전 속도가 점점 느려지기 때문이다. 지구의 자전 속도를 느려지게 하는 가장 큰 원인은 달이 지구의 자전과 반대 방향으로 바닷물을 끌어당기기 때문이다. 지구의 자전 속도가 느려짐에 따라, 지구의 하루 길이는 10만 년에 1초 정도씩 늘어나고 있다.

이 계산대로라면 3억 6천만 년 뒤에는 하루가 25시간이 되고, 75억 년 뒤에는 지구의 자전이 완전히 멈추게 될 것이다.

1년과 1일

N
태양계

01 자전 속도가 느려지면 하루 길이가 늘어나는 것뿐만 아니라 달도 멀어진다. 만약 달이 지금보다 더 멀어진다면 지구에 나타날 수 있는 변화를 2가지 서술하시오.

논술형

02 지구의 자전 속도가 변하는 것과 같이 지구의 자전축도 23.5°로 고정된 것이 아니라 4만 년을 주기로 21.5°~24.5° 사이에서 변한다. 만약 지구의 자전축이 기울어지지 않았다면 나타날 수 있는 변화를 2가지 서술하시오.

달의 공전에 의한
달의 위상 변화와 태양계의 행성

플러스 노트

A 달

1 달의 특징

① 달 : 지구에 가장 가까이 있는 천체(위성)로 스스로 빛을 내지 못하지만 햇빛을
ⓐ＿＿＿ 하여 밝게 보인다.

② 물리적 특징 : 지구 크기의 $\frac{1}{4}$ 배, 지구 질량의 $\frac{1}{80}$ 배, 지구 표면 중력의 $\frac{1}{6}$ 배

③ 달의 대기 : 대기와 물이 없다.

• 풍화·침식 작용이 일어나지 않고, 낮에도 하늘이 검은색으로 보인다.

• 낮과 밤의 온도 차가 크고, 구름, 바람, 비 등 기상 현상이 일어나지 않는다.

④ 달의 표면 : 암석으로 이루어져 있고 운석 구덩이가 많다.

2 달의 크기 측정 : 삼각형의 ⓑ＿＿＿ 를 이용하여 구할 수 있다.

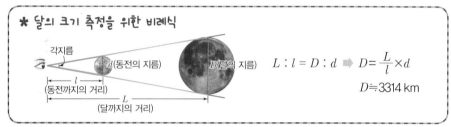

✱ 달의 크기 측정을 위한 비례식

$L : l = D : d \Rightarrow D = \frac{L}{l} \times d$

$D ≒ 3314\,km$

3 달의 자전과 공전

구분	달의 자전	달의 공전
정의	달이 자전축을 중심으로 약 한 달에 한 바퀴씩 회전하는 운동	달이 지구 주위를 한 달에 한 바퀴씩 회전하는 운동
방향과 속도	서 → 동, 약 13°/일	
주기	27.3일	• 항성월 : 약 27.3일 ➡ 실제 공전 주기 • 삭망월 : 약 29.5일 ➡ 음력 한 달

4 달의 공전과 자전으로 인한 특징

① 달 뜨는 시간 : 달이 매일 50분씩 늦게 뜬다. ➡ 달이 하루에 약 13° 공전하므로 지구가 약 13°(50분) 더 ⓒ＿＿＿ 해야 달이 보인다.

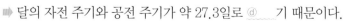

② 달이 보이는 면 : 달은 모양이 변해도 같은 면(무늬)만 관찰할 수 있다.

➡ 달의 자전 주기와 공전 주기가 약 27.3일로 ⓓ＿＿＿ 기 때문이다.

③ 달의 위상 변화 : 달이 공전하기 때문이다.

④ 일식과 월식 : 달이 공전하기 때문이다.

● 태양이 떠 있는 낮에도 달이 검은 색으로 보이는 이유

달에는 대기가 없으므로 햇빛이 산란되지 않기 때문이다.

● 달의 공전 주기

✱ 항성월(A → B) : 멀리 있는 별을 기준으로 한 실제 달의 공전 주기로 27.3일이다.

✱ 삭망월(A → C) : 달의 위상 변화 주기로, 약 29.5일이다.

✱ 삭망월이 항성월보다 2.2일이 더 긴 이유 : 달이 지구를 공전하는 동안 지구도 같은 방향으로 태양 주위를 공전하기 때문이다.

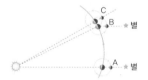

용어풀이

삭(초하루 朔) : 달이 태양과 지구 사이에 들어가 있어 보이지 않을 때

망(바람 望) : 태양, 지구, 달이 순서대로 일직선 상에 놓여 달 전체가 보일 때

정답

ⓔ 큰

ⓐ 반사 ⓑ 닮음비 ⓒ 자전

B 달의 위상 변화

1 달의 위상 변화

① 달의 위상 변화의 원인 : 달이 지구 둘레를 ⓐ_____ 하므로 달의 위치에 따라 햇빛을 반사하는 면이 달라져 지구에서 관측되는 달의 모양이 매일 변한다.

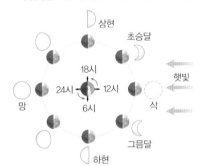

모양	뜨는 시각	남중 시각	지는 시각
삭	6시	12시	18시
상현	12시	18시	24시
망	18시	24시	6시
하현	24시	6시	12시

(노란색 : 달을 볼 수 있는 시간)

② 달의 위상 변화와 음력 : 음력은 달의 위상 변화를 기준으로 한다.

[음력] 1일경 2~3일경 7~8일경 12일경 15일경 20일경 22일경 28일경 1일경

③ 달의 위치 변화

• 하루 동안 달의 위치 변화 : 동쪽에서 서쪽으로 이동한다.
  ➡ 지구가 서쪽에서 동쪽으로 ⓑ_____ 하기 때문이다.

• 여러 날 동안 해가 진 후 달의 위치 변화 : 서쪽에서 동쪽으로 이동한다. ➡ 달이 지구 둘레를 서쪽에서 동쪽으로 하루에 약 13°만큼 ⓒ_____ 하므로 달이 뜨는 시각이 매일 약 50분씩 늦어진다.

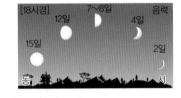

[18시경] 7~8일 음력 12일 15일 4일 2일 동 서

2 일식과 월식

일식	월식
 달의 공전 궤도	부분 월식 반그림자 개기 월식 본그림자 달의 공전 궤도

일식 그림 레이블: 반그림자, 부분 일식, 본그림자, 개기 일식, 달의 공전 궤도

• 태양이 ⓓ_____ 의 그림자에 의해 가려진다.
• 태양－달－지구가 일직선 상에 있을 때 일어난다. ➡ 달의 모양 : ⓔ
• 태양의 오른쪽에서 왼쪽 방향으로 진행된다.
• 위도에 따라 다르게 나타난다.

• 달이 ⓕ_____ 의 그림자에 의해 가려진다.
• 태양－지구－달이 일직선 상에 있을 때 일어난다. ➡ 달의 모양 : ⓖ
• 달의 왼쪽에서 오른쪽 방향으로 진행된다.
• 위도에 상관없이 밤에 동시에 관측된다.

태양이 지나는 길과 달이 지나는 길이 약 5° 정도 기울어져 있으므로 매달 일어나지 않는다.

● 개기 일식과 부분 일식
달의 본그림자가 생기는 지역에서 태양 전체가 가려지면 개기 일식이 나타나고, 달의 반그림자가 생기는 지역에서 태양의 일부만 가려지면 부분 일식이 나타난다. 달이 태양의 오른쪽에서 왼쪽 방향으로 움직이면서 태양을 가리므로 일식은 태양의 오른쪽부터 가려진다.

→ 진행 과정

● 개기 월식과 부분 월식
달 전체가 지구의 본그림자 속에 들어가면 개기 월식이 나타나고, 달의 일부만 지구의 본그림자 속에 들어가면 부분 월식이 나타난다. 달이 지구의 그림자 속을 오른쪽에서 왼쪽 방향으로 이동하면서 지구의 그림자에 가려지므로, 월식은 달의 왼쪽부터 가려진다.

→ 진행 과정

● 개기 월식 때 달이 붉게 보이는 이유
지구의 대기에 의해 굴절된 햇빛을 받기 때문에 어두운 붉은색으로 보인다.

정답

ⓐ 공전 ⓑ 자전 ⓒ 공전 ⓓ 달 ⓔ 삭 ⓕ 지구 ⓖ 망

📌 플러스 노트

● **명왕성**

2006년 8월 24일 국제천문연맹 총회에서 천문학자들은 행성의 정의를 수정하였다. 이에 따라 그동안 행성으로 분류되어 오던 명왕성을 왜소행성으로 새롭게 분류하여 134340이라는 새로운 번호를 부여하였다.

● **혜성의 꼬리**

혜성이 태양에 가까워지면 태양에서 방출되는 에너지에 의해 먼지와 얼음이 증발하여 태양의 반대 방향으로 꼬리가 만들어진다. 태양에 가까워질수록 태양으로부터 받는 에너지의 세기가 증가하므로 혜성의 꼬리가 길어진다.

● **유성우**

유성이 한꺼번에 떨어지는 현상

정답
ⓐ 태양 ⓑ 행성 ⓒ 위성
ⓓ 소행성 ⓔ 수성 ⓕ 금성

C 태양계

1 태양계 : 태양과 태양 주위를 공전하는 천체와 이들이 차지하는 공간

① ⓐ＿＿＿ : 태양계의 중심이며, 스스로 빛을 내는 별

② ⓑ＿＿＿ : 태양을 중심으로 공전하는 8개의 천체

③ ⓒ＿＿＿ : 행성을 중심으로 공전하는 천체 예 달, 포보스, 타이탄 등

④ ⓓ＿＿＿ : 화성과 목성 사이에 태양을 중심으로 공전하는 수많은 작은 천체

⑤ **왜소행성** : 태양의 주위를 공전하는 둥근 모양의 천체이지만, 중력이 크지 않아 공전 궤도 주위의 다른 천체를 모두 끌어당기지 못하는 천체 예 명왕성 등

⑥ **혜성** : 먼지와 얼음으로 이루어져 있으며 태양 주위를 긴 포물선 궤도로 공전하는 천체

⑦ **유성** : 천체 조각들이 지구의 중력에 끌려 들어와 대기와의 마찰로 밝은 빛줄기를 형성하는 것

⑧ **운석** : 유성이 떨어질 때 전부 다 타지 못하고 남은 물질이 지구 표면에 떨어진 것

⑨ **성간 물질** : 천체 사이의 공간에 퍼져 있는 물질

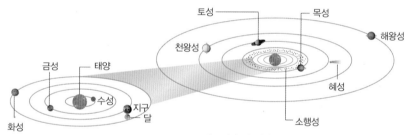

(※ 태양, 달, 행성의 크기, 궤도 비율은 실제와 다르다.)

2 행성의 특징

행성	특징
ⓔ＿＿＿	• 태양에서 가장 가까운 행성이다. • 대기가 없어 낮과 밤의 온도 차가 매우 크다. • 물과 대기가 없어 풍화 작용이 일어나지 않아 운석 구덩이가 많다.
ⓕ＿＿＿	• 크기와 질량이 지구와 비슷하다. • 이산화 탄소로 이루어진 대기의 온실 효과가 활발하여 표면 온도(460 ℃)가 매우 높다. • 대기층이 햇빛을 잘 반사하므로 행성 중 가장 밝게 보인다. • 두꺼운 이산화 탄소 대기층으로 인해 대기압(90기압 이상)이 높다.

ⓐ	• 태양계에서 유일하게 생명체가 존재한다. • 표면의 약 70 %가 바다로 덮여 있다. • 대기는 주로 질소와 산소로 이루어져 있다.
ⓑ	• 표면이 산화 철 성분의 암석과 흙으로 덮여 있어 붉게 보인다. • 표면에 물이 흘렀던 흔적이 있고, 태양계에서 가장 큰 화산이 있다. • 양극에는 얼음과 드라이아이스로 구성된 극관이 존재하며, 계절에 따라 크기가 달라진다.
ⓒ	• 태양계 행성 중 가장 크며, 희미한 고리가 있다. • 표면에 빠른 자전에 의해 만들어진 가로줄 무늬가 있고, 거대한 대기의 소용돌이(대적반)가 있다.
ⓓ	• 태양계 행성 중 두 번째로 크다. • 암석과 얼음으로 구성된 고리가 있고, 표면에 가로줄 무늬가 있다.
ⓔ	• 대기 중에 포함된 메테인 가스가 태양 빛 중 적색을 흡수하기 때문에 청록색으로 보인다. • 자전축이 공전 궤도면과 거의 나란하므로 독특한 계절 변화가 나타난다.
ⓕ	• 메테인 성분이 있어 파란색으로 보인다. • 표면에 여러 가지 소용돌이로 생긴 대흑점이 나타나기도 한다.

3 행성의 분류

① 지구형 행성과 목성형 행성

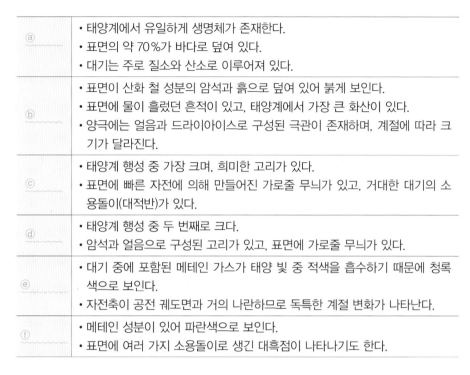

구분	종류	반지름	질량	평균 밀도	위성 수	자전 주기	표면 온도
지구형 행성	수성, 금성 지구, 화성	작음	작음	ⓖ	없거나 적음	긺	높음
목성형 행성	목성, 토성, 천왕성, 해왕성	큼	큼	ⓗ	많음	짧음	낮음

② 내행성과 외행성

내행성	외행성
지구의 공전 궤도보다 안쪽 궤도를 도는 행성 예 수성, 금성	지구의 공전 궤도보다 바깥쪽 궤도를 도는 행성 예 화성, 목성, 토성, 천왕성, 해왕성

플러스 노트

● **지구형 행성과 목성형 행성의 평균 밀도**
지구형 행성은 표면이 단단한 암석으로 이루어져 있어 평균 밀도가 크지만, 목성형 행성은 주로 기체로 이루어져 있어 평균 밀도가 작다.

● **지구형 행성과 목성형 행성의 표면 온도**
지구형 행성은 태양과 가까이 있어 표면 온도가 높고, 목성형 행성은 태양과 멀리 떨어져 있어 표면 온도가 낮다.

● **행성의 위성 수**(2012 NASA 기준)
* 수성 : 0
* 금성 : 0
* 지구 : 1 예 달
* 화성 : 2 예 포보스, 데이모스
* 목성 : 64 예 이오, 유로파, 가니메데, 칼리스토 등
* 토성 : 62 예 타이탄, 이아페투스, 디오네, 레아 등
* 천왕성 : 27 예 티타니아, 미란다 등
* 해왕성 : 13 예 트리톤 등

ⓐ 지구 ⓑ 화성 ⓒ 목성
ⓓ 토성 ⓔ 천왕성 ⓕ 해왕성
ⓖ 큼 ⓗ 작음

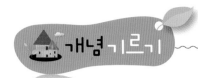

01 다음 중 달에 대한 설명으로 옳지 <u>않은</u> 것은?

① 달은 인류가 직접 탐사한 유일한 천체이다.
② 달의 모양은 지구에서 보았을 때 매일 변한다.
③ 달은 지구 주위를 서쪽에서 동쪽으로 공전한다.
④ 음력은 달의 위상 변화를 기준으로 한다.
⑤ 매일 같은 시각에 달을 관측하면 달이 점점 서쪽으로 이동한다.

02 다음 중 달이 뜨는 시간이 매일 약 50분씩 늦어지는 이유로 옳은 것은?

① 달이 자전하면서 지구 주위를 공전하기 때문이다.
② 지구가 자전하면서 태양 주위를 공전하기 때문이다.
③ 달이 지구 주위를 공전하는 동안 지구도 태양 주위를 공전하기 때문이다.
④ 지구가 자전하는 동안 달도 지구 주위를 공전하기 때문이다.
⑤ 달의 자전 주기와 공전 주기가 같기 때문이다.

중요
03 달의 운동과 모양 변화에 대한 설명으로 옳지 <u>않은</u> 것은?

① 달의 자전 주기는 공전 주기와 같다.
② 달의 모양이 변하는 것은 달이 공전하기 때문이다.
③ 달은 밤하늘에서 스스로 빛을 내는 천체 중 하나이다.
④ 달은 하루에 약 13°씩 서쪽에서 동쪽으로 지구 둘레를 공전한다.
⑤ 달은 매일 모양이 변해도 보이는 면은 항상 같다.

04 다음은 달의 크기를 측정하는 원리를 나타낸 그림이다. 달의 크기를 측정하기 위한 비례식으로 옳은 것은?

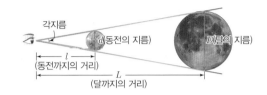

① $l : d = D : L$　　② $l : L = D : d$
③ $L : l = D : d$　　④ $L : d = l : D$
⑤ $L : D = d : l$

[05~06] 다음 그림은 달이 지구 주위를 공전하는 모습을 나타낸 것이다. 물음에 답하시오.

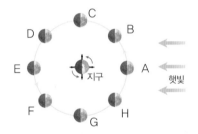

중요
05 달의 위치에 따라 지구에서 보이는 달의 모양으로 옳은 것은?

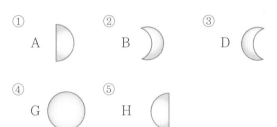

06 자정(24시)에 동쪽 하늘에서 떠오르는 달을 관측하였다면 이때 달의 위치와 모양으로 옳은 것은?

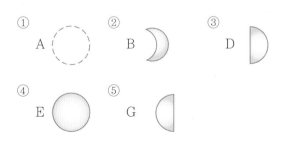

07 태양계를 구성하는 천체들에 대한 설명이다. 옳지 <u>않은</u> 것은?

① 목성과 토성 사이에 수많은 소행성이 있다.

② 유성은 작은 천체가 대기와 마찰로 밝은 빛을 내며 타는 것이다.

③ 혜성은 얼음과 먼지로 된 작은 천체로 태양에 접근했을 때 긴 꼬리가 나타난다.

④ 왜소행성은 행성과 같이 태양 주위를 공전하지만 중력이 크지 않은 천체이다.

⑤ 유성이 지구 대기권에서 다 타지 못하고 지구로 떨어진 것을 운석이라 한다.

[08~09] 다음은 태양계 행성들의 특징을 나타낸 것이다. 물음에 답하시오.

> ㉠ 대기가 없어서 운석 구덩이가 많고 낮과 밤의 기온 차가 매우 크다.
> ㉡ 암석과 얼음으로 구성된 아름다운 고리가 선명하게 관측된다.
> ㉢ 양극에 얼음과 드라이아이스로 된 극관이 관측되고 표면에 물이 흐른 흔적이 있다.
> ㉣ 매우 두꺼운 이산화 탄소의 대기와 구름으로 둘러싸여 있으며, 지구와 크기와 질량이 비슷하다.

중요

08 위의 행성의 특징과 이름이 바르게 연결된 것은?

① ㉠－달   ② ㉠－금성

③ ㉡－토성   ④ ㉢－천왕성

⑤ ㉣－목성

09 행성 ㉣에서 대기 중에 많은 양의 이산화 탄소로 인해 나타나는 현상으로 옳은 것은?

① 낮과 밤의 온도 차가 커진다.

② 표면에 운석 구덩이가 많아진다.

③ 행성 주위로 아름다운 고리가 생긴다.

④ 가로줄 무늬가 생기고 소용돌이가 생긴다.

⑤ 온실 효과로 인해 표면 온도가 매우 높다.

10 다음 천체에 대한 설명으로 옳은 것은?

① 표면이 달과 비슷하다.

② 양극에 흰색의 극관이 있다.

③ 태양계 행성 질량의 대부분을 차지한다.

④ 짙은 이산화 탄소의 대기로 덮여 있다.

⑤ 적도 부근에 아름다운 고리를 가지고 있다.

11 다음 그래프는 행성을 물리량에 따라 분류한 것이다. A에 대한 설명으로 옳은 것은?

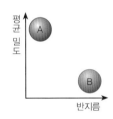

① 위성이 많다.

② 질량이 B보다 크다.

③ 고리를 가지고 있다.

④ 자전 속도가 B보다 느리다.

⑤ 가벼운 기체 성분으로 이루어져 있다.

중요

12 다음 중 지구형 행성과 목성형 행성의 특징을 비교한 것으로 옳은 것은?

	특징	지구형 행성	목성형 행성
①	밀도	작음	큼
②	질량	작음	큼
③	고리	있음	없음
④	자전 주기	짧음	긺
⑤	표면 온도	낮음	높음

서술형으로 다지기

정답 ◆ 22p ◆

01 다음 그림과 같이 달 표면에 찍힌 인류 최초의 발자국은 지금까지도 그대로 보존되어 있다. 이러한 현상이 나타나는 이유를 서술하시오.

03 화성의 극관이 모두 녹는다면 화성의 기온이 상승할 것이라고 한다. 그 이유를 서술하시오.

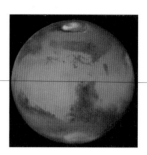

02 달에서 일식 현상이 일어났을 때 지구, 달, 태양의 위치를 쓰고, 달에서 보는 일식과 지구에서 보는 일식의 차이점을 서술하시오.

04 다음은 지금까지 알려진 달의 정보이다. 이를 바탕으로 달에서 경험할 수 있을 것으로 예상되는 현상을 <u>3가지</u> 서술하시오.

논술형

- 공기와 물이 발견되지 않았다.
- 달의 중력은 지구 중력의 약 $\frac{1}{6}$ 이다.
- 달의 표면에는 운석 구덩이가 많다.
- 표면 온도는 낮에는 약 130 ℃, 밤에는 약 −170 ℃ 이다.

S TEAM 추석에 뜨는 보름달의 의미

추석에 뜨는 보름달은 특별한 의미가 있다. 물론 정월 대보름과 6월 유두, 7월 백중도 보름 명절이지만, 그중에서도 정월 대보름과 추석은 가장 큰 명절이다.

추석은 그동안 농사를 잘 짓게 해준 것을 감사하는 농공감사일이며, 농사의 결실을 보는 날이다. 또한 한 해 농사를 마무리하는 시기이며, 다음 해의 풍년을 기리는 시기이기도 하다. 농경 사회에서 보름달은 농사의 풍작, 풍요와 다산을 상징하는 등 매우 중요한 의미가 있다. 추석은 보름달이 뜨는 날이고, 보름달은 곡물로 치면 수확 직전의 알이 꽉 찬 모습이라고 볼 수 있다. 그래서 추석을 달의 명절이라고도 한다.

곡물 농사의 경우, 싹이 돋고 만개해서 열매를 맺으면 추수를 한다. 이러한 과정을 한 해만 하는 것이 아니라 해마다 반복한다. 이는 민속학에서 생성과 소멸을 반복하는 달의 모습과 같다고 본다. 초승에 소생한 달은 꽉 찬 보름에 생명력의 최대점을 보여주다가 그믐 무렵에 사라지고, 이어서 다시 초승에 소생해서 차고 기우는 것을 반복한다. 이것을 죽음과 삶의 반복으로 보기도 하는데, 이는 곧 재생을 나타내기도 한다. 농경 사회에서 달의 재생과 농사의 재생적인 성질을 같은 것으로 보았기 때문에 달의 형상 중에서 풍요를 상징하는 보름달이 중요했다. 이러한 보름달이 뜨는 명절인 추석은 더할 나위 없이 중요하다.

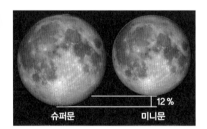

01 실제 달의 크기는 변하지 않지만 매달 뜨는 보름달의 크기는 조금씩 다르다. 보름달이 가장 클 때를 슈퍼문, 가장 작을 때를 미니문이라고 한다. 달의 크기가 다르게 보이는 이유를 서술하시오.

한가위 슈퍼문

02 달이 지평선에 있을 때는 하늘 높은 곳에 있을 때보다 훨씬 커 보인다. 그 이유를 서술하시오.

14 태양과 망원경 천체 관측

플러스 노트

● 태양의 구조

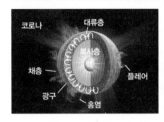

코로나　대류층
복사층
핵
채층
광구
플레어
홍염

● 흑점

흑점은 태양의 활동 정도에 따라 수가 변한다. 크기는 망원경으로 겨우 보이는 지름 1,500 km의 작은 것부터 십만여 km에 이르기까지 다양하다. 수명은 작은 것은 1일 이내, 큰 것은 그 크기가 변화하면서 수개월 간 지속되기도 한다.

● 채층

채층은 광구 위에 약 1,600 km까지 뻗어 있으며, 온도가 약 6,000~10,000 ℃의 불규칙한 층이다. 이러한 높은 온도에서 수소는 붉은색 빛을 방출하므로 붉게 보인다. 채층의 복사는 광구보다 훨씬 약하여 보통 때는 보기 어렵고 개기 일식 때 태양의 광구가 완전히 가려지면 볼 수 있다.

용어풀이

항성(항상 恒, 별 星) : 스스로 빛을 내는 천체

광구(빛 光, 공 球) : 눈에 보이는 태양의 둥근 표면

ⓔ 홍염　ⓓ 흑점
ⓐ 항성　ⓑ 에너지　ⓒ 닮음비

A 태양

1 태양의 특징

① 태양 : 태양계에서 스스로 빛을 내는 유일한 천체인 ⓐ_____(별)이다.
② 태양과 지구 : 지구에 가까이 있기 때문에 밝게 보이고, 우리에게 ⓑ_____를 공급해 주며, 우리 생활에 많은 영향을 준다.
③ 물리적 특징 : 지구 지름의 109배, 지구 질량의 33만 배, 지구 밀도의 약 $\frac{1}{4}$배
④ 표면 온도 : 약 6,000 ℃
⑤ 구성 성분 : 대부분 수소와 헬륨 등의 가벼운 기체로 구성되어 있다.
⑥ 태양계 전체 질량의 거의 대부분을 차지한다.

2 태양 크기 측정 : 두 삼각형의 ⓒ_____를 이용하여 구할 수 있다.

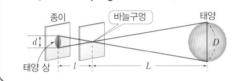

✴ 태양의 크기 측정을 위한 비례식

종이　바늘구멍　태양
태양 상　l　L

$$L : l = D : d \implies D = \frac{L}{l} \times d$$
$$D = 1.39 \times 10^6 \text{ km}$$

3 태양의 표면(광구)

① 쌀알무늬 : 광구에 쌀알을 뿌려놓은 듯한 형태의 무늬로, 태양 내부의 대류 현상에 의해 만들어진다. 고온의 기체가 상승하는 부분은 밝고, 냉각된 기체가 하강하는 부분은 어둡다.

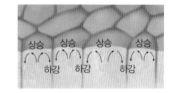

상승　상승　상승　상승
하강　하강　하강

② ⓓ_____ : 광구에 불규칙한 모양으로 나타나는 검은 점으로, 주위보다 온도가 약 2,000 ℃ 낮아서 상대적으로 어둡게 보인다.

4 태양의 대기

① 채층 : 광구 바로 위에 있는 얇고 붉게 보이는 대기층으로 광구보다 온도가 높지만 밀도가 매우 낮아서 평소에는 관찰되지 않고 일식 때 관측할 수 있다.
② ⓔ_____ : 태양 표면의 물질이 채층을 뚫고 코로나까지 뻗어 나가는 밝은 불꽃 기둥으로 고리 모양이다.
③ 플레어 : 흑점 주변에서 많은 양의 에너지가 방출되는 폭발 현상
④ 코로나 : 채층 밖의 가장 바깥쪽의 대기로 일식 때 관측할 수 있다.

태양의 대기

   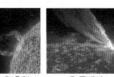

◉ 쌀알무늬　◉ 흑점　◉ 채층　◉ 홍염　◉ 플레어　◉ 코로나

5 태양의 활동이 지구에 미치는 영향

① 극대기와 극소기

구분(주기 11년)	흑점 수	코로나	홍염 발생	플레어 발생	방출 에너지
극대기(태양 활동 활발)	ⓐ	커짐	증가	증가	ⓑ 짐
극소기(태양 활동 둔함)	감소	작아짐	감소	감소	적어짐

② 극대기 때 지구에 나타나는 현상

- 지구 자기장 교란, 자기 폭풍 발생
- ⓒ _____ : 태양에서 온 전기를 띤 입자가 지구 대기와 부딪히면서 빛을 낸다.
- ⓓ _____ 현상 : 흑점 주위에서 생성된 플레어에서 순간적으로 막대한 양의 에너지를 가진 입자와 전기를 띤 입자들이 방출되어 전파장애가 나타난다.
- 과도한 전류에 의한 송전 시설 파괴로 인한 정전
- 인공위성 고장, 우주인 방사선 노출 등

오로라

◆ 오로라

◆ 캐나다 대규모 정전

◆ 인공위성 고장

◆ 우주인 방사선 노출

탐구

[태양의 활동이 지구에 미치는 영향]

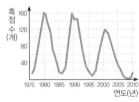

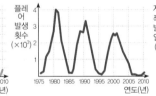

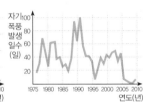

① 흑점 수가 많았던 해 : 1980년, 1989년, 2001년
흑점 수가 적었던 해 : 1976년, 1986년, 1996년, 2008년
② 전체 흑점 수는 약 ⓔ _____ 년을 주기로 많아짐과 적어짐을 반복한다.
③ 흑점 수가 많아지면 플레어 발생 횟수가 ⓕ _____ 한다.
④ 흑점 수가 많아지면 자기 폭풍 발생 일수가 ⓖ _____ 한다.

더 알아보기

[흑점의 이동 방향과 속도]

① 흑점의 이동 방향 : 동 → 서 ➡ 태양이 서쪽에서 동쪽으로 자전하기 때문이다.
② 흑점의 이동 속도 : 저위도에서 가장 빠르고 고위도록 갈수록 느려진다. ➡ 태양이 기체로 되어 있기 때문이다.

처음 / 4일 후 / 8일 후

플러스 노트

● 지구 자기장
지구가 가진 자기력에 의해 지구 주변에 자기장이 형성된다. 지구 자기장은 태양으로부터 오는 전기를 띤 입자들의 흐름(태양풍)이 대기권 안으로 들어오는 것을 막아준다.

태양 / 태양풍 / 지구 자기장 / 지구

● 자기 폭풍
자기 폭풍은 태양풍에 의해 지구 자기장이 갑자기 불규칙하게 변하는 현상이다. 자기 폭풍이 일어나면 극지방 상공에 오로라가 생기고, 지상의 송전선이나 송유관에 유도 전류를 발생시켜 여러 가지 재난을 일으킬 수 있다. 각국은 우주환경예보센터를 운영하여 태양 활동에 의한 우주 환경의 변화를 지속해서 감시하고 있다.

● 태양 활동과 오로라
오로라는 보통 위도 70° 이상의 극지방 상공에서 생긴다. 그러나 태양 활동이 활발해지면 오로라가 생기는 지역이 더 넓어진다.

정답

ⓖ 증가
ⓓ 플레어 ⓔ 11 ⓕ 증가
ⓐ 증가 ⓑ 많아 ⓒ 오로라

Ⅳ
태양계

플러스 노트

● **맨눈으로 본 밤하늘**

달의 겉모습이나 행성의 위치 정도만 확인할 수 있다. 달의 밝고 어두운 부분이 특정한 무늬처럼 보이고, 금성, 목성, 토성 등 행성은 별처럼 밝게 보인다.

● **가대의 종류에 따른 망원경**

＊ **경위대식 가대** : 망원경을 상하좌우로 움직일 수 있어 다루기 쉽지만 천체의 일주 운동을 추적하며 관측하기에는 불편하다.

＊ **적도의식 가대** : 지구 자전축과 평행한 극축과 이와 직각인 적위축으로 이루어져 있어 일주 운동을 하는 천체를 추적하면서 관측하기 유리하므로 천체 관측과 사진 촬영에 많이 이용된다.

망원경 ①

● **배율**

접안렌즈를 통해 눈으로 보여지는 물체의 상과 그 물체의 실제 크기의 비율이다.

용어풀이

구경(입 口, 지름 經) : 망원경에서 빛을 모으는 역할을 하는 대물렌즈의 지름

정답

올은 ⓒ

대물렌즈 ⓐ   접안렌즈 ⓑ

B 망원경 천체 관측

1 망원경으로 본 태양계 천체의 모습

① 망원경은 천체에서 오는 빛을 모아서 확대해 주므로 맨눈으로 보는 것보다 천체를 더 자세히 관측할 수 있다.

② 대물렌즈의 구경이 클수록 빛을 많이 모으므로 천체를 자세히 관측할 수 있다.

| ◉ 소형 망원경 – 달 | ◉ 대형 망원경 – 달 | ◉ 소형 망원경 – 목성 | ◉ 대형 망원경 – 목성 |

2 망원경의 분류

① 빛을 모으는 방법 : 굴절 망원경, 반사 망원경

굴절 망원경	반사 망원경
접안렌즈 대물렌즈 / 빛	주경 / 접안렌즈 / 평면 거울 / 빛
• 빛 모음 : 대물렌즈(볼록 렌즈) • 상 확대 : 접안렌즈(볼록 렌즈)	• 빛 모음 : 주경(오목 거울) • 상 확대 : 접안렌즈(볼록 렌즈)

• 배율 $= \dfrac{\text{대물렌즈의 초점 거리}}{\text{접안렌즈의 초점 거리}}$

• 대물렌즈는 고정되어 있으므로 접안렌즈를 교체하여 배율을 바꾼다.

• 배율을 높이면 상은 커지지만 어두워지고 시야가 좁아진다.

망원경 ②

② 경통을 설치하는 방법 : 경위대식 가대 망원경, 적도의식 가대 망원경

3 경위대식 가대 굴절 망원경의 구조

구조	기능
ⓐ	천체의 빛을 모은다.
ⓑ	천체의 상을 확대한다.
ⓒ	대물렌즈와 접안렌즈를 연결한다.
파인더	천체를 쉽게 찾을 수 있게 해 준다.
초점 조절 손잡이	접안렌즈를 움직여 초점을 맞춘다.
삼각대	망원경을 세우고 고정한다.
균형추	망원경의 균형을 잡는다.
가대	경통과 삼각대를 연결하며 경통의 방향을 조절한다.

대물렌즈 / 파인더(보조 망원경) / 경통 / 초점 조절 손잡이 / 접안렌즈 / 균형추 / 가대 / 삼각대

4 굴절 망원경으로 달 관측

① 편평한 곳에 삼각대를 수평으로 놓고, 삼각대 위에 가대를 설치한 후, 가대에 균형추를 부착한다.

② 가대 위에 경통을 올려 고정시킨 후 파인더를 부착한다.

③ 경통에 접안렌즈를 끼운 후 균형추를 이용하여 망원경의 균형을 맞춘다.

④ 경통과 파인더의 방향을 일치시키고 경통의 방향이 관측하려는 물체를 향하게 한 후 파인더의 십자선 중앙에 관측하고자 하는 천체가 오도록 맞춘다.

④ 접안렌즈로 천체를 보면서 초점을 조절한 후 천체를 관측한다.

➡ 처음에는 초점 거리가 긴 접안렌즈를 사용하여 낮은 배율로 관측하고 점차 초점 거리가 짧은 접안렌즈를 사용하여 높은 배율로 관측한다.

삼각대　가대　경통　파인더　접안렌즈　균형추

▲ 파인더

▲ 접안렌즈

⑤ 달의 표면 관측 결과

· 망원경으로 관측한 달은 맨눈으로 관찰한 달과 ⓐ _____ 가 바뀌어 보인다.

· 밝은 부분(달의 고지)과 어두운 부분(달의 바다)을 볼 수 있으며, 수많은 운석 구덩이를 볼 수 있다.

운석 구덩이 / 달의 바다 / 달의 고지

· 태양 광선이 비스듬히 비추어야 달의 지형에 그림자가 생겨서 입체적으로 잘 보이므로 보름달보다 초승달이나 반달일 때 관측하는 것이 좋다.

5 굴절 망원경으로 태양의 흑점 관측

① 접안렌즈에 태양 광선 차단판과 태양 투영판을 장치한다.

② 망원경을 태양 쪽으로 향하게 한 후 태양의 상이 태양 투영판에 나타나도록 한다.

태양 광선 차단판 / 태양 투영판

③ 태양의 상이 뚜렷해지도록 초점을 맞춘다.

④ 기록 용지 위에 태양의 윤곽을 그리고 흑점의 모양과 위치를 그린다.

⑤ 태양의 흑점 관측 결과

· 흑점 수는 계속 변하지만 며칠 사이에는 크게 변하지 않는다.

· 흑점은 동쪽에서 서쪽으로 이동한다.

➡ 태양이 서쪽에서 동쪽으로 ⓑ _____ 하기 때문이다.

북 / 서 처음　4일 후　8일 후

· 흑점의 이동 속도로 볼 때 태양의 자전 속도는 위도에 따라 다르다.

➡ 태양은 ⓒ _____ 로 되어 있기 때문이다.

플러스 노트

● **망원경 설치 장소**
＊ 주위가 확 트인 곳
＊ 주위의 조명이 적은 곳
＊ 습기가 적고 바람이 강하지 않은 곳
＊ 지반이 단단하고 바닥이 편평한 곳

● **달의 바다**
달의 바다는 지구의 바다처럼 물이 출렁거리는 곳이 아니다. 처음 달을 관측한 갈릴레이가 마치 지구의 바다처럼 어둡게 보여서 달의 바다라고 부르게 되었다.

● **지구에서 달의 같은 면만 보이는 이유**
달은 공전 주기와 자전 주기가 같으므로 지구에서 달을 관찰하면 달의 모양만 변할 뿐 달 표면의 무늬는 항상 같다. 달의 뒷모습을 촬영하려면 달 탐사선을 이용해야 한다.

⊕ 달의 앞면　⊕ 달의 뒷면

● **태양 광선 차단판**
천체 망원경을 통해 강한 햇빛을 직접 보게 되면 실명 등의 위험성이 매우 높다. 태양 광선 차단판은 태양으로부터 천체 망원경으로 들어오는 에너지의 양을 감소시킬 수 있도록 만들어진 필터이다.

정답

ⓐ 상하좌우 ⓑ 자전 ⓒ 기체

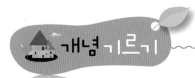

01 다음 중 태양에 대한 설명으로 옳지 <u>않은</u> 것은?

① 크기는 지구 지름의 약 109배이다.
② 태양의 중심 온도는 약 6,000 ℃정도이다.
③ 태양계 전체 질량의 거의 대부분을 차지한다.
④ 대부분 수소와 헬륨 등의 가벼운 기체로 구성되어 있다.
⑤ 태양계에서 스스로 빛을 내는 유일한 천체이다.

02 다음은 태양에서 볼 수 있는 모습이다. 이에 대한 설명으로 옳지 <u>않은</u> 것은?

① 태양 표면에서 관찰할 수 있다.
② 쌀알을 뿌려놓은 듯한 무늬이다.
③ 태양 내부의 대류 현상에 의해 생긴다.
④ 많은 양의 에너지가 방출되면서 나타난다.
⑤ 고온의 물질이 상승하는 부분은 밝게 보인다.

03 다음은 태양의 크기를 구하는 방법을 나타낸 것이다. 이에 대한 설명으로 옳지 <u>않은</u> 것은?

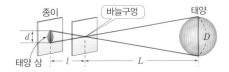

① 태양 상의 지름을 측정한다.
② 바늘구멍의 크기가 클수록 좋다.
③ 지구에서 태양까지의 거리를 알고 있어야 한다.
④ 바늘구멍에서 태양 상까지의 거리를 측정한다.
⑤ $L : l = D : d$ 의 비례식을 통해 태양의 크기를 구한다.

04 다음은 태양에서 관찰되는 모습이다. 이에 대한 설명으로 옳은 것은?

(가)　　　　(나)　　　　(다)

① (가)는 운석과 충돌하여 생긴 운석 구덩이다.
② (나)는 태양의 흑점 부근에서만 나타나는 불기둥이다.
③ (다)는 태양의 대기로 일출과 일몰 때 관찰 가능하다.
④ (가)는 주변보다 온도가 낮아서 상대적으로 어둡게 보인다.
⑤ (다)는 태양의 대기층으로 얼음과 드라이아이스로 구성되어 있다.

05 다음 중 태양의 활동이 활발할 때 나타나는 현상으로 옳지 <u>않은</u> 것은?

① 흑점 수가 많아진다.
② 플레어 현상이 자주 발생한다.
③ 온실 효과가 커져 지구의 기온이 높아진다.
④ 넓은 지역에 오로라 현상이 자주 나타난다.
⑤ 지구 자기장이 교란되고 자기 폭풍이 발생한다.

06 다음 〈보기〉에서 흑점 수에 대한 설명으로 옳은 것을 모두 고른 것은?

> **보기**
> ㉠ 약 7년을 주기로 흑점 수가 증감한다.
> ㉡ 흑점 수가 많아지면 플레어의 발생 횟수가 늘어난다.
> ㉢ 흑점 수가 많아지면 자기 폭풍 발생 일수가 줄어든다.

① ㉠　　　　　　　　② ㉡
③ ㉢　　　　　　　　④ ㉠, ㉡
⑤ ㉡, ㉢

07 다음 중 망원경에 대한 설명으로 옳은 것은?

① 굴절 망원경은 2개의 오목 렌즈를 사용한다.
② 반사 망원경은 오목 거울로 빛을 모은다.
③ 반사 망원경은 볼록 거울로 상을 확대시킨다.
④ 적도의식 가대는 망원경을 상하좌우로 움직일 수 있어 다루기 쉽다.
⑤ 경위대식 가대는 일주 운동을 하는 천체를 추적하면서 관측하기 유리하다.

08 다음 중 (   ) 안에 들어갈 알맞은 말을 순서대로 짝지은 것은?

> • 망원경은 (   )렌즈의 (   )이 클수록 천체를 자세히 관측할 수 있다.
> • 망원경은 (   )(를)을 설치하는 방법에 따라 경위대식 가대와 적도의식 가대로 분류한다.

① 대물, 두께, 렌즈
② 접안, 두께, 경통
③ 대물, 구경, 경통
④ 대물, 구경, 삼각대
⑤ 접안, 구경, 삼각대

09 다음 중 망원경을 설치하기에 적합한 장소로 옳지 <u>않은</u> 것은?

① 주위가 확 트인 곳
② 주위의 불빛이 적은 곳
③ 교통이 편리한 도시의 높은 빌딩
④ 지반이 단단하고 바닥이 편평한 곳
⑤ 습기가 적고 바람이 강하지 않은 곳

[10~11] 다음 그림은 망원경의 모습이다. 물음에 답하시오.

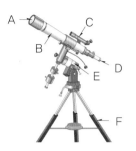

10 위 그림에서 천체의 빛을 모으는 부분과 천체의 상을 확대해 주는 부분을 바르게 짝지은 것은?

① A, B
② A, C
③ A, D
④ B, E
⑤ C, D

11 위 그림에서 천체를 쉽게 찾을 수 있게 해주는 부분의 기호는?

① A
② B
③ C
④ D
⑤ E

12 다음은 굴절 망원경으로 천체를 관측할 때 망원경의 설치 및 사용법을 순서 없이 나타낸 것이다. 바르게 나열한 것은?

> ㉠ 편평한 곳에 삼각대를 세우고 그 위에 가대를 고정한다.
> ㉡ 초점을 맞춘 후 접안렌즈로 천체를 관측한다.
> ㉢ 물체가 파인더의 십자선 중앙에 보이도록 조절한다.
> ㉣ 가대 위에 경통을 얹고, 경통을 움직이면서 망원경의 균형을 맞춘다.

① ㉠-㉡-㉢-㉣
② ㉠-㉣-㉢-㉡
③ ㉡-㉠-㉣-㉢
④ ㉣-㉢-㉠-㉡
⑤ ㉣-㉢-㉡-㉠

태양계

01 다음은 태양의 표면을 찍은 사진이다. 태양 표면에 불규칙한 모양으로 나타나는 검은 점을 흑점이라고 한다. 흑점이 검게 보이는 이유를 서술하시오.

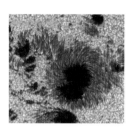

03 망원경은 주로 주위의 불빛이 없는 높은 산에 설치하거나 우주 공간에 설치하기도 한다. 망원경을 우주 공간에 설치했을 때의 장점을 서술하시오.

02 태양의 흑점을 관측해 보면 위치가 이동하는데, 적도 지방과 극지방에서 이동 속도가 서로 다르다. 이 현상으로 알 수 있는 것을 서술하시오.

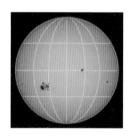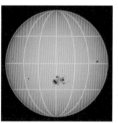

논술형

04 태양은 지구에 생물이 살아가는 데 필요한 빛과 에너지를 제공한다. 만약 태양이 갑자기 없어진다면 지구에 나타날 수 있는 현상을 3가지 서술하시오.

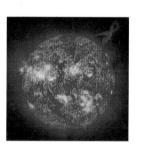

S TEAM 태양의 활발한 활동으로 인한 태양 폭풍

태양은 지구에서 약 1억 5천만 km 떨어진 곳에서 지구 생명체가 생존하는 데 필요한 에너지를 공급하고 있다. 태양 에너지의 근원은 핵융합 반응에서 나온다. 태양 중심부에는 초당 3.4×10^{38}개의 수소 원자핵이 헬륨 원자핵으로 변화하면서 초당 426만 톤의 물질이 에너지로 바뀐다. 이 에너지는 오랜 세월에 걸쳐 태양 표면으로 나오면 지구까지 불과 8분여 만에 도달한다.

태양의 표면은 매우 복잡한 구조이다. 특히 태양 중심부에서 강력한 에너지가 생성되면 이로 인해 표면에 강력하고 거대한 자기장이 형성된다. 자기장에 의해 대류 현상이 억제되면 표면 온도가 상대적으로 낮아져 흑점이 생긴다. 흑점은 보통 쌍(N극, S극)으로 나타나며, 흑점 위로 자기장을 따라 고리처럼 홍염이 생긴다. 그런데 태양의 자전 주기가 극지방(35일)과 적도 지방(25일)이 서로 다르기 때문에 자기장이 늘어지고 흑점 쌍이 떨어진다. 흑점이 모인 곳에서는 자기장의 작용으로 인해 태양 폭풍(태양 폭발)이 발생한다. 태양 폭풍은 막대한 양의 에너지를 가진 입자와 전기를 띤 입자들을 한꺼번에 방출한다.

1989년 3월 13일 북반구 전역에서 수백만 명이 오로라를 목격했다. 이것은 수백 km 상공에서 발생한 충돌의 명백한 증거이다. 태양은 생존에 필요한 모든 것을 우리에게 제공하지만, 우리를 지켜주는 지구 자기장이 없다면 순식간에 모든 것을 빼앗아 갈 수도 있다.

태양 표면의 흑점 수와 태양 폭풍은 11년을 주기로 강약을 반복한다. 2013년에 태양 활동 극대기가 있었으므로 다음은 2024년으로 예상된다.

태양 폭풍

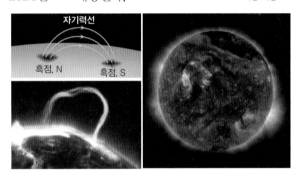

N
태양계

01 태양 폭풍이 발생하면 극지방에 큰 오로라가 자주 발생한다. 태양 폭풍이 발생하면 오로라 외에 나타나는 현상을 <u>3가지</u> 서술하시오.

논술형

02 태양 폭풍이 발생하면 지구 자기장이 교란되어 선박과 비행기의 항해에 문제를 일으키기도 하고, 전리층이 교란되어 통신 장애가 생기기도 하며, 유도 전류에 의해 금속성 물질에 전류가 흐르기도 한다. 태양 폭풍에 의한 피해를 줄일 수 있는 방법을 <u>3가지</u> 서술하시오.

STEAM 지구 모형의 크기 측정

에라토스테네스의 지구 크기 측정 방법을 이용하여 지구 모형의 크기를 측정해 보자.
[준비물] 지구 모형, 빨판이 달린 막대 2개, 각도기, 줄자, 실, 접착테이프

실험

① 햇빛이 잘 비치는 곳에 지구 모형을 놓고, 지구 모형의 어느 한 지점에 막대 AA′를 그림자가 생기지 않도록 세운다.
② 막대 AA′와 같은 경도상의 다른 지점에 막대 BB′를 세운다.
③ 줄자를 이용하여 두 막대 사이의 거리(l)를 측정한다.
④ 막대 BB′의 끝과 그림자 끝 C를 실로 연결했을 때 생기는 각 ∠BB′C(θ)를 측정한다. 이때 그림자가 지구 모형 구면의 뒤쪽으로 넘어가서 끝이 흐려지면 측정값에 오차가 커지므로 막대를 너무 길게 하지 않는다.
⑤ 두 막대 사이의 거리(l)와 각 ∠BB′C(θ)를 이용하여 지구 모형의 둘레와 반지름을 구한다.

01 AA′와 BB′를 같은 경도상에 위치하게 하는 이유를 서술하시오.

02 각 ∠BB′C와 두 막대 사이의 거리를 측정하시오.

• 각 ∠BB′C :

• 두 막대 사이의 거리 :

03 측정값을 이용하여 지구 모형의 둘레와 반지름을 구하시오.

• 지구 모형의 둘레 :

• 지구 모형의 반지름 :

04 에라토스테네스의 방법을 이용하여 구한 지구 모형의 둘레를 줄자로 직접 측정한 값과 비교하고, 오차가 생겼다면 원인을 서술하시오.

V 별과 우주

● 2015 개정 교육과정 교과서

중학교 1~3학년 군 : 3학년 7단원 별과 우주

● 다른 학년과의 연계

5~6학년 군 : 태양계와 별
통합과학 : 물질의 규칙성과 결합
지구과학 I : 외부 은하와 우주 팽창
지구과학 II : 우리은하와 우주의 구조

15 별과 별자리

● **별자리**
국제천문연맹(IAU)에서 88개의 별자리를 정했다. 황도를 따라 12개, 북반구에 28개, 남반구에 48개가 있다. 우리나라에서는 이 중 50개 이상을 볼 수 있다.

● **별자리 이용**
밤에 방위를 판단하는 데 이용하며, 밤하늘의 다른 천체를 찾는 길잡이 역할을 한다.

● **계절별 별자리 관측**
계절별 대표적인 별자리는 각 계절 밤 9시쯤 남쪽 하늘에서 가장 잘 보이는 별자리이다. 그러나 별들은 한 시간에 15°씩 동쪽에서 서쪽으로 이동하므로, 하짓날이라도 새벽에는 동쪽 하늘에서 가을철 별자리의 일부를 볼 수 있고, 초저녁에는 서쪽 하늘에서 봄철 별자리의 일부를 볼 수 있다. 하지만 겨울철 별자리는 태양의 반대편에 있으므로 여름철에 관측할 수 없다.

● **계절별 별자리 암기법**
* **봄** : 봄 <u>처녀</u>가 <u>목동</u>을 <u>사</u>랑했대.
             └사자자리
* **여름** : 여름 <u>백조</u>는 <u>독수리</u> 밥인고
    안드로메다자리   └거문고자리
* **가을** : <u>카</u>페 안에 <u>물고기</u>
      └가을   └페가수스자리
* **겨울** : 겨울이 <u>오</u>니 <u>큰개</u>가 <u>작은개</u>를 낳았어.
        └오리온

A 별의 위치와 별자리

1 별의 위치 : 방위각과 고도로 나타낸다.

① **천구** : 지구를 둘러싸고 있는 큰 가상의 구

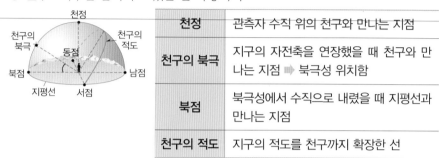

천정	관측자 수직 위의 천구와 만나는 지점
천구의 북극	지구의 자전축을 연장했을 때 천구와 만나는 지점 ➡ 북극성 위치함
북점	북극성에서 수직으로 내렸을 때 지평선과 만나는 지점
천구의 적도	지구의 적도를 천구까지 확장한 선

② **지평 좌표계** : 별의 위치를 표현할 때 관측자가 중심이 되는 좌표계

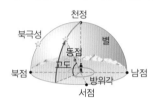

방위각 (0~360°)	북점에서부터 지평선을 따라 시계 방향으로 회전한 각도
고도 (0~90°)	지평선에서 별이 있는 곳까지 수직으로 잰 각도

• **특징** : 쉽게 별을 찾을 수 있지만, 관측자의 위치와 시각에 따라 변한다.
• **북극성** : 북반구 기준으로 방위각은 0°, 고도는 그 지방의 위도와 같다.

2 별자리 : 별을 연결하여 신화 속 인물이나 동물, 물건의 이름을 붙인 것

① **북쪽 하늘의 별자리** : 북극성 주변의 별자리는 1년 내내 볼 수 있다. 예 작은곰자리, 큰곰자리, 카시오페이아자리, 세페우스자리 등

② **계절의 대표적인 별자리** : 각 계절 밤 9시쯤 ⓐ 쪽 하늘에서 잘 보이는 별자리

• ⓑ 철 별자리 : 처녀자리, 목동자리, 사자자리
• ⓒ 철 별자리 : 백조자리, 독수리자리, 거문고자리
• ⓓ 철 별자리 : 페가수스자리, 안드로메다자리, 물고기자리
• ⓔ 철 별자리 : 오리온자리, 큰개자리, 작은개자리

별자리

⬥ 봄철 별자리

⬥ 가을철 별자리

⬥ 겨울철 별자리

⬥ 여름철 별자리

③ **계절마다 다른 별자리가 관측되는 이유** : 지구가 태양 주위를 공전하기 때문이다.

3 별자리판 : 밤하늘의 별자리 배치를 쉽게 알 수 있도록 한 기구

① **북극성의 위치** : 북극성은 지구 자전축 위에 위치하기 때문에 항상 같은 자리에서 보인다.

② **사용법**

- 별자리판 눈금의 날짜와 시각을 맞춘다.
- 별자리판에 표시된 북쪽이 실제 북쪽을 향하도록 머리 위로 들어 올린다.
- 별자리판에 나타난 별자리와 실제 밤하늘의 별자리를 비교하면서 별자리를 관찰한다.

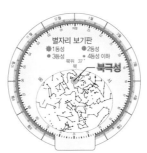

B 별까지의 거리

1 시차

① **시차** : 한 물체를 서로 다른 방향에서 볼 때 생기는 각

② 시차는 물체까지의 거리에 ⓐ＿＿＿＿ 한다.

- 가까운 물체 : 시차가 크다.
- 먼 물체 : 시차가 작다.

2 연주 시차

① **연주 시차** : 지구 공전 궤도 양쪽 끝에서 별을 보았을 때 나타나는 시차의 ⓑ＿＿＿ [단위 : ″(초)]

- 연주 시차 : 별 A > 별 B
- 지구에서 별까지의 거리
  : 별 A < 별 B
  ➡ 지구와 가까이 있는 별일수록 연주 시차가 ⓒ＿＿ 다.

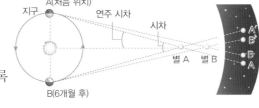

② **연주 시차와 별까지의 거리** : 연주 시차와 별까지의 거리는 반비례한다.

$$별의\ 거리(pc) = \frac{1}{연주\ 시차(″)}\quad [단위 : pc(파섹),\ 광년(LY)]$$

더 알아보기

[별까지 거리를 구하는 방법]
① 32.6광년(10 pc) 이내의 가까운 별 : 연주 시차 이용
② 약 6천만 광년 정도 떨어져 있는 별 : 변광성 이용
③ 약 6천만 광년 이상 떨어져 있는 별 : 초신성 이용
④ 아주 멀리 떨어져 있는 별 : 우주의 팽창 이용

플러스 노트

● **각도의 단위**
1°(도)=60′(분)=3600″(초)

● **거리 단위**
＊ 1 pc(파섹) : 연주 시차가 1″인 별까지의 거리, 1 pc=3.26광년
＊ 1광년(LY) : 빛이 1년 동안 가는 거리, 1광년≒9.5×10¹²km.

● **가장 가까운 별의 연주 시차**
태양을 제외하고 지구에서 가장 가까운 별은 센타우루스 자리에 있는 프록시마 센타우리이다. 프록시마 센타우리의 연주 시차는 0.77″이다.

용어풀이

연주 시차(해 年, 둘레 周, 볼 視, 차이 差) : 지구가 태양을 중심으로 돌면서 별이 보이는 위치가 달라져 생기는 시차의 $\frac{1}{2}$

정답

ⓐ 반비례 ⓑ $\frac{1}{2}$ ⓒ 크

플러스 노트

C 별의 밝기와 거리

1 별의 밝기와 등급

① 히파르코스는 눈에 보이는 별 중에서 가장 밝은 별을 1등성, 가장 어두운 별을 6등성으로 정하였다.

② 등급 값이 작을수록 ⓐ　　　 별이다.

③ 1등급은 6등급보다 약 ⓑ　　　 배 밝고, 1등급 사이의 밝기 차이는 약 ⓒ　　　 배이다.

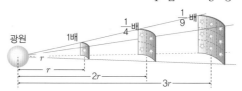

등급 차	1	2	3	4	5
밝기 차(배)	2.5	$2.5^2(≒6.3)$	$2.5^3(≒16)$	$2.5^4(≒40)$	$2.5^5(≒100)$

④ 거리가 2배, 3배 멀어지면 별빛의 밝기는 $\frac{1}{4}(\frac{1}{2^2})$배, $\frac{1}{9}(\frac{1}{3^2})$배로 줄어든다.

⑤ 겉보기 등급과 절대 등급

겉보기 등급	절대 등급
• 별까지의 ⓓ　　　에 관계없이 눈에 보이는 별의 밝기 등급 • 겉보기 등급이 작을수록 우리 눈에 밝게 보인다.	• 지구에서 32.6광년(10 pc)의 거리에 있다고 가정한 별의 밝기 등급 • 별이 실제로 방출하는 에너지양을 비교할 수 있다. • 절대 등급이 작을수록 실제로 밝은 별이다.

2 별의 등급과 거리

① 겉보기 등급 ⓔ　　　 절대 등급 : 10 pc보다 가까운 거리에 있는 별

② 겉보기 등급 ⓕ　　　 절대 등급 : 10 pc 거리에 있는 별

③ 겉보기 등급 ⓖ　　　 절대 등급 : 10 pc보다 먼 거리에 있는 별

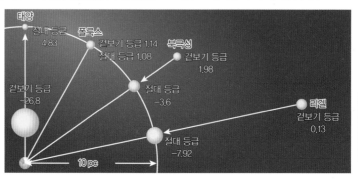

별의 밝기

● 등성과 등급

* 등성 : 히파르코스가 맨눈으로 본 별의 밝기를 1등성에서 6등성까지 6단계로 나타낸 것

* 등급 : 포그슨에 의해 1등성은 6등성보다 100배 밝다는 것이 밝혀진 이후, 1등급 차이마다 밝기 차이를 약 2.5배가 되도록 정한 별의 밝기

● 여러 천체의 겉보기 등급과 절대 등급(위키백과 기준)

천체	겉보기 등급	절대 등급
북극성	1.98	-3.6
시리우스	-1.47	1.42
태양	-26.8	4.83
보름달	-12.74	-
금성	-4.6	-
목성	-2.94	-
폴룩스	1.14	1.08
베가(직녀성)	0.00	0.58
알타이르 (견우성)	0.77	2.21
리겔	0.13	-7.92

정답

ⓐ 밝은 ⓑ 100 ⓒ 2.5
ⓓ 거리 ⓔ < ⓕ = ⓖ >

3 별의 밝기를 결정하는 요인

① 같은 거리에 있는 별이라도 실제로 방출하는 에너지양이 많으면 ⓐ____ 게 보이고, 적으면 ⓑ____ 게 보인다.

② 실제로 방출하는 에너지양이 같은 별이라도 지구로부터의 거리가 가까우면 ⓒ____ 게 보이고, 멀면 ⓓ____ 게 보인다.

D 별의 색깔과 표면 온도

1 별의 색깔 : 별의 표면 ⓔ____ 가 다르기 때문에 별마다 색깔이 다르다.

2 별의 색깔과 표면 온도 : 표면 온도가 높은 별일수록 ⓕ____ 색으로 보이고 별의 표면 온도가 낮을수록 붉은색으로 보인다.

별의 색깔	파란색	청백색	백색	황백색	노란색	주황색	붉은색
표면 온도 (℃)	28,000 이상	10,000 ~28,000	7,500 ~10,000	6,000 ~7,500	5,000 ~6,000	3,500 ~5,000	3,500 이하
	높다. ← → 낮다.						
예	민타카	레굴루스	시리우스	프로키온	카펠라	알데바란	베텔게우스

탐구

[별의 색깔과 표면 온도]

· **실험 과정**

① 전등을 1단으로 켜고 0.5 cm 떨어진 곳에서 온도를 측정하고, 간이 분광기로 전등에서 나온 빛의 붉은색, 초록색, 파란색의 밝기를 관찰한다.

② 전등의 밝기를 2단, 3단으로 높이면서 온도를 측정하고, 간이 분광기로 각 색에 해당하는 빛의 상대적인 밝기 세기 변화를 관찰한다.

◆ 전등 1단 스펙트럼

◆ 전등 3단 스펙트럼

· **실험 결론**

① 전등의 밝기가 밝아질수록 온도가 높아진다.

② 전등의 온도가 높아질수록 ⓖ____ 색을 띠는 빛의 밝기 세기 변화량이 가장 크다.

③ 별의 온도가 높을수록 파란색으로 보인다.

● **별의 밝기와 크기**

일반적으로 표면 온도가 높으면 밝기 때문에 별은 파란색을 띠는 경우가 있다. 그러나 별의 밝기를 결정하는 데에는 온도뿐만 아니라 별의 크기도 영향을 준다. 같은 색깔의 별이라도 큰 별일수록 밝다.

● **분광기**

프리즘을 이용하여 물질이 방출 또는 흡수하는 빛을 나누는 장치이다. 분광기로 햇빛을 관찰하면 여러 가지 색깔로 이루어진 연속 스펙트럼이 나타나고, 형광등을 관찰하면 빨간색, 초록색, 파란색 선 스펙트럼이 나타난다.

◆ 햇빛 스펙트럼

◆ 형광등 스펙트럼

정답

ⓕ 파랑 ⓖ 파랑
ⓐ 밝 ⓑ 어둡 ⓒ 밝 ⓓ 어둡 ⓔ 온도

V

별과 우주

01 다음은 천구에 있는 별 S의 위치를 나타낸 것이다. 이에 대한 설명으로 옳지 <u>않은</u> 것은?

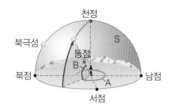

① A는 별 S의 방위각이다.
② B는 별 S의 고도이다.
③ A와 B는 0~180° 사이 값을 갖는다.
④ A와 B는 관측자의 위치나 시각에 따라 변한다.
⑤ 별 S의 위치는 A와 B를 이용하여 나타낸다.

02 다음 중 북극성 근처의 북쪽 하늘에서 항상 관측할 수 있는 별자리로 바르게 짝지어진 것은?

① 작은곰자리, 큰곰자리, 카시오페이아자리
② 사자자리, 페가수스자리, 전갈자리
③ 큰곰자리, 오리온자리, 독수리자리
④ 백조자리, 처녀자리, 카시오페이아자리
⑤ 물고기자리, 오리온자리, 큰곰자리

03 다음 중 별자리에 관한 설명으로 옳은 것은?

① 국제천문연맹에서 정한 88개의 별자리는 지구 어느 곳에서도 모두 관찰할 수 있다.
② 계절의 대표적인 별자리는 밤 9시경 북쪽 하늘에서 잘 보이는 별자리이다.
③ 100년 마다 밤하늘의 별자리 모습이 조금씩 달라진다.
④ 같은 지역에서 계절에 따라 볼 수 있는 별자리가 달라진다.
⑤ 계절마다 별자리가 달라지는 이유는 지구가 자전하기 때문이다.

04 다음 〈보기〉의 별자리가 관찰되는 계절을 바르게 짝지은 것은?

> **보기**
> (가) 목동자리의 아크투르스, 처녀자리의 스피카, 사자자리의 데네볼라가 대삼각형을 이룬다.
> (나) 작은개자리의 프로키온, 큰개자리의 시리우스, 오리온자리의 베텔게우스가 대삼각형을 이룬다.

	(가)	(나)		(가)	(나)
①	겨울	여름	②	봄	겨울
③	가을	봄	④	봄	가을
⑤	여름	겨울			

05 다음 그림의 별자리들을 관찰할 수 있는 계절과 이 계절의 별자리 이름을 바르게 연결한 것은?

① 봄-목동자리   ② 여름-백조자리
③ 여름-사자자리   ④ 가을-페가수스자리
⑤ 겨울-작은개자리

06 다음 표는 지구에서 1등급으로 보이는 별 A, B, C의 연주 시차를 나타낸 것이다. 이에 대한 설명으로 옳지 <u>않은</u> 것은?

별	A	B	C
연주 시차(″)	0.1	0.2	0.5

① 실제로 가장 밝은 별은 별 A이다.
② 별 C는 지구에서 2 pc 떨어져 있다.
③ 연주 시차와 별까지의 거리는 반비례한다.
④ 별 B의 빛이 지구로 오는 데 걸리는 시간은 32.6년이다.
⑤ 지구와 10 pc 이내에 있는 별까지의 거리를 구하는 방법이다.

07 다음 중 별의 밝기와 등급에 대한 설명으로 옳은 것은?

① 1등급 별은 6등급 별보다 100배 밝다.
② 등급의 숫자가 클수록 밝은 별이다.
③ 1등급의 밝기 차이는 5배이다.
④ 별의 거리가 2배 멀어지면 밝기는 $\frac{1}{2}$배 어두워진다.
⑤ 히파르코스는 맨눈으로 본 별의 밝기를 1등성에서 10등성까지의 단계로 나타내었다.

08 다음 그림은 거리에 따른 별의 밝기 관계를 나타낸 것이다. A 위치에서 별 S가 4등급으로 보였다면, B 위치에서 별 S는 몇 등급으로 보이는가?

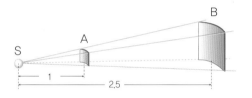

① 1등급 　　　　② 2등급
③ 3등급 　　　　④ 5등급
⑤ 6등급

09 다음 중 별의 겉보기 등급과 절대 등급에 대한 설명으로 옳은 것은?

① 겉보기 등급이 클수록 우리 눈에 밝게 보인다.
② 겉보기 등급은 별의 실제 밝기를 비교할 때 사용한다.
③ 겉보기 등급과 절대 등급이 같으면 지구에서 10광년 떨어져 있다.
④ 별이 지구로부터 3.26광년 떨어져 있을 때의 밝기를 절대 등급이라고 한다.
⑤ 겉보기 등급이 같아도 지구에서 떨어져 있는 거리가 다르면 절대 등급이 다르다.

[10~11] 다음 표는 여러 별들의 겉보기 등급과 절대 등급을 나타낸 것이다. 물음에 답하시오.

별	겉보기 등급	절대 등급
태양	−26.8	4.83
알타이르(견우성)	0.77	2.21
베가(직녀성)	0.00	0.58
북극성	1.98	−3.6
시리우스	−1.47	1.42

10 위의 표에서 지구에서 보았을 때 가장 밝게 보이는 별과 실제로 가장 밝은 별을 바르게 짝지은 것은?

　　가장 밝게 보이는 별　　실제로 가장 밝은 별
① 　　베가 　　　　　　시리우스
② 　알타이르 　　　　　　베가
③ 　시리우스 　　　　　알타이르
④ 　　태양 　　　　　　북극성
⑤ 　북극성 　　　　　　태양

11 위의 표에서 지구에서 32.6광년보다 멀리 떨어져 있는 별들로만 묶은 것은?

① 북극성 　　　　② 태양, 시리우스
③ 알타이르, 베가 　④ 베가, 북극성
⑤ 태양, 알타이르, 베가, 시리우스

12 다음 중 표면 온도가 가장 높은 별은 무엇인가?

① 겉보기 등급이 1등급인 백색별
② 겉보기 등급이 −4등급인 노란색별
③ 겉보기 등급이 0등급인 파란색별
④ 겉보기 등급이 −2등급인 붉은색별
⑤ 겉보기 등급이 3등급인 주황색별

01 다음 표는 별의 등급 차에 따른 밝기 차를 나타낸 것이다. 절대 등급이 2등급인 어떤 별까지의 실제 거리가 2.5 pc일 때 이 별의 겉보기 등급을 풀이 과정과 함께 구하시오.

등급 차	1	2	3	4	5	6
밝기 차(배)	2.5	6.3	16	40	100	250

02 다음 그림은 A 위치에서 별 S를 관측하고 6개월 후 B 위치에서 다시 관측한 것을 나타낸 것이다. 별 S가 S_A 위치에서 S_B 위치로 이동한 것처럼 보이는 이유를 서술하시오.

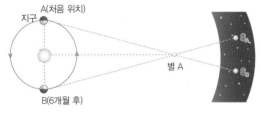

03 절대 등급이 3등급인 별이 10,000개 모여 있는 천체가 있다. 이 천체가 관측자로부터 1,000 pc의 거리에 있다면 이 천체의 겉보기 등급을 풀이 과정과 함께 구하시오.

논술형

04 맑은 밤하늘에 셀 수 없을 만큼 많은 별이 빛나고 있다. 하늘에 보이는 별의 개수를 알아내는 방법을 서술하시오.

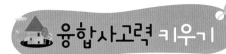

S TEAM 밝기가 변하는 별, 변광성

새로운 종류의 별이 발견돼 별의 내부 구조와 진화 연구에 도움을 줄 것으로 보인다.

유럽남방천문대(ESO)는 12일 새로운 종류의 변광성을 발견했다고 발표했다. 변광성(變光星)은 시간에 따라 밝기가 변하는 별로, 밝기 변화를 일으키는 원인에 따라 여러 종류로 나누어진다.

제네바대학교 연구팀은 7년 동안 칠레에 있는 1.2 m 오일러 망원경을 이용해 성단 NGC 3766에 있는 3천 개 이상의 별을 지속해서 관측했다. 성단은 거대한 가스 운에서 거의 동시에 탄생한 별들이 수백 개 이상 모여 있는 집단이다. 관측한 별 중 36개 별은 밝기가 일정하지 않았고, 약 2시간에서 20시간을 주기로 밝기의 0.1 % 정도가 주기적으로 변하고 있었다. 이 별들은 태양보다 뜨겁고 밝으며, 다른 특징은 태양과 뚜렷하게 구별되지 않았다.

연구팀은 색, 등급 등 여러 특성을 분석한 결과, 발견한 별들이 이전에는 알려지지 않았던 새로운 종류의 변광성이라는 사실을 밝혔다. 밝기 변화의 원인은 아직 완벽히 파악되지 않았지만, 이 별들은 매우 빠른 속도로 회전하고 있었다. 이번 발견은 현재 이론으로는 설명하기 힘든 변광성의 내부 구조와 기원을 밝히는 데 도움을 줄 수 있다.

○ 성단 NGC 3766

01 변광성은 별이 밝고 어두워지는 주기가 길수록 절대 등급이 낮다. 절대 등급을 알면 변광성의 겉보기 등급과의 차이로 별까지의 거리를 알 수 있다. 절대 등급이 4등급이고 겉보기 등급이 9등급인 변광성까지의 거리를 구하시오.

02 변광성은 수축하면 부피가 작아지고 온도가 높아져 밝게 빛이 나지만 팽창하면 온도가 낮아져 어두워지는 맥동 변광성, 별이 폭발하면서 잠시 동안 별의 밝기가 변하는 폭발 변광성 등이 있다. 두 개의 별로 이루어진 변광성의 밝기가 변할 수 있는 경우를 서술하시오.

변광성

V

별과 우주

은하와 우주

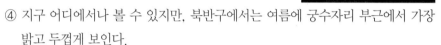

● 은하수의 뜻

은하수는 한자어로 '은빛 나는 강'이라는 뜻이다. 우리나라에서는 용이 사는 강이라는 뜻으로 '미리내'라고도 불렸다. 그리스 신화에서 헤라클레스가 태어났을 때 먹었던 헤라 여신의 젖이 하늘로 흘러 은하수가 되었다고 하여, 영어로는 'Milky Way'라고 한다.

● 우리은하에서 태양계 위치

태양계는 나선팔에 위치하므로 은하 중심 방향인 궁수자리 쪽이 폭이 넓고 밝게 보인다. 만약 태양계가 우리은하 중심에 있었다면 하늘의 모든 방향에 별이 많이 분포하므로 모든 방향에서 똑같은 밝기로 보일 것이다.

용어풀이

나선형(소라 螺, 돌 旋, 모양 形) : 소라 껍데기처럼 빙빙 감아올린 것

은하수(은 銀, 강 河, 물 水) : 은빛이 나는 강이라는 의미로, 무수히 많은 별들이 분포하는 곳

정답

ⓐ 원반 ⓑ 나선팔 ⓒ 5
ⓓ 3 ⓔ 궁수

A 우리은하

1 은하수

① 맑은 날 밤하늘을 한 바퀴 휘감고 있는 희뿌연 띠 모양으로 보이는 별들의 집단이다.

② 우리 은하의 일부분이다.

③ 관측 장소에 따라 보이는 폭과 밝기가 다르다.

④ 지구 어디에서나 볼 수 있지만, 북반구에서는 여름에 궁수자리 부근에서 가장 밝고 두껍게 보인다.

⑤ 은하수의 한가운데 부분이 어둡게 보인다. ➡ 성간 물질이 밀집되어 있어서 뒤에서 오는 별빛을 차단하기 때문이다.

2 우리은하

① 은하 : 별, 성운, 성단 및 성간 물질로 이루어진 거대한 천체

② 우리은하 : 태양계가 속해 있는 은하

③ 우리은하의 구조

우리은하

옆에서 본 모습	위에서 본 모습
중심부가 볼록한 ⓐ____ 모양	막대 모양의 중심부에서 나선팔이 뻗어 나온 ⓑ____ 모양
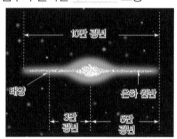	

• 반지름은 약 ⓒ____ 만 광년이다.

• 태양계는 은하의 중심부에서 약 ⓓ____ 만 광년 떨어진 나선팔에 위치한다.

• 우리은하에는 약 2,000억 개의 별이 포함되어 있다.

• ⓔ____ 자리 쪽에 많은 별이 분포한다. ➡ 지구가 은하 중심 방향 쪽을 보고 있는 여름에는 은하수가 밝고 뚜렷하게 보이고, 은하의 가장자리 쪽을 보고 있는 겨울에는 은하수가 희미하게 보인다.

겨울철 은하수

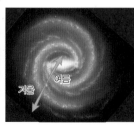

여름철 은하수

3 우리은하의 구성원

① ⓐ   : 수많은 별들이 모여서 무리지어 있는 집단

구분	산개 성단	구상 성단
모양	수백~수만 개의 별들이 불규칙한 모양으로 비교적 허술하게 모여 있는 성단 ◎ 산개 성단－플레이아데스 성단	수만~수십만 개의 별들이 공 모양으로 빽빽하게 모여 있는 성단 ◎ 구상 성단－궁수자리, M22
별의 색과 온도	주로 파란색을 띠는 ⓑ 별들로 이루어져 있고, 표면 온도가 높다.	주로 ⓒ 색을 띠는 늙은 별들로 이루어져 있고, 표면 온도가 낮다.
분포 위치	• 약 1,000여 개 정도 발견 • 주로 나선팔에 분포한다.	• 약 150여 개 정도 발견 • 우리은하의 중심부나 우리은하를 둘러싸고 있는 구형의 공간에 고르게 분포한다.
예	황소자리의 플레이아데스 성단, 방패자리의 M11 등	궁수자리의 M22, 사냥개자리의 M3 등

② ⓓ   : 가스와 작은 티끌들이 옅게 분포하는 별들 사이의 공간으로 주로 나선팔 영역에 분포한다. ➡ 성간 물질이 밀집한 곳은 별빛을 차단하여 어둡게 보인다. 예 은하수의 어두운 부분

③ ⓔ   : 성간 물질이 다른 곳에 비해 많이 모여 있어 뿌연 구름처럼 보이는 곳

• 방출 성운(발광 성운) : 주변에 있는 고온의 별로부터 별빛을 흡수하여 스스로 빛을 내면서 밝게 보이는 성운으로 주로 붉은색을 띤다.
  예 오리온 대성운, 장미 성운 등

• 반사 성운 : 주변의 별빛을 반사하여 밝게 보이는 성운으로 주로 파란색을 띤다.
  예 마귀할멈 성운, 플레이아데스 성운 등

• 암흑 성운 : 성간 물질이 뒤에서 오는 별빛을 차단하여 어둡게 보인다.
  예 말머리 성운, 삼렬 성운 등

◎ 방출 성운－오리온 대성운

◎ 반사 성운－마귀 할멈 성운

◎ 암흑 성운－말머리 성운

플러스 노트

● 우리은하 구성원의 분포

● 성간 물질의 종류
성간 물질에는 성간 티끌과 성간 가스가 있다. 방출 성운은 성간 가스의 영향을 받은 것이고, 반사 성운과 암흑 성운은 성간 티끌의 영향을 받은 것이다. 성간 물질의 밀도가 높은 곳에서는 성운이 관측되거나 새로운 별이 탄생하기도 한다.

● 방출 성운과 반사 성운의 차이점
방출 성운은 성운 내부에 고온의 별이 있어 스스로 빛을 내고, 반사 성운은 주변의 밝은 별빛을 반사한다.

용어풀이
구상 성단(공 球, 모양 狀, 별 星, 둥글 團) : 별들이 공 모양으로 모여 있는 성단

산개 성단(흩어질 散, 열 開, 별 星, 둥글 團) : 별들이 흩어져 있는 성단

정답

ⓐ 성단 ⓑ 젊은 ⓒ 붉은
ⓓ 성간 물질 ⓔ 성운

V
별과 우주

플러스 노트

● **천체들의 규모 비교**
  행성<태양계<성단, 성운<우리은하

● **외부 은하**

◆ 타원 은하-M49   ◆ 정상 나선 은하
                      -안드로메다 은하

◆ 막대 나선 은하   ◆ 불규칙 은하
  -우리은하   -마젤란 은하

● **우주 팽창의 증거**
  외부 은하가 관측자로부터 멀어지면 별의 스펙트럼에 나타난 검은색의 띠가 붉은색 쪽으로 치우치는 적색 편이가 나타난다. 적색 편이가 나타나는 이유는 은하들이 멀어지는 운동을 하고 있기 때문이 아니라 공간 자체가 넓어져 은하들 사이의 거리가 증가하기 때문이다.

▲정지 상태일 때

적색 편이

▲별이 지구와 멀어질 때

정답

ⓐ 타원   ⓑ 정상 나선
ⓒ 막대 나선   ⓓ 불규칙
ⓔ 팽창   ⓕ 중심
ⓖ 대폭발

B 외부 은하

1 외부 은하 : 우리은하 밖의 우주 공간에 분포하는 수많은 은하

2 외부 은하의 분류 : 형태에 따라 구분한다.

① ⓐ_____ 은하 : 나선팔이 없으며 구형에 가깝거나 납작한 타원 모양 **예** M49

② 나선 은하

• ⓑ_____ 은하 : 은하 중심에서 나선팔이 휘어져 나온 은하 **예** 안드로메다 은하

• ⓒ_____ 은하 : 은하의 중심을 가로지르는 막대 모양의 끝에 나선팔이 휘어져 나온 은하 **예** 우리은하

③ ⓓ_____ 은하 : 규칙적인 모양이 없는 은하 **예** 마젤란 은하

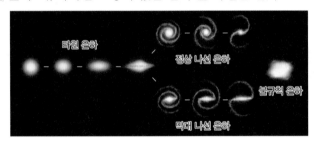

타원 은하   정상 나선 은하   불규칙 은하
          막대 나선 은하

C 우주의 팽창

1 우주의 팽창 : 우주는 팽창하고 있으며 팽창하는 우주의 중심은 없다.

 탐구

[우주의 팽창]
고무풍선 표면에 별 모양 스티커를 띄엄띄엄 붙인 후 공기를 넣어 크게 부풀린다.
① 별 모양 스티커는 은하이고 풍선은 우주에 비유된다.
② 풍선을 불면 스티커가 서로 멀어진다. ➡ 우주의 ⓔ_____ 에 의해 다른 은하들이 멀어진다.
③ 각 스티커들의 중심을 정할 수 없다. ➡ 팽창하는 우주에서는 특별한 ⓕ_____ 을 정할 수 없다.

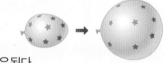

2 ⓖ_____ (빅뱅) 이론

① 약 137억 년 전 한 점에 모여 있던 우주가 대폭발을 일으켜 급격히 팽창하면서 우주의 온도가 낮아져 별과 은하가 만들어지면서 현재의 우주가 만들어졌다.

② 우리은하에서 더 멀리 있는 외부 은하일수록 더 빨리 멀어진다.

시간의 흐름
우주 탄생
대폭발

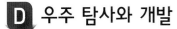

D 우주 탐사와 개발

1 우주 탐사 방법

① 망원경 : 지상 망원경은 대기의 영향 때문에 천체 관측에 방해를 받으므로 지구 대기권 밖에 설치하기도 한다. 예 전파 망원경, 허블 우주 망원경 등

② ⓐ _____ : 지구 주위를 일정한 궤도를 따라 도는 인공적인 장치 예 스푸트니크 1호, 소호 위성, 우리별 1호, 허블 우주 망원경 등

③ 우주 탐사선 : 지구 외 다른 천체를 탐사하기 위해 쏘아 올린 비행 물체 예 아폴로 13호, 보이저 2호, 마젤란호, 스피릿호, 메신저호 등

④ 우주 정거장 : 우주인이 우주에 거주하면서 다양한 임무를 수행하는 인공 구조물 예 국제 우주 정거장

   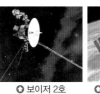

◎ 전파 망원경　　◎ 허블 우주 망원경　　◎ 우리별 1호　　◎ 보이저 2호　　◎ 국제 우주 정거장

2 우주개발의 역사

① 1950년대 : 인공위성 발사(스푸트니크 1호)로 우주 개발이 시작되었다.

② 1960년대 : 주로 ⓑ _____ 탐사(아폴로호)가 진행되었다.

③ 1970년대 : 주로 태양계 행성 탐사(바이킹호, 보이저호 등)가 진행되었다.

④ 1980년대 : 우주왕복선이나 우주 정거장 등 탐사 장비가 개발되었다.

⑤ 1990년대 : 다양한 장비로 우주 탐사가 진행되었다.

⑥ 2000년대 이후 : 우주 개발을 위한 국가 간 협력이 늘어났다.

3 우주 개발 목적

① 초기 : 국가 방위의 목적과 자국의 우주 과학 기술 수준 선전

② 현재

• 과학적 목적 : 태양계와 우주를 과학적으로 탐사하고 잘 이해하기 위해서

• 실용적 목적 : 한 나라의 국력을 상징하고, 우주 산업을 통한 경제적인 이익을 창출하며, 지구에 부족한 자원의 획득이나 새로운 소재를 개발하기 위해서

4 우주 개발의 영향과 이용

① 우주 개발의 영향 : 기상 정보 제공, GPS 서비스 제공, 방송 영상 전달 등

② 기술의 응용 : 형상 기억 합금, 에어쿠션 운동화, 정수기, 휴대용 진공청소기, 화재경보기, 주택 단열재, 전자레인지 등

② 문제점 : ⓒ _____ 와의 충돌에 의한 인공위성 고장, 우주 쓰레기 추락 등

● 국제 우주 정거장

지상 수백 km의 높이에서 지구 주위를 돌고 있으며, 지구 중력의 영향을 거의 받지 않는 무중력 상태이다. 16개 나라가 참여하여 태양 전지판, 방열판, 실험 모듈, 거주 모듈 등의 구조물을 우주에서 조립하면서 건설하였다.

● 우리나라 인공위성 개발

* 우리별 1호 : 우리나라 최초의 인공위성
* 무궁화 1호 : 방송 통신 위성
* 아리랑 1호 : 다목적 실용 위성
* 천리안 위성 : 통신 해양 기상 위성
* 과학기술위성 1호 : 과학 연구 위성

● 나로우주센터에서 발사한 나로호

2009년 발사 기지인 나로우주센터가 완공되었고, 2013년에 나로호 발사에 성공하여 탑재된 인공위성이 궤도에 진입하였다.

ⓒ 우주 쓰레기

ⓐ 인공위성 ⓑ 달

01 다음 중 은하수에 대한 설명으로 옳은 것은?

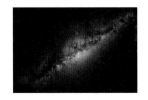

① 북반구에서만 관찰 가능하다.
② 관측 장소에 따라 보이는 폭과 밝기가 다르다.
③ 관측 장소에 관계없이 항상 같은 모양으로 보인다.
④ 여름에는 독수리자리 근처에서 가장 잘 관측된다.
⑤ 성간 물질이 밀집되어 있어 은하수의 가운데 부분이 밝게 보인다.

02 다음 그림은 우리은하를 옆에서 본 모습을 나타낸 것이다. 이에 대한 설명으로 옳은 것은?

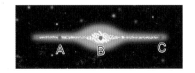

① 태양계가 있는 위치는 C이다.
② B에서 C까지의 거리는 약 3만 광년이다.
③ 우리은하를 옆에서 보면 원통 모양이다.
④ A에서 B까지의 거리는 약 3만 광년이다.
⑤ 우리은하에는 약 100억 개 정도의 별이 포함되어 있다.

03 다음 (　) 안에 들어갈 알맞은 말로 짝지어진 것은?

> • 우리은하를 위에서 보면 (　　) 모양의 중심부에서 나선팔이 뻗어져 나온 나선형 모양이다.
> • 은하 중심 방향을 보고 있는 여름에 (　　)자리 부근에서 은하수가 밝고 뚜렷하게 보인다.

① 둥근, 백조 　　② 막대, 백조
③ 둥근, 궁수 　　④ 막대, 궁수
⑤ 둥근, 거문고

04 다음 중 (가)와 (나) 성단을 바르게 비교한 것은?

(가)　　　　　(나)

특징	(가)	(나)
① 이름	구상 성단	산개 성단
② 별의 수	수백~수만	수만~수십만
③ 온도	낮음	높음
④ 분포 위치	중심부	나선팔
⑤ 나이	늙은 별	젊은 별

05 다음 중 성운에 대한 설명으로 옳은 것은?

① 성운은 우리은하 밖에 위치한다.
② 한 곳에 모여 있는 별들의 집단이다.
③ 주변의 별빛을 반사하여 밝게 보이는 성운을 방출 성운이라고 한다.
④ 성간 물질이 다른 곳에 비해 많이 모여 있어 뿌연 구름처럼 보이는 곳이다.
⑤ 암흑 성운에는 오리온 대성운, 장미 성운 등이 있다.

06 오른쪽 그림은 오리온 자리에서 나타나는 말머리 성운의 모습이다. 이에 대한 설명으로 옳은 것은?

① 붉은색을 띠는 오래된 별들의 모임이다.
② 주변에 있는 고온의 별빛을 흡수한다.
③ 기체나 티끌이 뒤에서 오는 별빛을 차단한다.
④ 검게 보이는 부분에는 별이 거의 없다.
⑤ 성운 속에 어두운색 별들이 많이 있기 때문에 검게 보인다.

07 다음은 은하를 모양에 따라 분류한 모습이다. 이에 대한 설명으로 옳지 <u>않은</u> 것은?

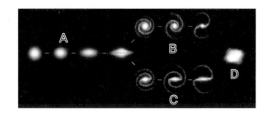

① A는 타원 은하로 나선팔이 없다.
② B는 정상 나선 은하로 안드로메다 은하가 대표적이다.
③ C는 막대 나선 은하로 우리은하가 대표적이다.
④ D는 불규칙 은하로 규칙적인 모양이 없는 은하이다.
⑤ 우리은하 안에 있는 수많은 은하를 분류한 것이다.

08 다음 중 우주의 팽창에 대한 설명으로 옳은 것은?

① 모든 외부 은하는 서로 멀어지고 있다.
② 우주는 팽창했으나 현재는 팽창하지 않는다.
③ 우리은하를 중심으로 우주가 팽창하고 있다.
④ 우리은하의 중심에서는 팽창하지 않는다.
⑤ 우리은하로부터 멀리 떨어져 있는 은하일수록 천천히 멀어진다.

09 다음 중 우주 개발의 목적으로 옳지 <u>않은</u> 것은?

① 우주 관광
② 자원 탐사
③ 외계 생명체 연구
④ 부족한 식량 확보
⑤ 우주에 대한 이해

10 다음 중 인류의 우주 탐사 역사에 대한 설명으로 옳지 <u>않은</u> 것은?

① 세계 최초의 인공위성은 스푸트니크 1호이다.
② 인류가 최초로 발을 디딘 지구 밖 천체는 달이다.
③ 1970년대에는 주로 태양계 행성 탐사가 진행되었다.
④ 1980년대에는 우주왕복선이나 우주 정거장 등 탐사 장비가 개발되었다.
⑤ 2000년대 이후에는 국가 간 경쟁이 심해져 우주 개발을 위한 협력이 중단되었다.

11 다음 중 우주 탐사 방법에 대한 설명으로 옳지 <u>않은</u> 것은?

① 전파 망원경은 우주 전파를 모아 물체의 상을 만든다.
② 우주 망원경은 대기의 영향을 적게 받으므로 지상에서보다 선명한 천체의 모습을 볼 수 있다.
③ 인공위성은 지구나 천체 주위를 공전하며 천체를 관측한다.
④ 우주인은 우주 탐사선에 장기간 머무르면서 다양한 임무를 수행한다.
⑤ 국제 우주 정거장에서는 천체 관측 및 무중력 상태를 이용한 연구와 실험이 이루어지고 있다.

12 다음 중 인공위성과 우리 생활에 대한 설명으로 옳지 <u>않은</u> 것은?

① 일기예보를 위한 기상 관측 자료를 수집한다.
② 인공위성 안테나 재료를 이용하여 치아 교정기를 만든다.
③ 위성 생중계로 방송되는 월드컵 경기를 시청한다.
④ 운전 중 내비게이션으로 길을 찾는다.
⑤ 우리나라 최초의 인공위성은 무궁화 1호이다.

01 다음 그림의 은하수 한가운데 부분이 어둡게 보이는 이유를 서술하시오.

03 다음은 우리은하에서 측정한 외부 은하 A, B, C의 멀어지는 방향과 속도를 나타낸 것이다. 외부 은하 A, B, C 중에서 적색 편이가 나타나는 것을 고르고 그 이유를 서술하시오.

외부 은하 A	우리은하	외부 은하 B	외부 은하 C
← 7,000 km/s	관측자	→ 7,000 km/s	→ 10,000 km/s

02 과거에는 우리은하의 모양을 알 수 없었지만, 지금은 납작한 원반 모양이라는 것을 알아내었다. 직접 관찰하지 않고 우리 은하의 모습을 알아낼 수 있는 방법을 서술하시오.

우리은하 모양

04 우주가 앞으로 계속 팽창할지, 다시 처음의 상태처럼 수축할지, 팽창과 수축을 멈출지 자신의 생각을 논리적으로 서술하시오.

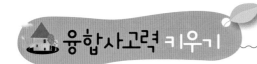

STEAM 우주에 쓰레기가 넘쳐난다

1957년 10월 4일 구소련은 인류 역사상 처음으로 인공위성 스푸트니크 1호를 발사하는 데 성공했다. 구소련의 인공위성 발사를 시작으로 중국, 일본, 유럽 등 세계 각국이 경쟁적으로 우주선과 인공위성을 우주로 보냈고, 그 잔해들이 계속 쌓이게 되면서 대기권 밖은 하나의 큰 쓰레기장이 되었다.

우주 쓰레기란 우주 공간을 떠도는 다양한 크기의 인공적인 모든 물체이다. 고장 나거나 임무를 완수하여 더는 사용하지 않고 내버려 둔 길이 수십 m에 이르는 인공위성이 대표적이다. 이 외에도 발사 추진체로부터 흘러나오는 아주 작은 미세한 입자들, 로켓이나 우주왕복선의 몸체에서 떨어져 나온 작은 페인트 조각, 심지어는 우주 비행사가 놓친 스패너 같은 도구 등 다양한 것들이 우주 쓰레기가 될 수 있다. 인공위성과 같은 대형 크기의 우주 쓰레기는 지구로 추락하여 인명 피해를 일으키고 자연을 훼손시킬 수 있다.

우주 쓰레기는 계속 늘어왔지만, 과거 몇 년 사이에 그 숫자가 급격하게 증가하였다. 2007년 1월에 있었던 중국의 우주 요격 실험과 2009년 2월에 발생한 미국과 러시아의 인공위성 충돌 때문이다.

1997년, 미국 오클라호마주에서 한 사람이 거리를 산책하다가 하늘에서 떨어진 작은 쇳조각에 맞아 어깨를 다쳤다. 15 cm쯤 되는 크기의 쇳조각은 1996년 쏘아 올린 델타 2 로켓 일부였다.

일본은 우주 쓰레기를 제거하기 위한 특수 인공위성을 개발하고 있다. 인공위성이 우주 쓰레기를 자석의 힘으로 붙잡은 뒤 대기권에 진입해 불타는 방법으로 쓰레기를 처리한다. 2019년 발사를 목표로 하고 있다.

우주 쓰레기

01 지구 궤도를 떠돌고 있는 우주 쓰레기 문제가 더욱 심각해지고 있다. 우주 쓰레기는 크기가 작아도 파괴력이 크다. 그 이유를 서술하시오.

 02 일본의 우주 쓰레기 청소 인공위성 이외에 우주 쓰레기를 치울 수 있는 방법을 고안하시오.

STEAM 별의 밝기를 결정하는 요소

별의 밝기를 결정하는 요소를 알아보자.

[준비물] 밝기가 같은 작은 손전등 2개, 밝기가 밝은 큰 손전등, 검은색 종이

실험

① 밝기가 같은 작은 손전등 2개를 검은색 종이 앞 20 cm 떨어진 곳에서 수직으로 비추고, 종이에 나타난 손전등 불빛의 밝기를 비교한다.

② 밝기가 같은 작은 손전등 2개를 검은색 종이 앞 20 cm 떨어진 곳과 40 cm 떨어진 곳에서 각각 수직으로 비추고, 종이에 나타난 손전등 불빛의 밝기를 비교한다.

③ 큰 손전등과 작은 손전등을 각각 검은색 종이 앞 20 cm 떨어진 곳에서 수직으로 비추고, 종이에 나타난 손전등 불빛의 밝기를 비교한다.

④ ③ 상태에서 큰 손전등과 작은 손전등을 움직여 두 불빛의 밝기가 같아지도록 거리를 조절한다.

※ 주위를 어둡게 하고 실험할수록 빛의 밝기 차이가 잘 나타난다.

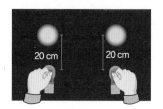 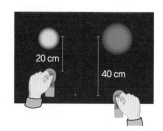 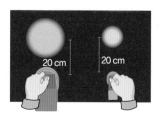

01 실험 과정 ①, ②, ③에서 각각의 손전등 불빛의 밝기를 서술하시오.

• 실험 과정 ① :

• 실험 과정 ② :

• 실험 과정 ③ :

02 실험 과정 ④에서 두 불빛의 밝기가 같아지도록 한 방법을 서술하시오.

03 손전등을 별로 가정했을 때, 별의 밝기를 결정하는 요소를 서술하시오.

빙하 퇴적층

메소사우루스 화석

글로소프테리스 화석

안쌤의
창의적 문제해결력 시리즈

초등 1~2 학년

초등 3~4 학년

초등 5~6 학년

중등 1~2 학년

안쌤의
줄기과학 시리즈

새 교육과정
3~4학년
학기별
STEAM 과학

3-1 **8강**　3-2 **8강**　　　　4-1 **8강**　4-2 **8강**

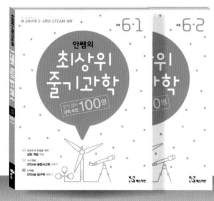

새 교육과정
5~6학년
학기별
STEAM 과학

5-1 **8강**　5-2 **8강**　　　6-1 **8강**　6-2 **8강**

새 교육과정
중등 영역별
STEAM 과학

물리학 24강　　화학 16강　　생명과학 16강　　지구과학 16강　　　물리학 워크북　　화학 워크북

안쌤의

최상위
줄기과학

정답 및
해설

중등

지구과학

🌱 **최상위권 학생을 위한**
교재 구성

개념&심화잡기+개념기르기+
서술형으로 다지기+융합사고력 키
우기+탐구력 키우기

🌱 **소단원별**
STEAM 융합사고력 키우기

중등 개념과 관련된
과학기사(NIE)로 융합사고력을
키우는 문제로 구성

🌱 **단원별**
STEAM 탐구력 키우기

중등 단원 개념을 잡는데
도움이 되는 실험으로 탐구력을 키우
는 문제로 구성

최상위권 브랜드 마테시스

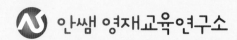

안쌤 영재교육연구소

상위 1%가 되는 길로 안내하는 이정표로,
학생들이 꿈을 이루어갈 수 있도록 콘텐츠 개발과 강의 연구를 하고 있다.

검수

강동규, 김정아, 김종욱, 박영숙, 박재성, 박하얀, 엄순근, 윤명희, 이범석,
이지현, 장성환, 전익찬, 정연희, 정회은, 최근영, 최현규, 황정원

정답 및 해설

정답 및 해설

I 지권의 변화

01 지구계

개념 기르기   12-13쪽

01 ④   02 ②   03 ④   04 ②   05 ④
06 ③   07 ④   08 ①   09 ③   10 ④
11 ①

01 과학에서 다루는 계는 생태계, 소화계, 순환계 등이 있다. 생물권은 지권, 수권, 기권 등에 분포한다.

02 수권은 기권의 수증기를 제외한 지구에 있는 물이다. 생물권은 지구에 살고 있는 모든 생물이다. 외권은 기권 바깥의 우주 공간이다. 지권은 지구의 겉부분인 지각과 지구 내부 영역이다.

03 외권의 지구 자기장은 유해한 우주 방사능으로부터 지구를 보호한다.

04 (가)는 생물권, (나)는 수권, (다)는 기권, (라)는 지권이다. 수권에는 바다, 빙하, 지하수, 강, 호수 등으로 이루어져 있으며, 빙하는 고체이므로 액체로만 이루어진 물이 존재하는 영역이라고 할 수 없다.

05 지구상의 물 중 약 97 %가 바닷물이며, 지권에 내린 물은 풍화·침식 작용을 일으켜 지표를 변화시킨다. 또한, 물은 세포의 주성분으로 생명 현상에 중요한 역할을 한다.

06 생물권은 사람을 포함하여 지구에 살고 있는 모든 생물체와 아직 분해되지 않은 유기물이 분포하는 영역이다. 태양계 행성 중에서 지구에만 형성되어 있는 권역이다.

07 지구 온난화의 영향으로 빙하가 녹아 해수면이 상승하는 현상은 기권과 수권 사이에서 일어나는 상호 작용이다.

08 태양 에너지는 지구계에 가장 큰 영향을 주는 에너지로 수권과 기권에서 물과 대기의 순환을 일으키고, 지권에서는 지표를 변화시키며, 생물권에서는 생명 활동의 에너지원으로 사용된다.

09 대기 중의 수증기는 기권에 속한다.

10 육지의 생물에게 물을 제공하는 것은 생물권과 수권의 상호 작용이다.

11 화산 활동으로 지권에서 분출된 화산재가 기권을 변화시킨다.

서술형으로 다지기   14쪽

01 **모범답안** 지구계는 지권, 수권, 기권, 생물권, 외권이 서로 상호 작용하는 하나의 계이다.

해설 지구계의 각 구성 요소들은 서로 영향을 주고받으면서 변화해 왔고, 현재와 같은 지구 환경을 이루었다.

02 **모범답안**
- (가) : 기권, (나) : 지권
- (가)와 생물권의 상호 작용의 예 : 식물이 이산화 탄소를 이용하여 광합성을 한다. 생물은 호흡 과정을 통해 산소를 흡수하고 이산화 탄소를 배출한다. 식물은 기공을 통해 수증기를 방출한다. 등
- (나)와 생물권의 상호 작용의 예 : 생물이 죽어 분해되면 토양이 된다. 생물의 잔해가 묻혀 오랜 시간 동안 높은 압력을 받으면 화석 연료가 된다. 등

03 **모범답안**
- 지권 : 풍화·침식 작용이 잘 일어나지 않을 것이다.
- 수권 : 지구 기온이 높아져 빙하가 녹아 해수면이 높아질 것이다.
- 생물권 : 호흡과 광합성에 필요한 공기가 부족하므로 생물이 살지 못할 것이다.
- 외권 : 오로라나 유성이 나타나지 않을 것이다.

해설 지구계의 각 권역은 상호 작용을 통해 균형을 유지하고 있으며, 어느 한 권역에서 변화가 일어나면 다른 권역에도 영향을 미친다.

04 **모범답안**
- (가) 식물의 광합성 : 식물은 이산화 탄소를 이용하여 양분을 만들므로 생물권과 기권의 상호 작용이다. 식물은 태양 복사 에너지를 이용하여 양분을 만들므로 생물권과 외권의 상호 작용이다.
- (나) 유성 : 우주에 있던 물질이 지구 대기와 마찰하여 타면서 빛을 내므로, 외권과 기권의 상호 작용이다.

융합사고력 키우기

15쪽

01 **모범답안** 초식공룡의 장내 미생물에 의해 먹이가 소화되면서 발생한 메테인이 지구 온난화의 주요인이 되어, 중생대 지구 기온을 상승시켰다.

해설 메테인은 이산화 탄소에 의한 온실 효과의 25배이다. 소 4마리가 트림이나 방귀로 방출하는 메테인의 온실 효과는 자동차 1대가 내뿜는 이산화 탄소와 맞먹는다.

02 **예시답안**
• 메테인은 공기보다 가벼우므로 축사 위쪽에 메테인 포집 장치를 만들고, 모인 메테인을 물과 함께 얼려 인공 가스인 하이드레이트로 만들어 연료로 사용한다.
• 축사의 분뇨로 메테인 가스를 생산하여 취사에 이용하거나 발전기를 돌려 전기를 만든다.

해설 메테인은 가축 분뇨가 발효되는 과정에서 발생하는 기체 중 하나이며 반추동물(소처럼 위가 4개인 동물)에서는 첫번째 위에서 섭취한 사료의 소화 과정에서 발생한다. 가축 분뇨를 밀폐형 탱크에 모아두면 미생물의 분해 작용을 거쳐 유기산이 만들어지고, 이것을 다시 한번 발효시키면 메테인 등의 기체가 발생한다. 이 기체를 바이오가스라고 한다. 바이오가스는 천연가스처럼 가스보일러의 연료로 사용되거나 축사를 따뜻하게 만드는 데 사용되고, 발전기를 돌려 전기와 열을 동시에 얻는 열병합발전에도 사용할 수 있다. 바이오가스를 정제하면 자동차, 기차 및 도시가스의 연료로도 이용할 수 있어, 바이오가스 연료전지도 활발히 연구되고 있다. 이처럼 바이오가스 생산 기술을 이용하면 가축 분뇨를 처리하는 과정에서 발생하는 메테인과 이산화 탄소 등 온실 기체를 줄일 수 있다.

02 지권의 층상 구조

개념 기르기

20~21쪽

01 ①, ④　02 ①　　03 ①　　04 ③　　05 ④
06 ④　　07 ②　　08 ⑤　　09 ②　　10 ⑤
11 ③　　12 ③

01 지구 내부를 조사하는 직접적인 방법으로는 시추와 화산 분출물 조사가 있고, 간접적인 방법으로는 지진파 분석, 운석 연구, 고온·고압 실험이 있다.

02 지진파는 물질에 따라 속도가 달라지며, 물질의 경계면에서 반사되거나 굴절되기 때문에 지구 내부 구조를 가장 효과적으로 분석할 수 있다.

03 지진은 지구 내부의 급격한 변동에 의해 지표면이 흔들리는 현상으로 화산 활동, 단층 작용, 마그마의 이동, 지하 동굴의 붕괴 등으로 발생한다.

04 모호면은 지각과 맨틀의 경계면이다.

05 지구는 표면으로부터 지각, 맨틀, 외핵, 내핵 순으로 구성되어 있으며, 두께는 지각이 가장 얇고, 맨틀이 가장 두껍다.

06 A는 지각, B는 맨틀, C는 외핵, D는 내핵이다. 외핵은 S파가 도달하지 않으므로 액체 상태로 추정된다.

07 A는 지각, B는 맨틀, C는 외핵, D는 내핵이다. 지구 전체 부피의 가장 많은 부분을 차지하는 것은 맨틀이며, 맨틀은 고체이지만 유동성이 있다.

08 온도, 압력, 밀도가 가장 큰 것은 D(내핵)이다.

09 A는 해양 지각, B는 대륙 지각, C는 맨틀, D는 모호면이다. 지각과 맨틀의 경계면인 모호면에서는 지진파의 속도가 갑자기 증가한다. 맨틀은 지각보다 무거운 물질로 이루어져 있다.

10 대륙 지각은 화강암질, 해양 지각은 현무암질, 맨틀은 감람암질, 외핵과 내핵은 철과 니켈로 구성되어 있다.

11 고무찰흙이 가장 많이 사용된 층은 지구 내부 구조 중 가장 큰 부피를 차지하는 맨틀이다.

12 지각이 두꺼울수록 모호면의 깊이가 깊다.

서술형으로 다지기

22쪽

01 **모범답안** 지진파는 물질의 성질이 달라지면 속도가 달라지고, 성질이 다른 물질의 경계면에서 반사되거나 굴절되기 때문이다.

해설 지진파의 속도는 매질의 밀도나 상태에 따라 달라진다. 지각을 통과하던 지진파가 맨틀을 지나면 속도가 급격히 빨라지고, 외핵을 지나면 P파는 속도가 줄어들고 S파는 전달되지 않는다. P파가 내핵을 지나면 다시 속도가 빨라진다. 지진파의 속도

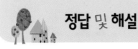

변화를 바탕으로 지구 내부를 지각, 맨틀, 외핵, 내핵의 4개
층으로 나눈다.

02 **모범답안** 지진파의 속도가 갑자기 빨라진 것으로 성질이 다른
두 층이 존재함을 알게 되었다.

해설 모호로비치치는 지진파의 속도가 갑자기 빨라지는 것을 통해
불연속면의 존재를 알았다. 이 지점을 경계로 윗부분을 지각,
아랫부분을 맨틀로 구분하였고, 경계면을 모호로비치치 불
연속면 또는 모호면이라고 한다. 모호면에서는 밀도가 갑자기
증가하여 지진파의 속도가 갑자기 증가하므로 속도 분포 곡
선이 끊어져 나타난다.

03 **모범답안** A와 B 구간은 S파가 통과하므로 고체 상태이고, C
구간은 S파가 통과하지 못하므로 액체 상태이다. D 구간은
P파의 속도가 증가하고 온도와 압력이 높기 때문에 고체 상
태이다.

해설 외핵의 온도는 철과 니켈의 녹는점보다 높아서 액체 상태이다.
내핵은 외핵보다 온도가 높지만, 압력이 크기 때문에 철과 니
켈의 녹는점이 높아지므로 고체 상태이다.

04 **모범답안** C 구간, 지온이 용융점보다 높아서 물질이 녹기 때
문이다.

해설 지구 내부의 온도를 실제로 측정하는 것은 현실적으로 불가
능하지만 지각 열류량과 고압하에서의 실험 등으로 추정할
수 있다. 지하 1,000 km 깊이에서의 온도는 2,000 ℃이며,
지구 중심부는 약 4,500 ℃로 추정된다. 용융점은 지구 내부로
갈수록 높아지다가 맨틀과 핵의 경계면에서 감소한 후 다시
완만하게 상승한다. 용융점(물질의 녹는점)보다 지온이 높으면
물질이 녹아서 액체 상태가 된다. 상부 맨틀에서는 용융점과
지온이 비슷하여 일부 암석이 녹기도 하고, 외핵에서는 용융
점이 지온보다 낮아서 액체 상태로 존재한다.

융합사고력 키우기 23쪽

01 **모범답안** 지구 내부는 온도와 압력이 매우 높아 장비가 제대로
작동하기 어렵고, 깊이 팔수록 비용도 많이 들기 때문이다.

해설 광산 중 가장 깊은 곳의 깊이는 약 3.8 km 정도이며, 가장
깊은 시추공 중 하나인 콜라 반도 시추공의 깊이는 12,263 m
이다. 콜라 반도에서의 시추는 지하의 높은 열과 압력으로 인해
시추공 파이프가 터져 더 이상 진행하지 못했다.

02 **모범답안** 드릴 안쪽에 있는 관으로 시추공의 가장 밑바닥에
진흙을 주입하면 파편이 진흙에 밀려 위로 떠 오른다.

해설 파편과 진흙을 배로 보내면 배에서는 파편을 걸러내고 깨끗
해진 진흙을 다시 드릴에 넣어 순환시킨다. 시추공 주변을 진
흙으로 가득 채우면 시추공 주변의 압력이 높아져 잘 붕괴되지
않는다. 진흙을 채우지 않고 땅을 깊이 파 내려가면 시추공
주변이 빈 곳으로 남거나 바닷물로 채워지고, 주위의 압력을
견디지 못하면 쉽게 붕괴된다.

03 암석과 암석의 순환

개념 기르기 28~29쪽

01 ⑤	02 ⑤	03 ②	04 ①, ⑤	05 ②, ③
06 ⑤	07 ④	08 ④	09 ④	10 ②
11 ④	12 ③			

01 암석은 생성되는 과정에 따라 화성암, 퇴적암, 변성암으로
분류한다.

02 A는 화산암으로 냉각 속도가 빨라 결정이 성장할 시간이 짧으
므로 결정 크기가 작고, 현무암, 안산암, 유문암이 있다. B는
심성암으로 냉각 속도가 느려 결정이 성장할 시간이 충분하
므로 결정 크기가 크고, 반려암, 섬록암, 화강암이 있다. 어
두운색 광물을 많이 포함할수록 암석의 색이 어두워진다.

03 현무암은 지표나 지표 부근에서 용암이 빠르게 냉각되어 만
들어진 암석으로 결정 크기가 작다.

04 얼음물에 부은 스테아르산은 냉각 속도가 빨라 결정 크기가
작으므로 화산암의 생성 과정을 나타내고, 따뜻한 물에 부은
스테아르산은 냉각 속도가 느려 결정 크기가 크므로 심성암의
생성 과정을 나타낸다.

05 퇴적암에서는 퇴적물이 여러 겹으로 쌓여 나타나는 줄무늬
구조인 층리와 과거 생물의 유해나 흔적인 화석을 볼 수 있다.

06 진흙과 모래가 굳으면 사암이 되고, 자갈, 모래, 진흙이 굳으면
역암이 된다.

07 물이나 바람에 의해 침식된 퇴적물이 운반되어 바다나 호수
바닥에 쌓인 후 퇴적물의 무게에 눌려 다져져 퇴적물 사이의
공간이 줄어든다. 퇴적물 사이의 공간에 다른 물질이 채워져

굳으면 퇴적암이 된다.

08 변성암은 높은 열과 압력을 받아 만들어진 암석으로 엽리와 큰 결정이 특징이다.

09 대리암은 석회암이 변성된 것이다.

10 셰일(열) → 혼펠스
셰일(열과 압력) → 점판암 → 편암 → 편마암
사암(열) → 규암
화강암(열과 압력) → 화강 편마암
현무암(열과 압력) → 각섬암

11 (가)는 퇴적물이 다져지고 굳어진 암석이므로 퇴적암, (나)는 (가)의 암석과 (다)의 암석이 변성되어 생성되므로 변성암, (다)는 마그마가 냉각되어 생성되므로 화성암이다.

12 C는 암석이 마그마로 변하는 과정이므로 녹는(용융) 과정이다.

서술형으로 다지기　30쪽

01 모범답안 A는 결정 크기가 크므로 ⓒ에서 마그마가 천천히 식어서 만들어지고, B는 결정 크기가 작으므로 ㉠에서 용암이 빠르게 식어서 만들어진다.

해설 지표나 지표 부근에서 용암이 빠르게 식으면 결정 크기가 작은 화산암이 만들어지고, 지하 깊은 곳에서 마그마가 천천히 식으면 결정 크기가 큰 심성암이 만들어진다. 화산암으로는 현무암, 안산암, 유문암이 있고, 심성암으로는 반려암, 섬록암, 화강암이 있다.

02 모범답안 층리는 퇴적물이 층층이 쌓여서 나타나는 수평 방향의 줄무늬로, 퇴적물의 종류, 크기, 색깔 등의 차이에 의해 나타난다. 엽리는 변성 작용에 의해 나타나는 줄무늬로 암석 속의 알갱이가 압력의 수직 방향으로 배열되어 나타난다.

해설 층리는 퇴적암에서 나타나고, 엽리는 변성암에서 나타난다. 모든 변성암에서 엽리가 나타나는 것은 아니다. 열에 의해 변성된 혼펠스, 규암, 대리암에서는 암석이 녹았다가 다시 굳어지면서 알갱이의 크기가 커지거나 새로운 알갱이가 만들어지고, 엽리는 잘 발달하지 않는다.

03 모범답안 화성암은 마그마가 굳어져 생긴 암석이므로 화석이 마그마에 녹았고, 변성암은 높은 열과 압력을 받아 생긴 암

석이므로 화석이 변형되거나 형태가 사라지기 때문이다.

해설 퇴적암이 변성되어 생긴 변성암 중 낮은 온도와 낮은 압력에서 생긴 점판암에서는 화석이 발견되기도 한다.

04 모범답안 역암, 풍화 작용에 의해 바위가 떨어져 나가 구멍이 만들어졌다.

해설 마이산은 시멘트, 모래, 자갈, 물 등을 골고루 섞은 콘크리트를 부어 만든 것처럼 보이므로 자갈, 모래, 진흙이 굳어 만들어진 역암으로 이루어져 있다. 바위가 얼었다 녹기를 반복하면서 내부가 팽창되어 표면의 바위를 밀어내면 구멍이 생기는데, 이러한 지형을 타포니 지형이라고 한다.

융합사고력 키우기　31쪽

01 모범답안 화강암은 경주에서 구하기 쉽고 단단하기 때문이다.

해설 경주는 지질학적으로 불국사화강암 지대에 위치하고 있으므로 화강암이 풍부하고, 흙에 진흙보다 모래 성분이 많다. 따라서 경주는 주로 화강암 문화재가 많고, 화강암이 없는 퇴적암 지대에서는 벽돌로 만든 문화재가 많다.

02 모범답안 여러 가지 종류의 큰 결정으로 이루어져 있어 알갱이가 균일하지 않기 때문이다.

해설 화강암은 장석, 운모, 석영 등 결정이 큰 여러 가지 알갱이(광물)가 섞여 있으므로 쐐기 역할을 할 것만 있다면 쉽게 잘라낼 수 있다. 그러나 조각할 때는 한 번의 실수로 암석이 깨지는 경우가 있으므로 복잡한 장식이나 정교한 조각을 하는 것은 매우 어렵다.

04 광물과 토양

개념 기르기　36-37쪽

01 ③	02 ④	03 ①	04 ③	05 ③, ④
06 ④	07 ②	08 ④	09 ⑤	10 ②
11 ③	12 ⑤			

01 암석은 한 가지 광물로 이루어진 것도 있지만, 대부분 여러 종류의 광물로 이루어져 있다.

02 A는 장석, B는 석영으로, 석영과 장석은 밝은색 광물이다.

03 석영과 장석은 밝은색 광물이고, 흑운모, 각섬석, 휘석, 감람석은 어두운색 광물이다.

04 (가)는 조흔색, (나)는 염산 반응, (다)는 굳기를 확인하는 방법이다.

05 색, 조흔색, 굳기, 염산 반응, 자성은 광물의 특성이지만, 부피, 질량, 무게, 크기는 광물의 특성이 아니다.

06 B와 C는 조흔색이 검은색으로 같으므로, 조흔색으로 구별할 수 없다.

07 두 광물을 서로 긁었을 때 긁히지 않는 광물이 더 단단하다.

08 자철석은 겉보기 색과 조흔색이 모두 검은색이다.

09 공기 중의 산소는 암석과 반응하여 암석을 부수거나 붉게 변하게 한다.

10 A는 표토, B는 심토, C는 모질물, D는 기반암이다. 토양의 생성 과정은 기반암 → 모질물 → 표토 → 심토 순서이다.

11 ① B층이 가장 나중에 생성된 층이다.
② A층은 생물이 살아가기에 적당한 층이다.
③ B층은 A층에 있던 물질 중 물에 녹은 것과 진흙 등이 아래쪽으로 이동하여 쌓인 층이므로 알갱이의 크기는 B층이 A층보다 작다.
④ C층은 D층이 풍화되어 만들어진 것이다.
⑤ D층은 풍화를 받지 않은 단단한 암석층이다.

12 한번 훼손된 토양을 원래 상태로 되돌리는 데에는 시간이 매우 오래 걸린다.

서술형으로 다지기 38쪽

01 **모범답안**
• 서로 긁어 굳기를 비교한다.
• 묽은 염산을 떨어뜨려 본다.
해설 (가)는 석영, (나)는 방해석이다. (가)와 (나)의 조흔색이 흰색으로 같으므로 광물을 구별하는 특징으로 사용할 수 없다.

02 **모범답안** 조흔판에 광물을 긁어 조흔색을 관찰했을 때 노란색이면 금이고 검은색이면 황철석이다.
해설 겉보기 색이 같은 광물은 조흔색으로 구별한다.

03 **모범답안** 암석이 잘게 부서지면 표면적이 커져 공기나 물과 접촉하는 표면적이 늘어나기 때문이다.
해설 기계적 풍화 작용에 의해 암석이 잘게 부서지면 표면적이 커지므로 물과 공기에 의한 화학적 풍화가 더욱 빨라진다.

04 **모범답안** 초기 토양은 심토가 얇지만 성숙한 토양일수록 심토가 두껍게 나타난다.
해설 초기 토양은 기반암이 풍화되어 푸석푸석한 모질물이 된다. 모질물에는 유기물이나 양분이 거의 없기 때문에 식물이 자라지 못한다. 모질물이 생긴 후 수십 년이 지나면 모질물 속에 미생물이 살게 되고, 미생물이 공기 중의 질소와 결합하여 질소 화합물을 만든다. 그 결과 식물이 자랄 수 있는 표토가 생성된다. 표토에 부식물이 많아지고 표토가 두꺼워지면 토양 속에 스며든 물에 용해된 물질이나 성분 등이 아랫부분으로 내려와 표토와 모질물 사이에 심토가 생긴다. 강수량이 많은 지역일수록 심토층이 더 깊은 곳에서 형성된다.

융합사고력 키우기 39쪽

01 **모범답안** 강옥에 각각 다른 불순물이 알맞게 들어 있기 때문이다.
해설 강옥은 산화 알루미늄 결정 덩어리이다. 산화 알루미늄에 산화 크로뮴이 $0.2 \sim 0.3\%$ 정도 섞여 있으면 붉은색 루비가 되고, 산화 타이타늄과 산화 철이 $0.1 \sim 0.2\%$ 섞여 있으면 푸른색 사파이어가 된다. 요즘은 산화 알루미늄을 녹인 뒤 불순물을 첨가하고 서서히 굳혀서 루비나 사파이어를 만들기도 한다.

02 **모범답안** 모두 산화 알루미늄 성분인 강옥이 주재료이지만, 불순물이 섞여 있는 정도에 따라 색이 달라지고, 그에 따라 이름이 나눠지고 활용이 달라진다.
해설 강옥은 다이아몬드(금강석) 다음으로 단단하다. 산화 알루미늄에 크로뮴의 함유량이 5%가 넘으면 회색의 에멜리라고 하는 공업용 연마제가 된다. 에멜리는 보석으로 가치가 없다.

05 대륙 이동설과 판의 경계

개념 기르기 44-45쪽

01 ⑤   02 ③   03 ①   04 ⑤   05 ②
06 ③   07 ⑤   08 ④   09 ④   10 ③
11 ⑤

01 (가)는 약 3억 년 전에 하나로 모여 있던 대륙인 판게아이다. 대륙 이동설은 약 3억 년 전에 하나로 모여 있던 판게아가 서서히 분리되어 지금과 같은 대륙 분포를 이루었다는 학설이다.

02 지진과 화산 활동은 판의 경계에서 주로 발생하며, 대륙 이동의 증거는 아니다.

03 지진과 화산 활동은 판의 경계에서 주로 발생한다.

04 메소사우루스는 약 2억 년 전에 수심이 낮은 해안가에서 서식하던 파충류의 한 종류이고, 글로소프테리스는 판게아의 남반구에 국한되어 서식하던 종자고사리식물이다. 서로 멀리 떨어진 남아메리카 동쪽 해안과 아프리카 서쪽 해안의 특정 지역에서만 화석으로 발견된다는 것은 메소사우루스가 판게아가 분리되기 시작한 약 2억 년 전에 두 대륙 사이에 형성된 얕은 해안가에서 살았고, 이후 두 대륙이 더 멀어지면서 두 대륙 사이의 수심이 깊어졌다고 추측할 수 있다.

05 적도 지방 전체가 아니라 적도 지방 일부분에만 빙하가 발견되므로 적도 부근이 추웠다고 할 수 없다.

06 야외에서는 머리를 보호하고 담장이나 건물 등으로부터 몸을 피한다.

07 판의 이동 방향과 속도가 모두 다르기 때문에 판의 경계에서 판과 판이 서로 부딪치거나 멀어지고 어긋나므로 지진과 화산 활동이 발생한다.

08 A는 해양 지각, B는 대륙 지각, C는 맨틀, D는 맨틀 상부의 연약권, E는 판이다. 맨틀은 고체 상태이지만 유동성이 있어 매우 느린 속도로 대류가 일어난다. 판은 맨틀 대류에 의해 서서히 움직인다.

09 화산재가 쌓여 시간이 지나면 비옥한 토양이 만들어지는 것은

화산 활동의 이로운 점이다.

10 지진과 화산 활동은 주로 판의 경계에서 일어나므로 지진대와 화산대의 분포는 판의 경계와 일치한다.

11 지진이 일어나는 곳이어도 마그마의 활동이 없으면 화산 활동이 일어나지 않는다.

서술형으로 다지기 46쪽

01 **모범답안** 3억 년 전에도 맨틀의 움직임에 따라 판이 계속 이동하였을 것이므로 판게아 이전에는 대륙이 흩어져 있었을 것이다.
해설 지구 내부에서 일어나는 맨틀 대류는 지구 생성 이후 계속 일어나고 있으므로 판게아 이전에도 대륙이 뭉쳐졌다 흩어지기를 반복했을 것이다.

02 **모범답안** A, ㉠이 속한 지역과 A 지역에 빙하의 흔적이 있는 것으로 보아 과거에 한 덩어리였을 것이기 때문이다.
해설 과거에 하나의 덩어리였던 대륙이 분리되어 지금과 같은 모습이 되었다(대륙 이동설). 대륙에 남아 있는 빙하의 흔적과 이동 방향을 분석하면 한 곳으로 모이는데 이는 대륙 이동의 증거이다. 따라서 ㉠이 속한 지역과 가까이 있던 A 지역에서 다이아몬드가 발견될 가능성이 크다.

03 **모범답안** 태평양 주변 대륙의 해안은 태평양판이 다른 판과 만나는 판의 경계이지만, 대서양 주변 대륙의 해안은 판의 경계가 아니기 때문이다.
해설 지진과 화산 활동은 주로 판의 경계에서 발생한다. 대서양과 인도양에서는 중앙 해령에서 지진과 화산 활동이 활발히 발생한다.

04 **모범답안** 일본은 유라시아판, 태평양판, 필리핀판이 만나는 경계에 위치하기 때문이다.
해설 우리나라는 판의 경계에서 비교적 벗어나 판의 안쪽에 위치하므로 지진이나 화산 활동이 자주 발생하지 않는다.

융합사고력 키우기 47쪽

01 **모범답안** 우리나라와 일본은 지리적으로 가까이 있지만, 일본은 판의 경계에 가까이 있고, 우리나라는 판의 경계에서 약간

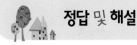

떨어져 있기 때문이다.

해설 일본은 판의 경계에 가까우므로 진원이 지표 가까이에 있어 규모와 진도가 크고 피해도 크지만, 우리나라는 진원이 땅속 깊은 곳에 있어 피해가 작다. 그러나 최근 우리나라에서도 지진 발생이 꾸준히 증가하고 있다.

02 **모범답안** 판의 운동에 의한 화산 활동으로 지구 내부에 있던 이산화 탄소가 대기 중으로 올라오고, 이산화 탄소에 의한 온실 효과로 지구의 온도가 15 ℃로 유지되므로 생명체가 살 수 있다. 또한, 판이 움직일 때 바닷속의 플랑크톤과 유기물이 땅속으로 들어가고, 이 유기물들이 환경 조건이 맞으면 석탄과 석유가 만들어진다.

해설 판의 운동으로 해양판이 갈라지는 해령에서는 새로운 지각이 형성되고 대륙판이 만나는 곳에서는 높은 산맥이 만들어지며, 대륙판과 해양판이 만나는 곳에서는 지진과 화산이 발생하는 등 지구의 지형을 변화시킨다. 그러나 판의 운동은 화산을 이용한 관광 자원, 땅의 열을 이용한 지열 발전, 건축에 쓰이는 여러 가지 암석이나 우리가 생활하는데 필요한 금속 및 비금속 자원을 얻는 원천 등 이로운 점도 많다.

탐구력 키우기

48쪽

01 **모범답안**
- 마주 보는 두 대륙의 해안선이 거의 일치한다.
- 멀리 떨어져 있는 다른 대륙에서 글로소프테리스 화석이 발견된다.
- 멀리 떨어져 있는 다른 대륙에서 메소사우루스 화석이 발견된다.
- 적도에 위치한 대륙에 빙하의 흔적이 남아 있으며, 빙하의 이동 방향이 일치한다.

해설 지금은 지구상에서 사라져 버린 동물인 리스트로사우루스, 시노그사우루스, 메소사우루스, 식물인 글로소프테리스 등의 화석이 여러 대륙에 걸쳐 발견된다. 이것은 아주 오래전 이 대륙들이 서로 붙어 있었고, 어느 날 지각 변동에 의해 서로 이웃해서 살던 생물들이 떨어지게 되었다는 것을 뜻한다. 현재 대륙의 위치로 볼 때 적도에 위치한 지역에서도 빙하의 흔적이 나타나며, 빙하의 이동 방향이 바다에서 육지 쪽을 향하므로 부자연스럽다. 그러나 판게아를 보면 아주 오래 전 이 지역들은 남극에 가까운 곳이었고 빙하는 육지에서 바다로 이동했음을 알 수 있다.

02 **모범답안** 대륙이 갈라진 이후 풍화·침식 작용, 지각 변동 등에

의해 대륙의 일부분이 변했기 때문이다.

해설 지각은 풍화·침식 작용, 지진, 화산 활동, 조륙 운동, 조산 운동 등에 의해 끊임없이 변한다.

03 **모범답안** 판게아에 대서양은 존재하지 않았고, 남·북아메리카 대륙과 유럽 및 아프리카 대륙이 서로 멀어지면서 대서양이 생겼다. 현재와 같은 방향으로 판이 계속 이동한다면 대서양은 더욱 넓어질 것이다.

해설 대륙이 갈라지면서 거대한 계곡이 생겼고, 여러 개의 호수와 긴 강이 형성되었다. 호수와 강이 연결되어 바닷물이 들어와 만이 되었고, 남쪽과 북쪽으로 이어진 긴 바다가 되었다. 바다는 점차 넓어져 오늘날과 같은 거대한 바다(대서양)로 발달하였다. 북아메리카 대륙과 유럽 대륙은 지금도 1년에 약 2 cm 정도씩 멀어지고 있는 것으로 관측된다.

Ⅱ 수권과 해수의 순환

06 수권의 구성과 빙하

01 ⑤	02 ①	03 ②	04 ③	05 ②
06 ①	07 ⑤	08 ④	09 ④	10 ②, ④
11 ③	12 ②			

01 전체 수권의 물 중 호수와 하천수는 0.03 %를 차지하고, 지하수는 0.62 %를 차지한다. 우리가 주로 이용하는 물은 호수와 하천수 및 지하수이므로 수권 전체의 약 0.65 %에 해당한다.

02 지구상에 존재하는 물 중 해수가 가장 많고 담수에서는 빙하가 가장 많은 양을 차지하며, 지하수, 호수와 하천수 순이다.

03 자원으로 이용 가능한 물을 수자원이라고 하며, 주로 지하수와 호수와 하천수를 이용한다. 인구 증가와 산업 발달로 수자원 이용량은 꾸준히 증가하고 있다.

04 우리나라는 연평균 강수량이 세계 평균보다 높지만, 인구 밀도가 높아 1인당 수자원량이 적다.

05 지하수는 양이 풍부하고 수온이 14 ℃로 일정하게 유지되며, 정수 과정 없이 사용할 수 있으므로 수자원으로서 가치가 높다.

06 지하수를 지나치게 많이 사용하면 수자원이 부족해지고, 지반이 가라앉거나 수질이 오염되는 등 문제가 생기기도 한다.

07 얼음 무게에 의해 얼음 바닥 쪽의 압력이 커져 녹으면서 중력에 의해 낮은 곳으로 이동하는 것이 빙하이다.

08 온대 지방이나 열대 지방에는 고산 지대에 빙하가 분포한다.

09 빙하의 가장자리나 바닥은 지면과의 마찰에 의해 속도가 느려진다. 따라서 빙하의 이동 속도는 가장자리보다 가운데가 빠르고, 바닥보다 표면에서 빠르다.

10 빙하 속 공기의 성분을 분석하면 과거 기후 변화를 알 수 있고, 꽃가루로 분포했던 식물을, 화산재로는 화산 활동이 있었음을 알 수 있다.

11 이산화 탄소의 농도가 높으면 기온이 높아지고, 이산화 탄소의 농도가 낮으면 기온이 낮아진다.

12 빙하는 햇빛을 반사하므로 빙하 지역은 빙하가 없는 지역보다 평균 기온이 더 낮다.

01 **모범답안** 우리나라는 강수량이 여름에 집중되고, 인구 밀도가 높아 1인당 수자원량이 적기 때문이다.

해설 우리나라는 연평균 강수량이 세계 평균의 1.6배이지만, 1인당 수자원량은 세계 평균의 $\frac{1}{6}$ 정도로 물이 부족한 국가이다.

02 **모범답안** 토양이나 암석의 틈을 채우던 물이 빠져나가면서 땅이 가라앉을 수 있다.

해설 지하수를 사용하면 흙 속의 물이 빠져나가 물이 차지하고 있던 공간을 다른 흙 입자가 채우게 되면서 흙 입자 사이의 간격이 조밀해져 지반이 내려앉기도 한다. 또한, 지하수를 계속 퍼 올리면 지하수와 함께 미세한 흙 입자가 물과 같이 배출되어 흙의 양이 줄어들어 지반이 내려앉기도 한다. 지하수를 퍼 올려도 빗물로 보충되거나 퍼 올려 사용한 지하수가 다시 지하로 보충되는 경우가 많아 눈에 띄는 지반 침하는 잘 일어나지 않는다. 그러나 대도시의 경우 아스팔트 포장이나 기타 인공물로 인해 비가 지하로 잘 스며들지 못하고 지하수를 퍼 올려 사용한 물이 배수로를 통해 하천으로 바로 빠져나가기 때문에 지하수가 고갈되어 지하수위가 낮아지고 그에 따른 침하가 나타날 수 있다. 인도네시아의 자카르타는 상하수도 정화 시설을 갖추는 데 드는 비용을 아끼려고 지하 40~140 m 깊이의 대수층에서 지하수를 퍼 올려 사용한 결과, 지반이 가라앉았다. 연안 도시는 퇴적층으로 이루어져 있어 지반이 약하므로 지하수를 지나치게 많이 사용하면 지반이 내려앉거나 무너져 내릴 수 있다.

03 **모범답안** 얼음과 얼어 있던 땅에 갇혀 있던 이산화 탄소와 메테인이 대기 중으로 방출되기 때문이다.

해설 북극은 평균 기온이 영하가 되는 달이 6개월 이상 계속되어 일 년 내내 땅이 얼어 있는 곳이 있다. 이를 영구 동토층이라고 한다. 북극의 얼음이 녹고 영구 동토층의 해빙이 시작되면 얼음과 영구 동토층에 갇혀 있던 메테인 하이드레이트에서 메테인이 방출된다. 메테인은 온실 기체로, 이산화 탄소보다 온실 효과가 20배 이상 강력하다. 시베리아 영구 동토층에 있는 해빙된 호수에서 메테인이 나오면 호수가 부글부글 끓는 것처럼 보이기도 한다. 또한, 영구 동토층이 녹고 그 안에 얼어 있던 미생물이 활동하면서 이산화 탄소와 메테인을 배출하기도 한다.

04 **모범답안** 해수면이 상승하여 해발 고도가 낮은 해안 도시들이 물에 잠기고, 남극에 사는 생물은 서식지를 잃고 다른 곳으로 이동하거나 변화된 환경에 적응하지 못하면 멸종하게 될 것이다. 또한, 기온 변화로 인해 홍수와 가뭄이 자주 나타날 것이다.

해설 빙하의 86 %가 남극 대륙에 있으며 남극 대륙은 우리나라의 약 60배 정도 된다. 남극 대륙의 빙하가 모두 녹아 바다로 흘러 들어가면 해수면이 지금보다 65~70 m 정도 상승하게 된다.

융합사고력 키우기
57쪽

01 **모범답안** 빙하는 고대 기후의 기록을 가지고 있고, 외부 환경의 영향을 거의 받지 않으므로 정확한 변화를 측정할 수 있다.

해설 빙하 코어는 지구에서 유일하게 과거 수십만 년 동안의 기후 변화 및 그와 연관된 온실 기체 등 대기 성분의 변화를 반영하는 다양한 환경 정보들을 가지고 있어 '냉동 타임캡슐'이라고 불린다. 처음으로 깊은 곳의 빙하 시료를 시추한 것은 1966년에 그린란드 캠프 센추리에서 1,378 m 깊이까지 시추한 것과 1968년에 남극의 미국 버드 기지에서 2,164 m까지 시추한 것이다. 특히 유럽과 미국은 각각 그린란드의 GRIP 지역에서 3,029 m 깊이의 GRIP 코어와 3,054 m 깊이의 GRIP 코어 2에서 얻은 빙하 코어를 비교하여 지구의 기후 변화 기록을 연구했다. 이 자료는 현재 지구의 기후 변화 기록에 대한 기준이 되고 있다. 빙하 시료를 가장 깊이 시추한 것은 남극의 러시아 보스토크 기지에서 3,623 m 깊이까지 시추한 것이다. 이 빙하 코어에서 얻은 자료를 바탕으로 지난 42만 년 전부터 지금까지 4번의 빙하기와 간빙기가 있었다는 것을 밝혔다.

02 **모범답안** 남극은 그린란드에 비해 강설량이 적기 때문이다.

해설 남반구에서는 북반구와 같이 기후의 급격한 변화가 일어나지 않으므로 남극의 얼음은 정보를 천천히 축적한다. 이 때문에 남극 빙하 코어를 이용하여 연 단위의 기후를 해석하기는 힘들다. 반면 그린란드와 같은 북반구에서는 강설량이 많아 빙하가 두껍게 형성되고, 매년 1 cm 너비의 빙하 나이테가 만들어지므로 계절별 기온 변화를 분석하기에 좋다.

07 해수의 특성

개념 기르기
62-63쪽

01 ② 02 ⑤ 03 ④ 04 ④ 05 ③
06 ② 07 ④ 08 ① 09 ③ 10 ②
11 ③

01 염화 나트륨은 염류 중 가장 많으며 짠맛을 내고, 염화 마그네슘은 염류 중 두 번째로 많으며 쓴맛을 낸다.

02 해수의 양은 500 g, 염류의 양은 모두 더한 값인 17.5 g이므로 해수의 염분은 35 ‰이다.

03 염분이 높은 곳은 강수량보다 증발량이 많은 곳, 강물이 유입되지 않는 곳, 해수가 어는 곳으로, 중위도 지방의 염분이 가장 높다.

04 해수 A의 염화 나트륨 질량 : 해수 B 염화 나트륨 질량
=해수 A의 염화 마그네슘 질량 : 해수 B의 염화 마그네슘 질량
$x : 16 = 10 : 8$, $x = 20(g)$

05 여름에는 겨울보다 강수량이 많아 염분이 낮고, 많은 양의 강물이 서해로 흘러가기 때문에 서해의 염분이 동해나 남해보다 낮다. 남해는 전 세계적으로 염분이 가장 높은 위도 30° 해역에 가까워지기 때문에 염분이 높다.

06 지역이나 계절에 따라 해수의 염분은 변하지만, 해수에 녹아 있는 각 염류 사이의 질량비는 항상 일정하다.

07 지역과 계절에 따라 해수의 표층 수온 분포가 변하며, 저위도 지역으로 갈수록 태양 복사 에너지의 양이 많아 수온이 높다.

08 위도가 낮을수록 태양 복사 에너지를 많이 받기 때문에 위도가 낮은 남해의 표층 수온이 서해나 동해보다 더 높다. 대륙 주변부는 해류나 대류의 영향으로 등온선이 위도와 나란하지 않게 나타난다.

09 바람이 강할수록 해수가 잘 혼합되므로 혼합층(A)의 두께가 두꺼워진다.

10 태양 복사 에너지를 많이 받는 여름에는 표층 수온이 높아지므로 심해층과 온도 차이가 커진다. 따라서 수온 약층은 여

름에 가장 뚜렷하게 나타난다.

11 실험을 통해 해수의 연직 수온 분포가 나타나는 이유를 알아볼 수 있다.

서술형으로 다지기
64쪽

01 **모범답안** 염소와 황, 해저 화산 활동으로 분출되어 직접 바닷물에 녹았다.

해설 염류는 지각을 구성하는 물질이 빗물에 녹아 강을 따라 바다로 유입된다. 지각에는 염소와 황이 거의 없지만, 바다에는 매우 많이 포함되어 있다. 염소와 황은 해저 화산이 폭발할 때 직접 유입되었거나, 지표의 화산 활동 시 공기 중으로 분출된 후 비에 녹아 유입되었다.

02 **모범답안** 해저 화산 활동으로 염류가 공급되고, 강물에서 공급된 염류가 오랫동안 쌓였기 때문이다.

해설 강물이 바다로 흘러오면 수증기만 증발하고 염류는 남는다. 증발한 수증기가 구름이 되고 비가 되어 내리면 육지의 염류를 녹여 다시 바다로 흘러들어오기 때문에 바다의 염류는 계속 증가한다.

03 **모범답안** 서해는 동해에 비해 수심이 얕고 대륙으로 둘러싸여 있어 육지의 영향을 많이 받기 때문이다.

해설 대륙은 비열이 작아서 겨울에는 빨리 식고 여름에는 빨리 데워지므로 연교차가 크다. 서해는 바다이지만 수심이 얕고 연교차가 큰 대륙의 영향을 많이 받아 수온의 연교차가 크다. 특히 겨울에 차가운 북서풍의 영향을 받아 서해의 온도는 동해보다 크게 낮아진다.

04 **모범답안** 강수량이 적고 증발량이 많기 때문이다.

해설 사해는 이스라엘과 요르단에 걸쳐 있는 소금기가 있는 물로 이루어진 호수이다. 처음에는 다른 바다와 염분이 비슷했다. 사해는 수면이 지중해보다 400 m 정도 낮다. 북쪽에서 유황과 질산 성분의 물질이 많이 함유된 요르단강이 흘러들어오지만, 물이 빠져나가는 출구가 없다. 또한, 사막 지대이므로 강수량이 적고, 뜨겁고 건조한 날씨로 인해 사해로 흘러들어오는 물의 양보다 증발하는 물의 양이 많아 염분이 높아졌다. 사해에서는 1년에 1.6 m 정도 높이의 물이 증발한다. 염분이 높을수록 바닷물의 밀도가 커지므로 물체가 잘 뜬다.

융합사고력 키우기
65쪽

01 **모범답안** 하천수는 터빈을 돌린 수증기를 냉각시키는 데 사용하기 때문에 하천수 수온이 오르면 냉각 효과가 떨어진다.

해설 터빈을 돌리는 수증기는 온도를 550∼600 ℃까지 올리기 위해 이물질이 전혀 없는 순수한 물을 사용하여 만든다. 하천수는 이 수증기를 냉각시키는 데 사용된다. 터빈을 회전시키고 나온 수증기는 냉각수에 의해 냉각되고 감압된 후 다시 증기 발생기로 들어간다. 수증기를 냉각시킨 냉각수는 취수할 때보다 6∼7 ℃ 정도 올라간 상태로 배출된다. 기후 변화로 인해 하천수의 온도가 상승하고 수량이 감소하면 냉각수의 냉각 효과가 떨어지고, 배출된 물의 온도가 높아지므로 수중 생태계에 미치는 영향이 커진다. 지구 온난화에 의한 기후 변화로 인해 미국은 최대 16 %, 영국은 19 % 정도 발전 능력이 감소될 것으로 예상된다. 미국과 유럽은 대부분의 전력을 원자력 발전과 화력 발전으로 생산하고, 전체 담수 중 발전소의 냉각수로 활용되는 비율이 높기 때문이다.

02 **모범답안** 바닷물은 냉각 후 배출될 때 주변의 온도를 적게 변화시키고 심층수를 사용하면 안정적으로 냉각수를 공급할 수 있기 때문이다.

해설 우리나라 발전소들은 5∼10 m 아래에 있는 바닷속 심층수를 냉각수로 쓰기 때문에 비교적 안정적으로 냉각수를 공급할 수 있다. 또한, 심층수는 온도가 낮으므로 냉각 효과가 뛰어나고, 냉각 후 배출되는 온도가 주위 바닷물과 비슷하여 생태계에 미치는 영향을 줄일 수 있다.

08 해수의 순환과 조석

개념 기르기
70–71쪽

01 표층 해류의 발생 원인은 지속적으로 부는 바람이다.

02 해류는 같은 방향으로 부는 지속적인 바람에 의해 생긴다.

03 난류는 수온이 높아 기체가 잘 녹지 않기 때문에 용존 산소량이 한류에 비해 적다.

04 해류는 주변 지역의 기후에 영향을 준다. 난류가 흐르는 지역은 따뜻하고 한류가 흐르는 지역은 시원하다.

05 해류는 일정한 방향으로 흐르고, 조류는 일정한 주기로 방향이 바뀐다.

06 A는 리만 해류, B는 북한 한류, C는 동한 난류, D는 황해 난류, E는 구로시오 해류이다.

07 우리나라에는 북한 한류와 동한 난류가 만나는 동해의 원산만 근처에 조경 수역이 형성된다.

08 조석 현상은 해안가에서 하루에 두 번씩 주기적으로 해수면의 높이가 상승했다 하강하는 현상이다.

09 조석 주기는 약 12시간 25분이므로 만조에서 다음 간조까지는 약 6시간이 걸린다. 따라서 오전 8시에 만조가 되었다면 오후 2시에 간조가 된다.

10 조석 주기는 간조에서 다음 간조까지 또는 만조에서 다음 만조까지이므로 A에서 E까지의 시간이다. 조석 주기는 약 12시간 25분이다.

11 썰물 때 물이 빠지면 개펄에서 조개나 게를 잡을 수 있다. 썰물은 만조와 간조 사이에 나타난다.

12 달이 A 위치에 있을 때는 삭(그믐), B 위치에 있을 때는 상현, C 위치에 있을 때는 망(보름), D 위치에 있을 때는 하현이다. 삭과 망일 때 조차가 가장 큰 사리가 되고, 상현과 하현일 때 조차가 가장 작은 조금이 된다.

13 조류가 빠른 곳에서는 조류 발전소, 조차가 큰 지역에는 조력 발전소를 설치한다.

서술형으로 다지기   72쪽

01 **모범답안** E, 남해에서 동해로 동한 난류가 흐르기 때문이다.
해설 유조선 태양호에서 유출된 기름은 거제도 해상과 양식장을 오염시키고 1.3 km/h의 속도로 움직이는 동한 난류를 타고 사흘 만에 부산 앞바다와 가덕도 주변 해역으로 밀려왔다.

02 **모범답안** 제주도에서 일본 북부 지방으로 갈 때는 북동쪽으로 흐르는 해류의 도움을 받을 수 있지만, 돌아올 때는 해류의

방해를 받기 때문이다.
해설 해류는 방향성이 있어서 배나 잠수함이 이동할 때 해류를 이용하기도 한다. 과거 범선이나 상선은 해류와 바람을 이용해 멀리 움직였다. 콜럼버스의 범선도 북동무역풍과 대서양 북적도 해류를 이용해 스페인에서 중앙아메리카 대륙으로 이동했고, 편서풍과 멕시코 만류를 이용해 중앙아메리카에서 스페인으로 되돌아왔다. 2001년에 한·미·일 공동 연구팀은 울릉도와 독도 사이에 특이한 해류를 발견했고, 이를 새로운 잠수함 이동 경로로 이용했다. 이 해류는 울릉 분지에서 지름 60 km의 소용돌이가 생겨 일본 쓰시마섬 방향으로 나가는데 잠수함이 소용돌이를 통과할 경우 음파 탐지기에 잡히지 않고 이동할 수 있다.

03 **모범답안** 서해안은 조차가 커서 만조 때 해수면의 높이가 상승하면 도로가 물에 잠기기 때문이다.
해설 서해안은 세계적으로 밀물과 썰물의 차이가 큰 곳으로 유명하다. 밀물과 썰물에 의한 해수면의 높낮이 변화가 심하기 때문에 제부도로 이어진 도로에서는 하루에 2번씩 모세의 기적이 일어난다. 화성시 서신면 송교리와 연결되는 길이 2.3 km, 폭 6 m인 2차 도로는 도로를 높이지 않았기 때문에 만조 때는 바닷물에 도로가 잠겨 건널 수 없는 경우가 종종 있다. 침수되는 시간은 시기에 따라 차이가 많이 나는데, 조차가 가장 큰 사리 때는 약 3시간 내외, 그 반대인 조금 때는 1시간 내외 정도다.

04 **모범답안** 명량 해전이 일어난 날은 보름으로 조차가 크고, 울돌목은 지형이 좁아 조류가 빠르게 흐른다.
해설 울돌목은 명량의 순우리말이다. 울돌목은 300 m 정도로 매우 좁아 조류가 빠르게 흘러 마치 물이 우는 것 같다 하여 이름 붙여진 곳이다. 울돌목의 조류 속도는 약 5~6 m/s로, 동양에서 가장 빠르다. 이순신 장군은 명량 해전에서 13척의 함선으로 333척의 왜선을 물리쳤다. 왜선은 오전 7~8시경에 밀물을 이용해 빠른 속도로 접근했다. 정오쯤 조류가 썰물로 바뀔 때 이순신 장군은 13척의 배를 이끌고 빠르게 나가 공격했고, 왜선은 조선 수군의 공격과 격렬한 조류에 휘말려 조종력을 잃고 서로 충돌하며 침몰했다. 왜군은 오후 5~7시경에 조류의 방향이 바뀌며 물의 흐름이 느려질 때를 이용해 퇴각했다

융합사고력 키우기   73쪽

01 **모범답안** 남쪽에서 올라오는 구로시오 해류가 동해로 들어와 식는 과정에서 기체 용해도가 높아져 더 많은 이산화 탄소가

녹기 때문이다.

해설 동해는 구로시오 해류뿐만 아니라 활발한 해수 움직임에 의한 바다 식물의 광합성 증가로 인해 공기 중의 이산화 탄소가 많이 흡수되고 있다. 이 때문에 동해는 용존 이산화 탄소량이 증가하고, 용존 산소량은 표면에서 심해까지 1950년 초반보다 20 % 가까이 줄었다. 특히 겨울에는 표층수가 냉각되면서 무거워져 바닷속 깊은 곳으로 내려가 산소를 전달하는데, 지구 온난화로 겨울 해수 온도가 높아져 순환이 제대로 이뤄지지 못하면서 울릉도 남쪽 심해에서는 산소가 거의 없는 현상까지 나타나고 있다. 100년 후에는 동해가 무산소 상태로 변할 것이라는 분석도 있다.

02 **모범답안** 해양 산성화는 조개나 갑각류의 껍데기 형성을 방해하고, 식물성 플랑크톤과 동물성 플랑크톤의 성장에 영향을 미친다. 플랑크톤이 줄어들면 먹이 사슬을 통해 해양 생태계 전체가 영향을 받게 되며, 수산물의 양도 줄어든다.

해설 조개나 갑각류, 산호 껍데기의 주성분은 탄산 칼슘인데 해양이 산성화되면 탄산 칼슘 생성량을 감소시켜 껍데기가 잘 형성되지 않는다. 해양이 산성화되면 해양에서 얻을 수 있는 생물 자원뿐만 아니라 광물 자원, 관광 자원, 에너지 자원, 해수 자원도 영향을 받게 되므로 이용률이 감소하게 될 것이다. 또한, 산성화된 바닷물은 10 kHz 이하의 저주파 음파의 흡수율을 떨어뜨린다. 이로 인해 선박의 엔진이나 음파 소음으로 수중 소음이 더 심각해질 것이며, 음파를 통해 소통하는 해양포유류의 소통 문제 및 소음 문제가 발생하게 될 것이다.

탐구력 키우기   74쪽

01 **모범답안** 종이 돛단배가 제자리에서 위아래 방향으로 움직인다.

해설 해수 표면에 일시적인 바람이 불면 파도가 생긴다.

02 **모범답안** 종이 돛단배가 헤어드라이어의 바람 방향을 따라 일정한 방향으로 이동한다.

해설 해수 표면에 지속적인 바람이 불면 해류가 형성된다.

03 **모범답안**
• 실험 과정 ③ : 헤어드라이어의 바람이 강해지면 종이 돛단배가 빠른 속도로 이동한다.
• 실험 과정 ④ : 헤어드라이어의 바람 방향이 바뀌면 종이 돛단배의 이동 방향이 바뀐다.

해설 바람이 강할수록 해류의 속력이 빨라지고, 바람의 방향이 바뀌면 해류의 이동 방향도 바뀐다. 표층 해류의 이동 방향은 대기 대순환과 밀접한 관계가 있다.

04 **모범답안** 지속적인 바람이 불면 해류가 발생한다.

해설 표층 해류는 지속적인 바람에 의해 수온 약층 위에서 일정한 방향으로 흐르는 해수의 흐름이다. 표층 해수는 바람에 의해 이동 방향이 정해지고 이동하지만, 해수에도 마찰력이 존재하기 때문에 수온 약층 이상의 깊이에서는 바람에 따른 해수의 운동이 일어나지 않는다. 표층 해류는 지구 자전에 의해 북반구에서는 시계 방향으로, 남반구에서는 시계 반대 방향으로 순환한다.

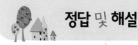

Ⅲ 기권과 날씨

09 기권과 지구의 복사 평형

01 기권은 높이에 따른 기온 변화를 기준으로 4개의 층으로 구분한다.

02 A는 대류권, B는 성층권, C는 중간권, D는 열권이다. 대류 현상은 아래쪽의 온도가 위쪽보다 높을 때 일어나므로 대류권과 중간권에서 일어난다.

03 기상 현상은 수증기를 포함한 대류권에서만 일어난다.

04 오존층은 성층권에 있으며 자외선을 흡수한다.

05 오존층은 성층권에 있으며, 유성은 중간권에서 나타난다. 열권은 인공위성의 궤도로 이용된다.

06 지구에 흡수되는 태양 복사 에너지의 양과 방출하는 지구 복사 에너지의 양(B)이 70 %로 같아서 지구의 평균 기온이 일정하게 유지된다.

07 (가)는 평균 기온이 약 −18 ℃, (나)는 평균 기온이 15 ℃로 유지된다. 대기가 있는 (나)는 온실 효과가 일어나므로 평균 기온이 (가)보다 높다.

08 A와 C의 면적을 합한 값은 B와 같다. 위도별로 보면 복사 평형이 이루어지지 않지만, 대기와 해수에 의해 저위도의 에너지가 고위도로 이동되므로 지구 전체적으로 보면 복사 평형이 이루어진다.

09 컵 속 공기의 온도는 점점 상승하다가 어느 정도 시간이 지나면 일정해진다.

10 엘니뇨는 지구 온난화에 의한 기상 현상이다. 엘리뇨가 발생하면 남아메리카 태평양 쪽 해수의 온도가 평년보다 상승

하여, 남아메리카 지역에 홍수가 발생하고 아시아 지역에 가뭄이 발생한다.

11 지구 온난화를 감소시키기 위해서는 이산화 탄소 배출량을 줄여야 한다.

01 **모범답안** 태양에서 방출된 전기를 띤 입자가 지구 자기장의 방향을 따라 극지방으로 들어오기 때문이다.

해설 태양에서 방출된 입자 대부분은 지구 자기장에 막혀 흩어지고, 일부가 지구 자기장에 이끌려 극지방으로 내려오면서 오로라를 만든다. 대기 속에서 기체 입자와 전기를 띤 입자가 서로 충돌하면 기체 입자 내부의 전자가 들뜨고, 들뜬 전자가 다시 원래 상태로 돌아오면서 빛을 방출한다. 오로라는 상태가 비교적 안정할 때는 녹색이나 흰색의 막을 형성하며 하늘을 가로질러 간다. 태양 활동이 증가하면 오로라 막이 밝아지고 주름이 발달하며, 점점 더 빠르게 하늘을 가로질러 이동한다. 오로라를 흔히 볼 수 있는 곳은 지구 자기 위도 65~70° 범위이며, 이 지역을 오로라대라고 한다. 오로라대보다 위도가 높거나 낮은 지방에서는 거의 볼 수 없다.

02 **모범답안**
• 많은 양의 자외선이 침투하여 생태계가 파괴될 것이다.
• 자외선으로 인해 피부 질병이 증가할 것이다.
• 대류권 계면의 높이가 높아질 것이다.
• 성층권과 중간권이 사라지고 대류권과 열권만 존재할 것이다.

해설 오존층의 오존은 햇빛으로부터 오는 자외선을 흡수하여 산소로 분해되므로 지구에 들어오는 자외선의 양이 적어진다. 만약 오존층이 없어지면 많은 양의 자외선이 지구 표면에 도달하여 피부암을 유발하고 면역 기능에 이상이 발생하게 되며, 식물은 엽록소 손상이 일어나 죽는다. 남극 성층권 대기는 겨울 동안 순환되지 않고 정체된 상태를 유지한다. 이로 인해 구름 속 얼음 알갱이에 프레온 가스가 고농도로 축적되고, 봄이 되어 햇빛이 비치면 오존이 분해되어 오존 농도가 급격히 낮아진다. 반면, 북극은 겨울 동안 대기의 안정된 상태가 오래 지속되지 않아 순환하므로 프레온 가스가 고농도로 축적되지 않아 오존 농도 변화가 크지 않다.

03 **모범답안** 구름은 흡수한 에너지를 지표면으로 재방출하여 지구의 온도를 높이는데 구름이 없는 날은 재방출되는 에너지가 없으므로 기온이 낮다.

해설 구름이 없는 날은 지구 복사 에너지가 대기권 밖으로 빠져나가므로 기온이 많이 내려가고, 새벽에 서리나 성에가 잘 생긴다.

04 **모범답안**
- 대기에 의한 빛의 산란 현상이 사라지므로 낮에도 하늘이 검게 보이고, 별빛이 반짝이지 않을 것이다.
- 달처럼 낮과 밤의 온도 차가 커질 것이다.
- 대기에 의해 재방출되는 에너지가 없으므로 평균 기온이 낮아질 것이다.
- 구름이 없고 기상 현상이 일어나지 않을 것이다.
- 지구 표면에 운석의 충돌이 많아지고 그 흔적이 잘 사라지지 않을 것이다.
- 자외선을 차단하지 못해 지표면에 자외선이 그대로 도달할 것이다.
- 오로라 현상이 나타나지 않을 것이다.

해설 지구 대기는 산소를 공급하고 자외선을 차단하며 온실 효과로 지구를 따뜻하게 한다. 또한, 운석과 같이 지구로 떨어지는 물체로부터 보호하고, 저위도의 열을 고위도로 운반하여 온도 차를 줄여준다.

융합사고력 키우기 83쪽

01 **모범답안** 성층권은 대기가 안정되어 비와 눈과 같은 기상 현상이 없어 화산재가 지상으로 쉽게 떨어지지 않기 때문이다.

해설 소규모 화산재도 대류권의 활발한 대류 현상의 영향으로 성층권까지 올라갈 수 있다. 일반적으로 하늘로 올라간 먼지와 화산재는 중력의 힘으로 내려오거나 비에 섞여 땅에 떨어진다. 그러나 화산재가 성층권으로 들어가면 달라진다. 성층권에는 오존이 밀집하여 분포하는 오존층이 있고, 오존층이 자외선을 흡수하기 때문에 높이 올라갈수록 기온이 높아지며, 기상 현상이 없고 대류가 일어나지 않아 매우 안정하다. 따라서 화산재가 성층권에서 오래 머무른다.

02 **모범답안**
- 화산재와 같이 빛을 반사하는 성분을 비행기를 이용해 성층권에 뿌리거나, 이 성분을 넣은 풍선이 성층권에서 터지도록 띄운다.
- 태양 빛을 반사하는 초대형 우주 거울을 우주 궤도에 보내 지구로 들어오는 태양 빛의 일부를 차단한다.
- 배출된 온실 기체를 액체 상태로 만들어 바다와 땅속에 저장한다.
- 바다에 식물성 플랑크톤을 길러 배출된 온실 기체 중 이산화

탄소를 제거한다.
- 태양 빛을 잘 반사하는 농작물과 건물을 확대하여 태양 빛 반사율을 향상시킨다.
- 바다 표면에 미세 거품을 방출해 해수면의 태양 빛 반사를 증가시킨다.
- 바다 위에 인공 구름을 만들어 구름에 의한 태양 빛을 반사를 증가시킨다.

해설 지구의 온도를 낮추는 방법은 크게 두 가지 형태가 있다. 하나는 지구로 들어오는 태양 빛을 줄여 온도를 낮추는 것이고, 다른 하나는 온실 기체를 줄이는 것이다. 미국 하버드대 연구팀은 지상 20 km 높이의 성층권에 빛을 잘 반사하는 탄산 칼슘 미세 입자를 살포해 반사층을 만드는 실험을 진행 중이다. 탄산 칼슘이나 이산화 황 미세 입자가 거울처럼 빛을 반사하여 지구로 들어오는 태양 빛을 줄인다. 그러나 너무 많은 태양 빛을 가리면 농작물 생산량이 감소하여 식량 부족 문제를 일으킬 수 있다. 따라서 지구 기온을 낮추기 위해 성층권에 빛을 반사하는 성분을 뿌려 태양 빛을 차단하는 방법은 이차적인 피해를 줄일 수 있는 방법을 모두 고려한 후에 사용해야 한다. 인공적으로 기후를 바꾸려다 지구 온도 순환 시스템의 균형을 깨트린다면 지구는 돌이킬 수 없는 상황이 될 수도 있다.

🔟 구름과 강수

개념 기르기 88-89쪽

01 ②	02 ②	03 ④	04 ②	05 ⑤
06 ①	07 ⑤	08 ④	09 ⑤	10 ②
11 ⑤	12 ③			

01 증발량과 응결량이 같을 때 포화 상태가 된다.

02 (가) 페트리 접시의 물은 밀폐된 공간이므로 어느 정도 증발하다가 멈추고, (나)는 주위의 공기가 불포화 상태라면 계속 증발한다. 따라서 물의 양은 (가)가 (나)보다 더 많다.

03 공기 A는 불포화 상태로, 포화 수증기량은 30.4 g, 현재 수증기량은 9.4 g, 이슬점은 10 ℃이다. 포화 상태가 되려면 10 ℃로 온도를 낮추거나 21 g(30.4 g − 9.4 g)의 수증기를 더 넣어주어야 한다.

A의 상대 습도 $= \dfrac{\text{현재 수증기량}}{\text{포화 수증기량}} \times 100 = \dfrac{9.4}{30.4} \times 100 ≒ 31\,\%$

04 B의 포화 수증기량은 9.4 g, C의 포화 수증기량은 17.3 g이다. 이슬점은 A가 가장 높고 D와 E가 가장 낮다. 상대 습도는 D가 E보다 높다. C는 포화 상태, D와 E는 불포화 상태, A와 B는 과포화 상태이다.

05 상대 습도 $= \dfrac{\text{현재 수증기량}}{\text{포화 수증기량}} \times 100$으로, 포화 수증기량과 현재 수증기량의 차이가 클수록, 그래프의 곡선에서 아래쪽으로 멀리 떨어질수록 낮다.

06 기온은 2~3시경에 가장 높고 새벽에 가장 낮다. 상대 습도는 기온과 반대로 나타나므로 2~3시경에 가장 낮고 새벽에 가장 높다.

07 부채질하면 증발 속도가 빨라지므로 습구 온도가 지금보다 낮아지고, 비가 오면 증발 속도가 느려지므로 습구 온도가 지금보다 높아진다.

08 이슬점은 불포화 공기가 냉각될 때 응결이 시작되는 온도로, 공기 중에 수증기량이 많으면 이슬점이 높고, 수증기량이 적으면 낮다. 이슬점은 기온과 관계없다. 공기 덩어리가 상승해도 수증기량은 변하지 않으므로 이슬점은 변하지 않는다.

09 공기가 상승하면 주변의 기압이 낮아지므로 단열 팽창하여 온도가 하강한다. 온도가 낮아져 이슬점에 도달하면 수증기가 응결되어 구름이 생성된다.

10 페트병에 공기를 넣으면 압력과 온도가 높아져 페트병 내부가 맑아진다. 이것은 구름이 소멸되는 것과 같다. 펌프를 열면 압력과 온도가 낮아져 페트병 내부가 뿌옇게 흐려진다. 이것은 구름이 생성되는 것과 같다.

11 구름은 공기가 상승할 때 생성된다.

12 그림은 빙정설로 물방울에서 수증기가 증발하여 얼음 알갱이에 달라붙어 커지면 아래로 떨어진다. 녹지 않고 떨어지면 눈이 되고, 녹으면 찬 비가 된다.

서술형으로 다지기   90쪽

01 **모범답안** C, 비가 오면 공기 중의 수증기가 많으므로 이슬점이 높고 이슬점의 변화가 작으며, 상대 습도도 높다. 또한, 기온의 일교차가 작으므로 상대 습도 변화가 작다.

해설 맑은 날은 하루 동안 기온의 일교차가 크게 나타나고, 이에 따라 포화 수증기량이 달라지므로 상대 습도의 변화도 크게 나타난다. 맑은 날은 기온과 상대 습도의 일변화는 반대로 나타난다. 흐리거나 비가 오는 날은 맑은 날에 비해 기온, 상대 습도, 이슬점의 일변화가 작다.

02 **모범답안** 비가 내릴 구름은 구름 속에 큰 물방울이 많고, 큰 물방울이 태양 빛을 흡수하기 때문이다.

해설 구름은 작은 물방울이나 얼음 알갱이가 하늘에 떠 있는 상태이다. 구름 속 물방울의 크기가 아주 작을 때는 빛이 모든 방향으로 반사되므로 흰색으로 보인다. 그러나 구름 속에서 물방울이 합쳐져 크기가 커지면 큰 물방울이 빛을 흡수하므로 어둡게 보인다. 구름이 낮게 깔리고 어두워지면 구름 속의 무거운 물방울이 떨어져 비가 내린다.

03 **모범답안** 비행기가 차고 습한 대기 속을 지나가면 배기가스에 포함되어 있던 수증기가 갑자기 냉각되어 응결되기 때문이다.

해설 비행기 구름은 차고 습한 하늘에서만 생긴다. 비행기 배기가스의 수증기와 미세 물질이 응결핵 또는 얼음 알갱이 역할을 하여 주위의 수증기들이 달라붙으면서 구름이 생긴다. 비행기 구름은 1시간 정도 지속되며, 높은 곳에 생길수록 오래 남는다.

04 **예시답안**

• 아래가 막힌 긴 유리관을 세우고 유리관 크기에 맞는 탁구공을 넣으면 중력과 유리관 내부 기압이 같아지는 중간 지점에 탁구공이 멈춘다. 이때 탁구공의 위치를 기준으로 기압이 높아지면 탁구공이 내려가고, 기압이 낮아지면 탁구공이 올라간다. 탁구공의 높이 변화를 통해 기압의 변화를 확인할 수 있다.

• 컵에 풍선이 꽉 끼도록 불어 넣고 풍선 위에 수평으로 막대를 고정한다. 기압이 높아지면 풍선의 크기가 작아져 막대가 아래로 내려가고, 기압이 낮아지면 풍선의 크기가 커져 막대가 위로 올라간다. 막대의 높이 변화를 통해 기압의 변화를 확인할 수 있다.

기압 증가   기준   기압 감소   기압 증가   기준   기압 감소

해설 기압은 기압계로 측정한다. 수은 기압계는 수은 기둥의 높이 변화로 측정하고 아네로이드 기압계는 진공으로 된 금속 그릇이 찌그러지는 정도를 이용하여 측정한다.

융합사고력 키우기   91쪽

01 **모범답안** 수증기와 구름 입자가 많은 적운이나 층적운 같은 구름이 필요하다.

해설 구름은 0.01 mm 크기의 아주 작은 물방울인 구름 입자로 이루어져 있다. 구름 입자는 아래로 잡아당기는 중력보다 위로 띄우는 부력이 더 크기 때문에 하늘에 떠 있을 수 있다. 구름 입자가 땅으로 떨어지려면 중력이 부력보다 커야 한다. 보통 구름 입자 100만 개 이상이 합쳐져 2 mm의 빗방울이나 1~10 cm의 눈송이가 되면 땅으로 떨어진다. 순수한 구름 입자만으로 빗방울이나 눈송이가 되려면 습도가 400 % 이상이어야 하므로 구름 입자만으로 비가 내리기는 힘들다. 그러나 구름 입자가 서로 뭉치는 데 도움을 주는 물질이 있으면 습도 100 %만 돼도 비가 내릴 수 있다. 먼지, 연기, 배기가스 등 약 0.1 mm 크기의 작은 입자들이 구름 입자가 뭉치는 데 도움을 주며, 이를 응결핵이라고 부른다. 인공강우의 핵심 원리는 응결핵 역할을 하는 씨앗을 뿌려 구름이 비를 쉽게 내리도록 돕는 것이다. 인공강우에 가능한 구름은 수액량이 0.01 mm를 넘어야 한다. 수액량이란 구름을 위에서 압축시켰을 때 수증기가 쌓인 두께이다. 인공강우는 구름이 있어야만 활용할 수 있기 때문에 사막이나 건조하고 맑은 날에는 사용할 수 없다.

02 **모범답안**

- 인공강우를 위해 뿌리는 응결핵이 대기 오염 및 환경 오염을 일으킬 수 있다.
- 구름의 수증기를 소모하므로 상대적으로 다른 지역에 비가 내리지 못해 극심한 가뭄이 올 수 있다.
- 대기 오염을 없애기 위해 인공강우를 실시한 경우 습도가 높아져 오히려 대기 오염이 심각해질 수 있다.

해설 중국은 최근 10년 동안 인공강우를 55만 번 실시했다. 인공강우로 가뭄 해소, 폭염 방지, 스모그 해결, 산불 예방 등을 하고 있다. 인공강우는 강우량 확보나 가뭄 해소라는 단순한 1차원적 목표를 뛰어넘어 스모그 등 현대 사회가 직면한 기상 문제를 해결할 수 있다. 그러나 인공강우로 국지적인 폭우가 쏟아져 물난리가 일어나거나 도심 교통이 마비되는 경우가 있고, 번개가 그치지 않아 항공기가 연착되는 부작용이 나타나기도 한다. 만약 중국이 우리나라 쪽으로 이동하는 구름을 이용하여 인공강우를 실시하면 우리나라에는 구름이 사라져 사막화 현상이 일어날 수 있다.

11 날씨 변화

개념 기르기   96~97쪽

01 ④	02 ②	03 ④	04 ②	05 ⑤
06 ①	07 ①	08 ④	09 ①	10 ②
11 ③, ⑤	12 ①, ②			

01 공기는 계속 이동하기 때문에 시간과 장소에 따라 기압이 변한다.

02 지표면의 불균등 가열에 의해 기압 차가 생겨 바람이 분다. 고기압은 주변보다 기압이 높은 곳으로, 지표가 냉각되어 공기가 하강하며 하강 기류에 의해 바람이 불어 나간다. 저기압은 주변보다 기압이 낮은 곳으로, 지표가 가열되어 공기가 상승하며 상승 기류에 의해 바람이 불어 들어온다.

03 그림은 해안 지역에서 하루 중 낮에 부는 해풍이다. 땅과 물의 비열 차이로 인해 가열·냉각 속도 차이가 생기고 기압 차가 생긴다. 기압 차에 의해 바람이 분다

04 기단은 기온과 습도 등의 성질이 비슷한 큰 규모의 공기 덩어리이다.

05 A는 시베리아 기단, B는 양쯔강 기단, C는 적도 기단, D는 북태평양 기단, E는 오호츠크해 기단이다.

06 한랭 전선이 온난 전선보다 빠르므로 한랭 전선과 온난 전선이 겹쳐져 폐색 전선이 된다.

07 고기압은 중심부에 하강 기류가 생기고 바람이 시계 방향으로 불어 나가며, 구름이 소멸하여 날씨가 맑다.

08 (가)는 온난 전선, (나)는 한랭 전선이다. 한랭 전선은 온난 전선보다 전선면의 기울기가 급하고 이동 속도가 빠르다. 온난 전선이 다가오면 기온이 낮아지고 넓은 지역에 이슬비가 내린다. 온난 전선이 통과한 후에는 기온이 높아지고 날씨가 맑아진다. 한랭 전선이 통과한 후에는 기온이 낮아지고 좁은 지역에 소나기가 내린다.

09 온대 저기압은 편서풍의 영향으로 서쪽에서 동쪽으로 이동한다.

10 B 지역은 한랭 전선과 온난 전선 사이로 기온이 높고 구름이 없으며 날씨가 맑다.

11 A 지역은 한랭 전선이 통과한 후이며, 기온이 낮고 북서풍이 분다. 적운형 구름이 생기고 좁은 지역에 소나기가 내린다.

12 서고동저형의 기압 배치가 나타나므로 우리나라의 겨울철 일기도이다.

서술형으로 다지기   98쪽

01 **모범답안** 달은 대기가 없어 대기압이 작용하지 않으므로 수은 기둥의 높이가 0이 될 것이다.

해설 수은 기둥의 높이는 대기압과 같다. 기압이 낮아지면 수은 기둥의 높이가 낮아지고, 기압이 높아지면 수은 기둥의 높이가 높아진다. 대기가 없는 달에서 이 실험을 한다면 대기압이 작용하지 않으므로 유리관의 수은이 모두 흘러나와 수조 안의 수은 면과 높이가 같아질 것이다.

02 **모범답안**
- 맑은 날은 습도가 낮아 밥알이 빨리 마르므로 그릇에 잘 붙고, 비 오는 날은 습도가 높아 밥알에 습기가 많으므로 그릇에서 잘 떨어진다.
- 날씨가 맑으면 습도가 낮아 건조하므로 정전기가 많이 발생한다. 고양이가 털을 핥는 것은 털을 습하게 하여 정전기를 줄이기 위해서이다.
- 비가 오기 전에 기압이 낮아지고 습도가 높아지므로 청개구리는 호흡에 장애가 생겨 평소보다 더 많이 운다.
- 습도가 높아지면 곤충들은 비가 올 것을 예상하여 지표면 가까이에서 숨을 장소를 찾는다. 따라서 제비도 먹이를 구하기 위해 지표면 가까이에서 낮게 난다.

해설 날씨 속담은 사람들의 오랜 경험에서 나온 것이다. 아침에 무지개가 뜨면 비가 오고, 저녁노을이 고우면 날씨가 맑다. 아침에 뜬 무지개는 서쪽에서 볼 수 있고, 서쪽 하늘에 물방울이 많다는 뜻이다. 서쪽에 있는 공기가 편서풍을 타고 동쪽으로 이동하므로 비가 올 수도 있다. 저녁노을은 햇빛이 공기 중의 먼지에 부딪혀 흩어지는 현상이다. 공기가 건조하면 먼지가 많아져 노을의 붉은빛이 선명하게 보인다. 따라서 저녁노을이 붉으면 다음 날씨가 맑다.

03 **모범답안** 영동 지방은 공기가 상승하여 구름이 생성되므로 비가 내리고, 영서 지방은 공기가 하강하면서 온도가 높아지고 건조해진다.

해설 수증기를 포함한 공기가 높은 태백산맥을 타고 상승하면 단열 팽창에 의해 구름이 생성되어 영동 지방에 비가 내린다. 공기가 태백산맥을 넘은 후 하강하면 온도가 높아지고 건조한 바람이 부는데 이를 높새바람(푄 현상)이라고 한다. 영서 지방에서는 높새바람으로 인해 가뭄이 나타나 고랭지 채소 농작물이 피해를 입기도 하고 화재가 발생하기도 한다. 높새바람이 장기간 계속되면 건조한 사막이 형성된다. 히말라야산맥에 가로막힌 몽골의 고비 사막과 중국의 타클라마칸 사막은 높새바람에 의해 생성된 대표적인 사막이다.

04 **모범답안** 고기압에서는 구름이 생성되지 않으므로 태양 빛에 의해 공기가 직접 빠르게 가열되기 때문이다.

해설 평소에는 고기압과 저기압이 자연스럽게 형성되고 이 흐름에 따라 바람이 불어 열과 수증기를 이동시킨다. 그러나 고기압이 이동하지 않고 한곳에 오래 머물면 태양 빛을 반사하는 구름이 없어 공기가 가열되어 온도가 상승하는데 이러한 현상을 열돔 현상이라고 한다. 2018년에는 예년보다 빨리 티베트 고원을 뒤덮은 눈이 녹기 시작했고, 검은 땅이 드러났다. 하얀 눈은 햇빛을 반사하지만 검은 땅은 빛을 흡수해 온도가 높아졌고, 티베트 고원 상공에는 전보다 뜨거운 공기가 많이 모여 티베트 고기압이 형성되었다. 티베트 고기압은 빠르게 세력을 확장하여 편서풍을 타고 서쪽으로 이동했고, 티베트 고기압과 북태평양 고기압이 겹치는 공간에 갇힌 한반도는 사상 최악의 폭염이 나타났다. 열돔 현상이 나타나는 이유는 지구 온난화 또는 상층 제트 기류가 약해져 기압 변화가 줄어들기 때문이다.

융합사고력 키우기   99쪽

01 **모범답안** 바다 표면에 기름 성분의 혼합물을 살포하면 바닷물의 증발을 늦추므로 태풍의 눈으로 수증기가 모여드는 것을 막아 허리케인을 약화시킬 수 있다.

해설 허리케인은 열대성 저기압으로, 열대 해상의 공기는 따뜻한 바다로부터 열과 수증기를 지속적으로 공급받는다. 따뜻해진 공기는 상승하여 구름을 만들고, 수증기가 물방울로 응결하면서 응결열(숨은열)을 방출한다. 구름이 생성될수록 공기는 기온이 더욱 높아지고 상승 기류도 점점 강해진다. 그 결과, 키가 큰 적란운을 형성하며 강한 바람과 많은 비를 동반한 강력한 태풍으로 발달한다. 열대 저기압은 발생 장소에 따라 각기 다른 이름으로 불린다. 북서 태평양에서는 태풍, 북미 연안에서는 허리케인, 인도양에서는 사이클론, 남태평양에서는 윌리윌리 또는 사이클론이다.

02 모범답안

- 깊은 바다속의 차가운 물을 퍼 올려 해수의 온도를 낮춰 허리케인의 세기를 약하게 한다.
- 바다에 풍력 발전기를 대규모로 설치하여 허리케인이 육지에 상륙하기 전에 바람 세기를 약하게 한다.
- 액체 질소를 바다에 뿌려 허리케인으로 공급되는 수증기를 줄여 허리케인의 세기를 약하게 한다.
- 불완전 연소된 검댕(soot)을 만들어 햇빛을 흡수하여 대기 온도를 낮춘다.
- 허리케인에 응결핵을 뿌려 비를 내리게 하여 세기를 약하게 한다.

해설 깊은 바닷속의 차가운 물을 퍼 올려 허리케인을 약하게 하는 기술 특허는 마이크로소프트의 빌 게이츠가 워싱턴 카네기 연구소의 기후과학자 켄 칼데이라와 함께 내놓은 것이다. 하지만 엄청난 비용 때문에 비현실적이라는 반응이 많았고 관련 장비는 개발되지 않은 상태다. 바다에 대규모의 풍력 발전기를 설치하면 허리케인이 육지에 상륙하기 전에 풍력 발전기의 프로펠러를 돌리게 되므로 마찰에 의해 바람 세기가 약해지면서 사라진다.

탐구력 키우기 100쪽

01 모범답안

- 실험 과정 ① : 비커 벽면에 물방울이 맺힌다.
- 실험 과정 ④ : 유리병 안이 흐려진다.
- 실험 과정 ⑤ : 페트병 안이 흐려진다.
- 실험 과정 ⑥ : 페트병 안이 더욱 더 흐려진다.

해설 실험 과정 ①은 이슬, 실험 과정 ②~④는 안개, 실험 과정 ⑤~⑥은 구름이 생성되는 원리를 알아보는 과정이다.

02 모범답안 공기 중의 수증기가 응결되어 물방울이 된다.

해설 공기 중의 수증기가 냉각되어 이슬점에 도달하면 상대 습도가 100 %가 되고 수증기가 응결되어 물방울이 된다. 수증기가 많이 냉각될수록 응결되는 양이 많아진다.

03 모범답안 수증기가 쉽게 응결할 수 있도록 돕는 응결핵의 역할을 한다.

해설 실험 과정 ⑤보다 응결핵이 있는 실험 과정 ⑥에서 구름이 더 잘 생긴다. 구름이 생성될 때 향 연기처럼 공기 중에 작은 먼지가 있으면 응결이 더욱 쉽게 일어난다.

04 모범답안 안개는 차가운 공기를 만나 열을 빼앗긴 수증기가

응결되어 생성된다. 반면 구름은 상승하는 공기 덩어리가 단열 팽창 과정을 거쳐 기온이 하강하여 이슬점에 도달하면 응결되어 생성된다. 이때 대기 중의 먼지, 화산재, 소금 입자 등이 응결핵 역할을 한다.

해설 수증기가 열을 빼앗겨 기온이 낮아져 응결되면 안개, 단열 팽창에 의해 기온이 낮아져 응결되면 구름이 된다. 수증기가 단열 팽창하기 위해서는 기압이 낮은 높은 곳으로 올라가야 한다.

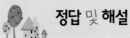
Ⅳ 태양계

12 지구의 자전과 공전

01 ① 02 ①, ⑤ 03 ③ 04 ① 05 ④
06 ② 07 ⑤ 08 ⑤ 09 ④ 10 ④
11 ⑤

01 태양이 매일 동쪽에서 떠서 서쪽으로 지는 것은 지구의 자전에 의한 현상이다.

02 에라토스테네스는 호의 길이와 중심각 관계를 이용하기 위해 지구는 완전한 구형이고, 평행선에서 엇각을 이용하여 중심각을 구하기 위해 지구로 들어오는 태양 광선은 어디에서나 평행하다는 가정을 세웠다.

03 $7.2° : 925 = 360° : 2\pi R$, $R = \dfrac{925}{2\pi} \times \dfrac{360°}{7.2°}$

04 지구 모형의 크기를 구하려면 중심각의 엇각인 ∠AA′C와 AB의 거리를 알아야한다.

05 $(37.5-35)° : 280 \text{ km} = 360° : 2\pi R$
$R = \dfrac{280 \text{ km}}{2\pi} \times \dfrac{360°}{2.5°} = 6,720 \text{ km}$

06 계절에 따라 별자리가 달라지는 것은 지구의 공전에 의한 현상이다.

07 별자리는 1시간에 15°씩 회전하므로 4시간 동안 북극성을 중심으로 시계 반대 방향으로 60° 회전한다.

08 별자리의 연주 운동은 지구의 공전에 의한 현상으로 (가)-(나)-(다) 순서대로 관측된다. 별자리는 태양을 기준으로 하루에 약 1°씩 동쪽에서 서쪽으로 이동한다.

09 북반구 중위도 지역에서 바라본 서쪽 하늘의 별의 일주 운동 모습은 별이 지평선에서 오른쪽으로 비스듬히 진다.

10 지구 자전축이 공전 궤도면에 수직인 축에 약 23.5° 기울어진 상태로 태양 둘레를 공전하기 때문에 태양의 남중 고도와 밤 낮의 길이가 달라져 계절 변화가 생긴다.

11 6월 한밤중에 태양이 황소자리 근처에 있으므로 남쪽 하늘에서 볼 수 있는 별자리는 전갈자리이다.

01 **모범답안** 지구의 자전축이 공전 궤도면에 수직인 축에 약 23.5° 기울어진 상태로 태양 둘레를 공전하기 때문에 각 위치마다 받는 태양 복사 에너지 양이 달라져 계절 변화가 생긴다.

해설 하지 때는 태양이 북동쪽에서 떠오르므로 태양의 남중 고도가 높고 낮의 길이가 가장 길다. 또한, 지표면에 도달하는 태양 복사 에너지의 양이 많아 기온이 높다. 동지 때는 태양의 남중 고도가 낮고 낮의 길이가 가장 짧다. 또한, 지표면에 도달하는 태양 복사 에너지의 양이 적어 기온이 낮다.

02 **모범답안** (가)와 (나) 사이의 거리는 a, 중심각은 $70° - 40° = 30°$이므로
$30° : 360° = a : 2\pi R$
$R = \dfrac{360° \times a}{2\pi \times 30°} = \dfrac{6}{\pi}a$이다.

해설 북극성은 지구에서 아주 멀리 떨어져 있기 때문에 북극성의 빛은 지구 어디에서나 평행하다. 따라서 두 지방의 북극성 고도 차를 이용하면 지구 반지름을 구할 수 있다.

03 **모범답안** 지구가 크기 때문에 지구의 일부분만 볼 수 있어서 지구가 둥글다는 것을 인식하기 어려웠을 것이다.

해설 과거에는 나라마다 지구의 모습을 다르게 생각하였다. 인도 사람들은 커다란 뱀 위에 뱀보다 작은 네 마리의 코끼리가 지구를 떠받치고 있다고 생각했고, 이집트에서는 높은 산이 하늘을 떠받치고 하늘에는 별이 매달려 있다고 생각했다.

04 **모범답안** 둥근 지구를 평면으로 나타냈기 때문에 북극 항로가 가장 멀어 보이지만 실제로 최단 거리이다.

해설 초록색 경로는 북위 78° 이상의 북극 지역을 지나는 북극 항로이고, 파란색은 캄차카 반도를 통과하는 캄차카 항로, 빨간색은 일본을 경유하는 북대서양 항로이다. 세 가지 항로 중 북극 항로가 가장 짧고, 북대서양 항로가 가장 길다. 지구본에서 인천과 뉴욕의 최단 거리를 찾아보면 북극을 지나는 북극 항로이다. 북극 항로를 이용하면 비행시간이 13시간 정도이고, 캄차카 항로나 북대서양 항로를 이용하면 14시간 30

분 정도이다. 북극 항로를 이용하면 비행시간을 줄일 수 있고 난기류가 적으며, 연간 약 60억 원의 유류비를 절감할 수 있다. 그러나 북극 항로는 우주 방사선에 더 많이 노출되고 무선 통신이 끊어지는 단점이 있다. 또한, 태양 활동이 활발할 때는 북극 항로 운항이 불가능해질 수도 있다. 항공 승무원은 연간 피폭량이 50 mSv(밀리시버트)가 넘지 않도록 항공 일정을 조절한다. 인천에서 뉴욕 등 미국 동부 지역으로 비행할 때 서쪽에서 동쪽으로 흐르는 제트 기류를 타고 가면 거리가 약간 멀더라도 더 빠르게 갈 수 있으므로 캄차카 항로나 북대서양 항로를 이용하기도 한다.

융합사고력 키우기 109쪽

01 모범답안

• 밀물과 썰물이 약해져 해양 생태계가 영향을 받을 것이다.
• 달빛이 줄어들어 밤이 지금보다 더 어두워질 것이다.
• 달이 태양을 완전히 가리는 개기 일식을 볼 수 없게 될 것이다.

해설 개기 일식은 지구와 태양 사이의 거리가 지구와 달 사이 거리의 400배이고 태양의 크기가 달의 크기의 400배이기 때문에 발생한다. 만약 달이 계속 멀어지면 지구−달−태양 사이의 거리와 겉보기 크기의 비율이 맞지 않아 부분 일식이나 금환 일식밖에 일어나지 않을 것이다.

02 모범답안

• 태양의 남중고도가 항상 같아질 것이다.
• 모든 지역에서 밤과 낮의 길이가 같아질 것이다.
• 계절이 사라질 것이다.
• 극지방에서 백야 현상과 극야 현상이 사라질 것이다.
• 각 지방의 위도에 따라 기후가 결정되고, 1년 내내 변화가 없을 것이다.
• 고위도 지방과 저위도 지방의 에너지 불균형이 심해질 것이다.
• 지구상의 모든 곳에서 만조와 간조가 2번씩 나타날 것이다.

해설 지구 자전축이 공전 궤도면에 수직인 축에 약 23.5˚ 기울어진 상태로 태양 둘레를 공전하기 때문에 태양의 남중 고도와 밤낮의 길이가 달라져 계절 변화가 생긴다. 자전축이 기울어지지

않으면 계절의 변화가 없고, 적도 지방은 더 뜨겁고 극지방은 더 추운 기후가 될 것이다.

13 달의 위상 변화와 태양계의 행성

개념 기르기 114−115쪽

01 ⑤	02 ④	03 ③	04 ③	05 ②
06 ⑤	07 ①	08 ③	09 ⑤	10 ③
11 ④	12 ②			

01 달이 지구 둘레를 서쪽에서 동쪽으로 공전하기 때문에 매일 같은 시각에 달을 관측하면 달의 위치가 점점 동쪽으로 이동한다.

02 지구가 자전하는 동안 달도 지구 주위를 13˚만큼 공전하므로 달이 뜨는 시각이 매일 약 50분씩 늦어진다.

03 달은 스스로 빛을 내지 못하고 태양 빛을 반사하여 밝게 보인다.

04 달과 모양이 같은 동전을 이용하면 삼각형의 닮음비로 달의 크기를 구할 수 있다.

05 A는 삭, B는 초승달, C는 상현, E는 망(보름달), G는 하현, H는 그믐달이다.

06 지구가 태양의 반대편에 위치할 때 자정(24시)이 된다. 자정에 동쪽 하늘에서 달이 떠올랐다면 달이 G의 위치에 있을 때이고, 모양은 하현이다.

07 소행성은 화성과 목성 사이에 태양을 중심으로 공전하고 있는 수많은 천체이다.

08 ㉠은 수성, ㉡은 토성, ㉢은 화성, ㉣은 금성이다.

09 금성은 두꺼운 이산화 탄소 대기층으로 인해 온실 효과가 활발하여 표면 온도(약 480 ℃)가 높다.

10 그림은 목성으로 태양계 행성 중 가장 크다. 빠른 자전으로 인해 가로줄 무늬가 있으며, 거대한 대기의 소용돌이인 대적

반이 있다.

11 A는 지구형 행성으로, 위성이 없거나 적으며, 반지름과 질량이 목성형 행성보다 작다. 지구형 행성은 표면이 단단한 암석으로 이루어져 있어 주로 기체로 이루어져 있는 목성형 행성보다 평균 밀도가 크다.

12 지구형 행성은 밀도가 크고 고리가 없으며 자전 주기가 느리고 표면 온도가 높다. 목성형 행성은 밀도가 작고 고리가 많으며, 자전 주기가 빠르고 표면 온도가 낮다.

서술형으로 다지기 116쪽

01 **모범답안** 달에는 대기와 물이 없어 풍화·침식 작용이 일어나지 않기 때문이다.

해설 달과 수성은 대기와 물이 없어서 표면에 운석 구덩이가 생기면 그 자국이 없어지지 않는다. 따라서 표면에 생긴 운석 구덩이의 모습을 많이 관찰할 수 있다.

02 **모범답안** 태양－지구－달 순서가 되면 달에서 일식을 관찰할 수 있다. 지구에서는 달과 태양이 거의 같은 크기로 보이지만 달에서 보면 지구는 태양보다 더 커 보이므로, 지구가 태양을 자주 가려 일식이 자주 일어나고 일식이 진행되는 시간도 길다.

해설 지구에서 월식이 일어날 때 달에서는 일식이 일어난다.

03 **모범답안** 극관은 수증기와 이산화 탄소로 이루어져 있으므로 모두 녹으면 이산화 탄소량이 늘어나게 되고, 온실 효과가 활발해져 화성의 기온이 상승할 것이다.

해설 현재 화성은 붉은 행성이지만, 인간의 힘에 의해 녹색으로 변할지도 모른다. 온실 기체를 화성의 대기에 풀어놓으면 기온이 높아지고, 얼음이 녹아 물이 모여 호수와 시냇물이 되며, 극지 환경에 적응한 미생물과 작은 식물들이 야외에서 살 수 있게 될 것이다. 식물의 활동으로 대기층이 두꺼워지면 산에서 사는 나무들이 자라게 되고 식물의 광합성으로 이산화 탄소의 농도는 낮아지고 산소가 많아질 것이다. 기온과 기압이 적절해지면 우주복 없이 사람도 야외 생활을 할 수 있을 것이다. NASA의 천체생물학자는 약 100년간의 테라포밍을 거치면 화성의 온도를 적절하게 높일 수 있다고 한다.

04 **모범답안**
• 공기와 물이 없어 날씨 변화가 없을 것이다.
• 공기와 물이 없어 풍화 작용이 없으므로 돌들이 날카롭고

처음 모습을 그대로 유지할 것이다.
• 공기가 없어 하늘이 검게 보일 것이다.
• 중력이 약해 지구보다 더 많이 뛰어오를 수 있을 것이다.

해설 달은 낮과 밤의 온도 차이가 매우 크지만 물이 없으므로 풍화 작용이 거의 일어나지 않는다. 대신 대기가 없는 달에서는 태양풍에 의한 풍화 작용이 약하게 일어나고, 1 mm 미만의 미세한 우주 먼지가 대기가 없는 달 표면에 매우 천천히 쌓인다. 달 표면에 두껍게 쌓인 흙은 풍화 작용에 의해 만들어진 것이 아니라 운석과 충돌했을 때 암석이 부서져서 만들어진 것이다.

융합사고력 키우기 117쪽

01 **모범답안** 달의 공전 궤도가 타원형이므로 지구와 달의 거리가 달라지기 때문이다.

해설 달이 지구를 중심으로 공전할 때 원이 아니라 타원 모양으로 돈다. 타원형 공전 궤도로 인해 지구와 달 사이의 거리가 달라진다. 지구에서 달까지의 평균 거리는 38만 4,400 km이지만 약 2만~3만 km까지 거리 차이가 생긴다. 달이 지구에 가장 가까워질 때의 거리는 약 36만 3,100 km이고, 가장 멀어질 때의 거리는 40만 5,600 km이다. 슈퍼문은 지구와 가장 가까울 때 뜨는 보름달이고, 미니문은 지구와 가장 멀 때 뜨는 보름달이다. 슈퍼문은 지구와의 물리적 거리가 가깝긴 하지만, 달이 크게 보이는 데는 대기 상태나 주관적인 부분도 작용하기 때문에 육안으로는 큰 차이를 느끼지 못할 수도 있다. 달이 커 보이는 이유는 착시 효과의 영향이 더 크다.

02 **모범답안** 지평선의 건물이나 나무와 비교해 달이 훨씬 더 멀리 있으니 크다고 판단하는 착시 현상 때문이다.

해설 초저녁 지평선이나 산등성 위로 떠오르는 달은 더 커 보인다. 사람의 눈은 같은 크기의 물체라도 멀리 떨어진 배경 위에 있는 물체를 더 크게 느낀다. 일종의 착시 현상이다. 하지만 달이 하늘 높이 떠 있을 때는 비교 대상이 없기 때문에 크기를 가늠할 수 없어 작아졌다고 판단한다.

14 태양과 망원경 천체 관측

01 태양의 표면 온도는 약 6,000 ℃이다.

02 쌀알무늬는 태양의 표면 아래에서 일어나는 대류 현상에 의해 생긴다. 플레어는 흑점 주변에서 격렬하게 일어나는 폭발 현상으로, 많은 양의 에너지와 물질을 방출한다.

03 바늘구멍의 크기가 작을수록 좋다. 바늘구멍의 크기가 크면 태양 상이 흐릿하게 맺힌다.

04 (가)는 흑점, (나)는 홍염, (다)는 코로나이다. 홍염은 태양 표면 전체에서 나타나며, 코로나는 일식 때 관찰할 수 있다.

05 온실 효과는 대기 중의 온실 기체에 의해 나타나는 현상으로 태양의 활동과 관계없다.

06 흑점 수는 11년을 주기로 증감을 반복한다. 태양 활동이 활발할수록 표면에 흑점이 많이 나타나며, 홍염과 플레어가 자주 일어나고, 코로나의 크기도 커진다. 또한, 태양풍이 강해져 지구 자기장을 교란시키거나, 자기 폭풍이 발생하고, 오로라가 생기는 지역이 넓어진다.

07 굴절 망원경은 두 개의 볼록 렌즈를 사용하여 만든 망원경이며, 반사 망원경은 오목 거울로 빛을 모으고 접안렌즈(볼록 렌즈)로 상을 확대한다. 경위대식 가대는 망원경을 상하좌우로 움직일 수 있어 다루기 쉽고, 적도의식 가대는 일주 운동을 하는 천체를 추적하면서 관측하기 유리하다.

08 망원경은 대물렌즈의 구경이 클수록 빛을 많이 모을 수 있어 천체를 자세히 관측할 수 있다. 경통을 설치하는 방법에 의해 경위대식과 적도의식으로 분류할 수 있다.

09 주위에 불빛이 많으면 별을 관찰하기 어렵다. 도시에서는 밤에 불빛이 많아 망원경을 설치하기에 적합하지 않다.

10 A는 대물렌즈, B는 경통, C는 파인더, D는 접안렌즈, E는

가대, F는 삼각대이다. 천체의 빛을 모으는 부분은 대물렌즈, 천체의 상을 확대하는 부분은 접안렌즈이다.

11 파인더는 천체를 쉽게 찾을 수 있게 해 준다.

12 평평한 곳에 삼각대를 수평으로 놓고 그 위에 가대를 고정한 후 가대에 균형추를 부착한다. 가대 위에 경통을 올려 고정시킨 후 파인더를 부착한다. 경통에 접안렌즈를 끼우고 균형추를 이용하여 망원경의 균형을 맞춘다. 경통과 파인더의 방향을 일치시키고 파인더의 십자선 중앙에 천체가 오도록 맞춘 후 접안렌즈로 보면서 초점을 조절하여 천체를 관측한다.

서술형으로 다지기   124쪽

01 **모범답안** 주변보다 온도가 낮기 때문이다.

해설 흑점은 태양의 자기장 활동으로 인해 대류층의 열대류 현상이 방해받는 지역에 나타난다. 태양의 한 지점에 생긴 흑점은 생성된 이후 소멸할 때까지 움직이지 않는다. 그러나 태양이 서쪽에서 동쪽으로 자전하기 때문에 동쪽에서 서쪽으로 이동하는 것처럼 관측된다. 태양 표면의 온도는 약 6,000 ℃이고, 흑점의 온도는 약 2,000 ℃ 낮은 약 4,000 ℃이다. 흑점은 수시로 생성과 소멸을 반복하므로 수가 일정하지 않고, 약 11년을 주기로 증가와 감소를 반복한다.

02 **모범답안** 태양 표면은 기체로 되어 있다.

해설 흑점의 이동 속도로 볼 때 태양의 자전 속도는 위도에 따라 다르다. 적도 부근은 약 25일, 양극 부분은 약 35일이다. 이것으로부터 태양 표면이 기체 상태의 물질로 되어 있다는 것을 알 수 있다.

03 **모범답안** 대기의 영향과 불빛의 영향을 받지 않으므로 천체의 선명한 상을 얻을 수 있다.

해설 지상에서는 대기의 요동에 의해 상이 흔들리고, 별빛이 대기층의 공기, 먼지, 구름 등을 통과하며 흡수·산란되어 관측하는 데 어려움이 있다. 우주 망원경은 대기권 바깥에서 지구 주위를 돌면서 우주를 관측한다. 최초의 우주 망원경인 허블 우주 망원경은 지름 2.4 m의 주경을 가진 반사 망원경으로, 지상 610 km 궤도에서 약 97분에 한 번씩 지구를 돌며 관측 활동을 하고 있다. 허블 우주 망원경은 지상의 천체 망원경보다 해상도는 10~30배, 감도는 50~100배 뛰어나다.

04 **모범답안**
• 광합성을 하지 못해 식물이 살 수 없을 것이다.

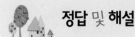
• 태양과 행성 사이의 인력이 사라지기 때문에 태양계가 유지되지 못할 것이다.

• 태양 빛이 사라지기 때문에 지구의 온도가 낮아질 것이다.

• 기상 현상이 사라질 것이다.

• 지구의 낮도 밤과 같이 어두워질 것이다.

• 기온이 낮아지고 식물이 사라져 생명체가 더 이상 살지 못할 것이다. 등

해설 태양은 지구상의 모든 생명 현상의 원천으로 생물은 태양 없이 살아갈 수 없다. 태양이 사라지면 안정된 태양계 궤도가 사라지므로 지구는 직선을 그리며 우주 공간으로 나아가고, 여러 소행성과 충돌할 수 있다.

융합사고력 키우기 125쪽

01 모범답안

• 전리층을 교란하여 전파장애를 일으킨다.

• 전파장애로 인해 인공위성, 비행기 무선 등 통신 시스템을 사용하지 못한다.

• 유도 전류가 흘러 정전이 되거나 전력 시스템이 파괴되기도 한다.

해설 태양 폭풍이 발생하면 전자기파, 방사선, CME(코로나 질량 방출)가 방출되어 지구에 도착한다. 제일 처음에 도착하는 것은 전자기파로, 빛의 속도로 오기 때문에 8분 정도면 지구에 도달한다. 전자기파는 전리층을 교란하여 전리층을 이용한 전파장애를 일으키고 많은 통신 시스템(인공위성, 비행기의 무선 등)을 사용하지 못하게 한다. 두 번째로 오는 것은 방사선(고에너지 입자)으로, 태양 폭발 후 몇 시간이면 도착한다. 고에너지 입자들은 우주 공간의 위성체를 망가뜨린다. 위성체 표면에 충전됐다 방전되며 불꽃을 튀기기도 하고 아주 높은 에너지를 가진 입자들은 위성을 뚫고 들어가 각종 신호를 바꾸기도 한다. 마지막으로 오는 것은 CME(코로나 질량 방출)이며 2~3일 정도 후에 도착한다. CME의 영향이 가장 위험하다. CME에 의해 발생한 유도 전류가 송전선을 흐르게 되면 전류를 방해하여 정전, 전력 시스템의 파괴 등을 초래한다.

02 모범답안

• 강력한 태양 폭풍이 예상되는 시점에 전력을 차단하여 일시적으로 정전을 만들어 발전 설비와 변압기를 보호한다.

• 피뢰침처럼 유도 전류를 땅속으로 보내는 장치를 만든다.

• 금속 파이프에 전류가 흐를 수 있는 장치를 하여 파이프라인이나 전력선에 유도된 전류를 다른 곳으로 보내 보호한다.

• 강력한 태양 폭풍이 예상되면 북극 항로로 이동하는 배와

비행기의 항로를 수정하거나 운항을 중단한다.

• 태양 폭풍을 실시간으로 관측하고 추적하여 대비한다.

해설 1859년 태양 폭풍은 슈퍼 태양 폭풍이라 불릴 만큼 강력했는데, 다행히도 당시에는 모스 부호로 통신을 하는 전신기밖에 없어서 큰 피해는 없었다. 당시 기록에 의하면 전신 통신에 장애가 발생함은 물론, 지표에 형성된 강력한 유도 전류 때문에 전원을 끈 전신기로도 통신할 수 있었다. 그러나 20세기 들어 무선 통신과 위성 통신이 발달하면서 태양 폭풍이 통신 장애를 일으키기도 하고, 우주 탐사가 본격화되면서 태양 폭풍은 우주 비행사의 안전과도 관련된다. 일반인들이 모두 느낄 수 있었던 강력한 태양 폭풍의 결과는 1989년 캐나다 퀘벡주에서 발생했다. 1989년 3월 13일 강력한 태양 폭풍이 지구를 덮쳤고 남쪽 지방인 텍사스에서도 오로라를 관찰할 수 있었다. 그리고 북극권에 가까운 지방, 특히 캐나다 퀘벡주의 지표에 강력한 유도 전류가 발생하여 순식간에 전력선에 과부하가 더해지면서 전력망이 다운됐다. 이미 많은 전력이 흐르고 있던 전력선에 순간적으로 너무 많은 전류가 흐르면서 전력망에 손상이 간 것이다. 이 사건으로 6백만 명이 9시간 동안 정전 사태를 겪으며 이로 인해 막대한 재산상의 손실이 발생했다. 망가진 전력망을 복구하는 데도 상당한 시간과 비용이 들어갔다. 태양 폭풍은 기본적으로 지구 대기의 보호를 받지 못하는 지구 주변의 통신 위성이나 우주인들에게 매우 위험하고, 수많은 전자기기에 의존하고 있는 현대 문명에 심각한 손실을 입힐 수 있다.

탐구력 키우기 126쪽

01 모범답안 중심각의 크기는 호의 길이에 비례함을 이용하기 위해서이다.

해설 중심각에 해당하는 두 지점 사이의 위도 차이를 구하려면 두 지점이 같은 경도상에 위치해야 한다.

02 예시답안

• 각 ∠BB′C : 25°

• 두 막대 사이의 거리 : 6.5 cm

03 예시답안

• 지구 모형의 둘레 : 93.6 cm

• 지구 모형의 반지름 : 14.9 cm

해설 $2\pi R : 360° = l : \theta$, $R = \frac{l}{2\pi} \times \frac{360°}{\theta}$

$\theta = 25°$, $l = 6.5$ cm이므로 $R = 14.9$ cm이다.

04 모범답안
  • 두 지점 사이의 거리 측정에 오차가 있었다.
  • 각 ∠BB′C 측정에 오차가 있었다.
  • 지구 모형이 완전한 구형이 아니다. 등

해설 지구 모형이 작기 때문에 두 막대 사이의 거리와 각 ∠BB′C를 정확하게 측정하지 않으면 오차가 크게 발생한다.

Ⅴ 별과 우주

15 별과 별자리

개념 기르기
132~133쪽

01 ③	02 ①	03 ④	04 ②	05 ②
06 ④	07 ①	08 ⑤	09 ⑤	10 ④
11 ①	12 ③			

01 A는 별 S의 방위각이고, B는 별 S의 고도이다. 방위각은 0~360°, 고도는 0~90° 사이 값을 갖는다.

02 북쪽 하늘의 별자리는 작은곰자리, 큰곰자리(북두칠성), 카시오페이아자리, 세페우스자리 등이 있다.

03 우리나라에서는 88개의 별자리 중에 50개 이상을 볼 수 있으며, 밤 9시경 남쪽 하늘에서 잘 보이는 별자리를 그 계절의 대표적인 별자리로 정한다. 계절마다 별자리가 달라지는 이유는 지구가 공전하기 때문이다.

04 (가)는 봄철, (나)는 겨울철 대표적인 별자리와 밝은 별이다.

05 여름에는 백조자리의 데네브와 거문고자리의 베가, 독수리자리의 알타이르가 대삼각형을 이룬다.

06 별의 거리$=\dfrac{1}{연주\ 시차('')}$, 별 A는 10 pc, 별 B는 5 pc, 별 C는 2 pc 떨어져 있다. 1 pc은 3.26광년므로 별 B의 빛이 지구로 오는 데 걸리는 시간은 5 pc×3.26광년/pc=16.3년이다. 연주 시차는 10 pc 이내의 가까운 별까지의 거리를 구하는 방법이다.

07 등급의 숫자가 작을수록 밝은 별이며 1등급의 밝기 차이는 2.5배이다. 별의 거리가 2배 멀어지면 밝기는 $\dfrac{1}{4}$배 어두워지며, 히파르코스는 1등성에서 6등성까지의 단계로 별을 분류하였다.

08 1등급 사이의 별의 밝기는 2.5배이고, 별의 밝기는 거리의 제곱에 반비례한다. B는 A보다 2.5배 멀리 떨어져 있으므로 별의 밝기는 2.5^2배만큼 어두워져 2등급 차이가 난다. 따라서 A가 4등급이면 B는 6등급이다.

09 겉보기 등급은 눈에 보이는 별의 밝기 등급이며, 등급이 작을수록 우리 눈에 밝게 보인다. 절대 등급은 지구에서 32.6 광년 떨어져 있을 때의 밝기이며, 별의 실제 밝기를 비교할 때 사용한다. 겉보기 등급과 절대 등급이 같으면 지구에서 32.6광년(10 pc) 떨어져 있다.

10 가장 밝게 보이는 별은 겉보기 등급이 가장 낮은 별이고, 실제로 가장 밝은 별은 절대 등급이 가장 낮은 별이다.

11 겉보기 등급이 절대 등급보다 크면 32.6광년(10 pc)보다 먼 거리에 있는 별이다.

12 표면 온도가 높은 별일수록 파란색으로 보이고 낮은 별일수록 붉은색으로 보인다. 온도뿐만 아니라 별의 크기도 별의 밝기에 영향을 준다.

서술형으로 다지기   134쪽

01 **모범답안** 10 pc에서 2등급으로 보이는 별은 2.5 pc 위치에 오면 $\frac{1}{4}$배 가까워지므로 밝기는 $4^2=16$배 밝아진다. 16배 밝기는 3등급 차이이므로 겉보기 등급은 −1등급이 된다.

해설 별의 밝기는 거리의 제곱에 반비례하며, 1등급 사이의 밝기 차이는 약 2.5배이다.

02 **모범답안** 지구가 공전하기 때문이다.

해설 한 물체를 서로 다른 방향에서 볼 때 생기는 각을 시차라고 한다. 지구 공전 궤도 양쪽 끝에서 별을 보았을 때 나타나는 시차의 $\frac{1}{2}$을 연주 시차라고 하며, 연주 시차는 지구 공전의 증거이다.

03 **모범답안** 3등급, 별이 1만 개 모여 있으면 별 1개일 때보다 1만 배 밝게 보인다. 천체가 1,000 pc에 있으면 10 pc보다 100배 먼 거리에 있으므로 $100^2=10,000$배 어둡게 보인다. 따라서 천체는 3등급으로 보인다.

해설 별의 밝기는 거리의 제곱에 반비례한다.

04 **모범답안**

• 하늘 전체를 일정한 구역으로 나눈 후 별이 가장 적게 보이는 부분과 가장 많이 보이는 부분을 선택하여 별의 개수를 세어 평균을 구한다. 하늘을 나눈 구역의 수에 평균값을 곱하여 별의 개수를 구한다.

• 모든 방향에서 밤하늘의 사진을 찍은 후 사진에 나타난 별의 개수를 세어 구한다.

해설 일정한 구역을 만들 때 쌍안경에 보이는 범위라든지 종이를 말아 눈에 대고 보았을 때 보이는 범위 등으로 정한다.

융합사고력 키우기   135쪽

01 **모범답안** 100 pc

해설 절대 등급이 4등급, 겉보기 등급이 9등급이면 5등급 차이이므로 밝기는 100배 차이 난다. 10 pc 위치에서 4등급인 별이 100배 어두워지면 10배 멀리 있는 것과 같으므로 변광성의 거리는 100 pc이다.

02 **모범답안** 두 개의 별이 서로 회전하면서 밝기가 변한다. 나란히 위치하면 두 개의 별이 보여 밝지만, 일직선으로 놓이면 하나의 별이 가려지기 때문에 어두워진다.

해설 변광성은 시간에 따라 밝기가 변하는 별이다. 별 자체의 원인에 의한 본질적 변광성과 쌍성계를 이루는 두 별이 식을 일으켜 밝기가 변하는 식변광성으로 분류할 수 있다. 본질적 변광성은 다시 맥동변광성과 폭발변광성으로 나눌 수 있다. 세페이드 변광성은 대표적인 맥동변광성이다. 식변광성은 두 개의 별이 번갈아 상대방을 가려 밝기가 변하는 별로, 두 개의 별이 상대방의 주위를 공전하는 경우에 생긴다. 식변광성은 실제 별의 밝기가 변하는 것이 아니라 지구에서 볼 때 밝기가 변하는 것이다.

16 은하와 우주

개념 기르기   140−141쪽

01 ②	02 ④	03 ④	04 ②	05 ④
06 ③	07 ⑤	08 ①	09 ④	10 ⑤
11 ④	12 ⑤			

01 은하수는 지구 어디에서나 볼 수 있으며, 북반구에서는 여름에 궁수자리 부근에서 가장 잘 관측된다.

02 우리은하는 중심부가 볼록한 원반 모양이며 반지름은 약 5만 광년이다. 태양계는 은하의 중심부에서 약 3만 광년 떨어진 나선팔에 위치하며, 약 2,000억 개의 별이 포함되어 있다.

03 우리은하를 위에서 보면 막대 모양의 중심부에서 나선팔이 뻗어져 나온 나선형 모양이다.

04 (가)는 산개 성단, (나)는 구상 성단이다. 산개 성단은 주로 파란색을 띠는 젊은 별들로 이루어져 있으며 나선팔에 분포한다. 구상 성단은 주로 붉은색을 띠는 늙은 별들로 이루어져 있으며 우리 은하의 중심부나 우리은하를 둘러싸고 있는 구형의 공간에 고르게 분포한다.

05 방출 성운은 주변에 있는 고온의 별에서 별빛을 흡수하여 스스로 빛을 내면서 밝게 보이는 성운이고, 반사 성운은 주변의 별빛을 반사하여 밝게 보이는 성운이다. 암흑 성운에는 말머리 성운, 삼렬 성운 등이 있고 방출 성운에는 오리온 대성운, 장미 성운 등이 있다.

06 암흑 성운은 성간 물질이 뒤에서 오는 별빛을 차단하여 어둡게 보인다.

07 외부 은하는 우리은하 밖에 분포하는 수많은 은하이다.

08 우주는 팽창하고 있으며 팽창하는 우주의 중심은 없다. 우리 은하로부터 멀리 떨어져 있는 외부 은하일수록 더 빨리 멀어진다.

09 우주 개발의 근본적인 목적은 태양계와 우주를 과학적으로 탐사하고, 잘 이해하기 위해서이다. 우주 개발을 통해 우주 여행과 우주 호텔 등 우주 산업으로 확장할 수 있고, 지구에서 고갈된 자원을 얻을 수도 있으며 첨단 과학 기술이 개발되어 우리 생활에 이용되기도 한다.

10 2000년대 이후에는 우주 개발을 위한 국가 간 협력이 증대되었다.

11 우주 탐사선은 지구 이외의 다른 천체 등을 탐사하기 위해 쏘아 올린 비행 물체이고, 우주인은 우주 정거장에 탑승하여 장기간 머무르면서 다양한 임무를 수행한다.

12 우리나라 최초의 인공위성은 우리별 1호이다.

서술형으로 다지기 142쪽

01 **모범답안** 성간 물질이 밀집되어 있어 뒤에서 오는 별빛을 차단하기 때문이다.

해설 성간 물질에는 성간 티끌과 성간 가스가 있다. 성간 물질의 밀도가 높은 곳에서는 성운이 관측되거나 새로운 별이 탄생하기도 한다.

02 **모범답안** 외부 은하를 관측하면 우리은하의 모습을 유추할 수 있고, 우리은하에서 나오는 빛을 분석하면 우리 은하의 모양을 알아낼 수 있다.

해설 우리은하에서 나오는 적외선, 전파 등을 분석하면 모습을 알아낼 수 있다. 몇 년 전까지만 해도 우리은하는 정상 나선 은하로 분류되었으나 과학 기술이 발달하여 현재는 막대 나선 은하로 분류된다.

03 **모범답안** 외부 은하 A, B, C, 세 외부 은하 모두 우리은하로부터 멀어지고 있으므로 적색 편이가 나타난다.

해설 은하들은 우주의 팽창에 의해 서로 멀어지고 있으며 팽창하는 우주에서는 특별한 중심을 정할 수 없다.

04 **모범답안** 우주가 팽창하는 동안에도 우주 안의 물질들 사이에는 서로 중력이 작용하고 있다. 따라서 언젠가는 우주의 팽창이 멈추게 되고 다시 수축할 것이다.

해설 우주가 계속 팽창할지, 팽창하다 멈출지, 팽창하다가 다시 수축할지는 우주의 밀도와 팽창 속도에 달려 있다. 현재 관측 자료를 보면 우주는 계속 팽창할 것으로 볼 수 있으나, 우주 내에서 아직 찾아내지 못한 암흑 물질이 많이 있으므로 우주의 미래는 정확히 알 수는 없다.

융합사고력 키우기 143쪽

01 **모범답안** 우주 쓰레기의 이동 속도가 빠르기 때문이다.

해설 폭발하여 생긴 파편들은 총알보다 10배 이상의 속도(10 km/s)로 날아다니므로 주변 인공위성이나 우주인이 맞으면 대형 참사로 이어질 수 있다. 위성이 지름 1 cm인 우주 쓰레기에 부딪히면 70 km/h의 1.5톤 트럭에 부딪히는 것과 같은 충격을 받는다. 실제 우주왕복선 챌린저호의 창문이 6 km/s로 충돌하는 0.3 mm의 크기의 페인트 조각에 의해 부서진 적이 있다. 우주 쓰레기를 피하기 위해서 국제 우주 정거장의 궤도를 15번이나 수정했고, 우주 탐사선 또는 인공위성을 발사할 때마다 방호 뚜껑을 씌우고 우주 쓰레기와 충돌을 피할 수 있는 코스로 비행 경로를 잡는다.

02 **예시답안**
- 쓰레기 그물 : 무인 우주선으로 그물을 펼쳐서 쓰레기를 수거한 후 쓰레기 처리장으로 이동한다.
- 청소 위성 : 우주 쓰레기를 발견하면 커다란 집게발로 쓰레기를 집은 후 지구의 대기권으로 함께 진입하여 같이 불타 없어진다.
- 태양 돛단배 : 위성에 돛을 달고 수명이 다했을 때 돛을 펴서 햇빛에 밀려 멀리 움직이도록 한다.
- 레이저 요격 : 우주 쓰레기에 레이저를 쏘아 궤도를 바꾸어 지구 대기권으로 떨어지게 한다.
- 우주 안개 : 물체를 냉동시킬 수 있는 안개를 뿌려 우주 쓰레기를 냉동시킨다. 속도가 느려진 물체는 지구 대기권으로 떨어져 불타 없어진다.
- 끈끈이 접착볼 : 접착성이 있는 원형볼을 궤도에 띄워 우주 쓰레기가 달라붙도록 한다. 속도가 느려진 물체는 지구 대기권으로 떨어져 불타 없어진다.

해설 쓰레기 그물은 미국 우주개발 업체 스타(Star) 사가 개발한 것으로, 그물의 길이는 1 km이며 그물 양 끝에는 조정할 수 있는 무인 우주선이 있다. 우주 쓰레기를 발견하면 무인 우주선을 조정하여 그물을 펼쳐서 쓰레기를 수거한 후 쓰레기 처리장으로 이동한다. 쓰레기 그물은 아주 작은 쓰레기도 잡을 수 있다. 청소 위성은 스위스에서 계획하고 있으며, 우주 쓰레기를 발견하면 커다란 집게발로 쓰레기를 집은 후 지구의 대기권으로 함께 진입하여 같이 불타 없어진다. 태양 돛단배는 바람이 돛단배의 돛을 밀어 배를 전진시키듯 햇빛에 밀려 움직이는 초박막 섬유 소재의 돛을 제작하여 위성에 부착한다. 위성이 수명을 다했을 때 돛을 펼치면 햇빛이 위성의 속도를 느리게 하여 궤도 아래로 떨어뜨린다. 수명을 다한 인공위성이 우주 쓰레기로 남아 있지 않고 스스로 사라지도록 유도하는 방법이다.

탐구력 키우기 144쪽

01 **모범답안**
- 실험 과정 ① : 불빛의 밝기가 같다.
- 실험 과정 ② : 20 cm에서 비춘 손전등의 불빛이 더 밝다.
- 실험 과정 ③ : 큰 손전등의 불빛이 더 밝다.

해설 같은 밝기의 전등이라도 멀리서 비추면 어두워 보인다.

02 **모범답안** 밝기가 밝은 큰 손전등을 뒤로 이동하고, 밝기가 어두운 작은 손전등을 앞으로 이동한다.

03 별의 밝기는 별까지의 거리와 별이 방출하는 에너지양(별의 실제 밝기)에 의해 결정된다.

해설 별이 방출하는 에너지양이 많으면 별이 밝게 보이고, 같은 밝기의 별이라도 지구에서 가까이 있을수록 밝게 보인다. 따라서 우리 눈에 보이는 밝기만으로 별의 실제 밝기를 비교할 수 없다.

안쌤 영재교육연구소 교재구성

과학 개념 + 융합사고력	과학대회	교육청 · 대학부설 영재교육원

초 1, 2학년

초 3, 4학년

초 5, 6학년

중등

안쌤의
최상위
줄기과학

최 상 위 권 브 랜 드
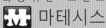 마테시스

펴낸곳 타임교육C&P   **펴낸이** 이길호
지은이 안쌤 영재교육연구소 (안재범, 최은화, 유나영, 이상호, 추진희, 오아린, 허재이, 이민숙, 이나연, 김혜진, 김샛별, 신혜진)
주소 서울특별시 강남구 봉은사로 442   **연락처** 1588-6066
팩토카페 http://cafe.naver.com/factos
안쌤카페 http://cafe.naver.com/xmrahrrhrhghkr(안쌤 영재교육연구소)

자율안전확인신고필증번호: B361H200-4001
1. 주소: 06153 서울특별시 강남구 봉은사로 442
2. 문의전화: 1588-6066
3. 제조년월: 2020년 12월
4. 제조국: 대한민국
5. 사용연령: 8세 이상
※ KC마크는 이 제품이 공통안전기준에 적합하였음을 의미합니다.

 ⚠ 주의

종이, 모서리에 다칠 수
있으니 주의하세요!